TERAPEUTKA

B.A. PARIS

Z angielskiego przełożyła
MARIA GĘBICKA-FRĄC

ALBATROS

Tytuł oryginału:
THE THERAPIST

Polish edition copyright © Wydawnictwo Albatros Sp. z o.o. 2021

Polish translation copyright © Maria Gębicka-Frąc 2021

Redakcja: Joanna Kumaszewska

Zdjęcie na okładce: © Nicole Matthews/Arcangel Images

Projekt graficzny okładki: Kasia Meszka

Przygotowanie okładki do druku: PLUS 2 Witold Kuśmierczyk

Skład: Laguna

ISBN 978-83-8215-411-5

Książka dostępna także jako e-book i audiobook
(czyta Anna Szawiel)

Dystrybutor

Dressler Dublin sp. z o.o.
Poznańska 91, 05-850 Ożarów Mazowiecki
tel. (+ 48 22) 733 50 31/32
e-mail: dystrybucja@dressler.com.pl
dressler.com.pl

Wydawca

Wydawnictwo Albatros Sp. z o.o.
Hlonda 2A/25, 02-972 Warszawa
wydawnictwoalbatros.com
Facebook.com/WydawnictwoAlbatros | Instagram.com/wydawnictwoalbatros

ALBATROS

2021. Wydanie I
Druk: Abedik SA, Poznań

Książkę wydrukowano na papierze Ecco Book Cream 70 g, vol. 2.0
z oferty Antalis Poland

Just ask Antalis

TERAPEUTKA

Dla Margaux,
dzięki której ta książka jest znacznie lepsza.

PRZESZŁOŚĆ

Mój gabinet jest mały, perfekcyjny i minimalistyczny, w uspokajających odcieniach szarości. Są w nim tylko dwa fotele: szary typu kokon dla pacjentów i drugi, z jasnej skóry, dla mnie. Na prawo od mojego jest stolik służący mi do robienia notatek, na ścianie – wieszak na płaszcze, i to w zasadzie wszystko. Za drzwiami po lewej znajduje się pokój rekreacyjny. Tam ściany mają najbledszy odcień różu i nie ma okien, są tylko dwie ozdobne lampy, które rzucają złoty blask na stół do masażu.

Przez okno z żaluzjami w gabinecie widzę każdego, kto podchodzi do drzwi. Czekam na nową pacjentkę, mając nadzieję, że przyjdzie punktualnie. Jeśli się spóźni – cóż, to nie będzie świadczyć o niej najlepiej.

Zjawia się dwie minuty po czasie, co mogę wybaczyć. Wbiega po schodach i rozgląda się niespokojnie, gdy wciska przycisk dzwonka. Chowa głowę w ramiona, najwyraźniej zmartwiona, że ktoś może ją rozpoznać. Niepotrzebnie się martwi, bo na ścianie nie ma tabliczki ogłaszającej moje usługi.

Wpuszczam ją i proszę o zajęcie miejsca. Siada w fotelu, kładzie torebkę na podłodze przy stopach. Jest w granatowej spódnicy i białej bluzce, włosy ma związane w schludny kucyk, jakby przyszła na rozmowę o pracę. Słuszne podejście. Nie przyjmuję każdego. Strój musi być odpowiedni.

Pytam, czy nie jest jej za chłodno. Lubię mieć otwarte okno, ale wiosna jeszcze niezupełnie przeszła w lato i mam włączone ogrzewanie. Spoglądam przez szybę, dając jej czas na usadowienie się. Moją uwagę przyciąga samolot sunący po niebie. Słyszę uprzejme kaszlnięcie i kieruję uwagę z powrotem na pacjentkę.

Pochylam się w jej stronę i już w pełnej gotowości do pracy, zadaję standardowe pytania. Pod pewnymi względami pierwsze spotkanie bywa najnudniejsze.

– To nie wydaje się właściwe – rzuca, kiedy jestem w połowie wywiadu.

Unoszę głowę znad notesu, w którym sporządzam notatki.

– Chcę, żeby pani wiedziała... i zapamiętała, że wszystko, co mówi pani w tym pokoju, jest poufne.

Kiwa głową.

– Po prostu czuję się niesłychanie winna. Dlaczego czuję się nieszczęśliwa? Mam wszystko, czego pragnę.

Zapisuję w notesie słowa „szczęście" i „poczucie winy", po czym znów pochylam się i patrzę jej prosto w oczy.

– Wie pani, w co wierzył Henry David Thoreau? „Szczęście jest jak motyl; im bardziej się za nim uganiasz, tym bardziej się wymyka. Ale jeśli skierujesz uwagę na inne rzeczy, przyfrunie i usiądzie miękko na twoim ramieniu".

Uśmiecha się i odpręża. To musiało się jej spodobać, wiem.

JEDEN

Dźwięk podekscytowanych głosów odrywa mnie od pudła z książkami, które rozpakowuję. Przez cały dzień było tak cicho, że aż trudno uwierzyć, że naprawdę jestem w Londynie. W Harlestone słyszałabym znajome hałasy: śpiew ptaków, sporadyczny warkot samochodu albo ciągnika, czasami klekot końskich kopyt. Tutaj, w Circle, panuje cisza. Nawet przy otwartych oknach rzadko słychać jakieś odgłosy. Nie tego się spodziewałam, ale chyba to dobrze.

Z okna na górze w gabinecie Leo patrzę na ulicę. Kobieta z niemal białymi krótkimi włosami, w szortach i kusym topie, przytula drugą kobietę, wysokiego szczupłego rudzielca. Wiem, że ta niższa jest naszą sąsiadką; widziałam ją wczoraj późnym wieczorem przed piątką, gdy z jakimś mężczyzną wyciągała walizki z bagażnika samochodu. Tę drugą widzę po raz pierwszy. Pasuje tutaj, ubrana w idealnie dopasowane granatowe dżinsy i białą koszulkę podkreślającą jej wysportowaną sylwetkę. Powinnam odejść od okna, bo jeśli spojrzą na dom, mogą mnie zobaczyć. Jednak tak bardzo tęsknię za towarzystwem, że zostaję i patrzę.

– Zamierzałam wpaść w drodze z biegania, słowo! – mówi ta niższa.

Wysoka kręci głową, ale w jej głosie brzmi uśmiech.

– To za mało, Eve. Spodziewałam się ciebie wczoraj.

Eve – więc tak ma na imię – śmieje się.

– Przyjechaliśmy o dziewiątej wieczorem, za późno, żeby zawracać wam głowę. A wy kiedy wróciliście?

– W sobotę, żeby dzieci zdążyły na dzisiejsze rozpoczęcie szkoły.

Nagły podmuch wiatru szeleści liśćmi sykomor, które rosną wokół skweru naprzeciwko domu, i porywa resztę jej odpowiedzi. Jest tu bardzo ładnie, jak scenografia do filmu o godnym pozazdroszczenia życiu w metropolii. Naprawdę nie wierzyłam w istnienie takich miejsc, dopóki Leo nie pokazał mi zdjęć, i już wtedy wydawało się ono zbyt piękne, żeby było prawdziwe.

Moją uwagę przyciąga furgonetka dostawcza wjeżdżająca do Circle przez czarną bramę, która znajduje się dokładnie naprzeciwko naszego domu. Samochód skręca w lewo na łukowatej drodze i jedzie powoli. Może do nas, bo Leo zapełnia nasz nowy dom rzeczami. Uważam, że wiele z nich jest niepotrzebnych; wczoraj dostarczono piękny, ale przesadnie wielki szklany wazon i Leo w nieskończoność krążył po salonie, trzymając go w ramionach, zanim wreszcie postawił go przy drzwiach tarasowych. Ale ciężarówka jedzie dalej i zatrzymuje się przed następnym domem. Podchodzę bliżej okna, bo chcę zobaczyć naszych sąsiadów spod siódemki. Jestem zaskoczona, gdy na podjazd wychodzi starszy mężczyzna. Nie wiem dlaczego – może dlatego, że Circle jest prawie nowym osiedlem w środku Londynu – lecz nie przyszło mi na myśl, że mieszkają tu również starsze osoby.

Jakiś czas po tym ciężarówka odjeżdża i przenoszę spojrzenie na Eve i tę drugą kobietę. Żałuję, że brak mi śmiałości, żeby zejść i przedstawić się. Odkąd wprowadziliśmy się tu dziewięć dni temu, poznałam tylko jedną osobę, Marię, która mieszka pod dziewiątką. Pakowała do czerwonego minivana trzech małych chłopców, o takich samych gęstych ciemnych włosach jak ona, i dwa piękne biszkoptowe labradory. Zawołała do mnie „Cześć!" przez ramię i ucięłyśmy sobie krótką pogawędkę. Maria wyjaśniła, że większość mieszkańców wciąż jest na wakacjach i że wrócą dopiero pod koniec miesiąca, przed rozpoczęciem roku szkolnego.

– Poznałaś się już z nimi? – Głos Eve przyciąga moją uwagę. Widząc ruch jej głowy w kierunku naszego domu, zdaję sobie sprawę, że mówi o mnie i o Leo.

– Nie.

– Pójdziemy teraz?

– Nie! – Siła odpowiedzi drugiej kobiety odpycha mnie od okna. – Dlaczego miałabym się z nimi zaznajamiać?

– Tamsin, nie bądź głupia – mówi rozsądnym głosem Eve. – Nie będziesz w stanie ich ignorować, nie w takim miejscu.

Nie czekam, żeby wysłuchać odpowiedzi Tamsin. Z walącym sercem uciekam w cienie domu. Chciałabym, żeby był tu Leo; rano wyjechał do Birmingham i nie wróci do czwartku. Czuję się źle, ponieważ w głębi duszy ucieszył mnie jego wyjazd. Ostatnie dwa tygodnie były trochę męczące, może dlatego, że jeszcze nie przywykliśmy do mieszkania pod jednym dachem. Od czasu, gdy poznaliśmy się nieco ponad półtora roku temu, mieliśmy związek na odległość; widywaliśmy się tylko w weekendy. Dopiero w nasz pierwszy poranek tutaj, kiedy Leo napił się soku pomarańczowego prosto z kartonu i odstawił go do lodówki, zdałam sobie sprawę, że nie znam jego wszystkich dziwactw i nawyków. Wiem, że przepada za dobrym szampanem, śpi po lewej stronie łóżka, uwielbia wspierać podbródek na czubku mojej głowy, podróżuje służbowo po Wielkiej Brytanii tak często, że nie cierpi wyjazdów i nawet nie ma paszportu. Ale wciąż jest w nim wiele do odkrycia i teraz, gdy siedzę na szczycie schodów w naszym nowym domu, z bosymi stopami na ciepłej miękkiej wykładzinie, już za nim tęsknię.

Nie powinnam podsłuchiwać rozmowy Eve, wiem, ale to wcale nie łagodzi słów Tamsin. A jeśli nigdy się nie zaprzyjaźnimy? Właśnie to mnie martwiło, kiedy Leo poprosił, żebym zamieszkała z nim w Londynie. Obiecał mi, że będzie dobrze – tylko że kiedy zaproponowałam urządzenie parapetówki dla wszystkich z osiedla, żebyśmy mogli ich poznać, zdecydowanie nie był zachwycony.

– Najpierw poznajmy ludzi, zanim zaczniemy ich zapraszać – powiedział.

A jeśli ich nie poznamy? Jeśli to my powinniśmy wykonać pierwszy ruch?

Wyjmuję telefon z kieszeni i wchodzę na WhatsAppa. W czasie naszej pogawędki Maria zaproponowała, że doda mnie i Leo do grupy Circle, więc podałam jej nasze numery. Jeszcze nie zdążyliśmy wysłać żadnych wiadomości, a Leo już chciał opuścić grupę, bo wciąż dostawał powiadomienia o zaginionych przesyłkach i utrzymaniu małego placu zabaw na skwerze.

– Leo, nie możesz! – krzyknęłam, potwornie zażenowana, że ludzie wezmą go za gbura. W końcu zgodził się zostać w grupie, ale wyciszył powiadomienia.

Zerkam na ekran. Dzisiaj jest już dwanaście nowych wiadomości i kiedy je czytam, jeszcze bardziej markotnieję. Sąsiedzi witają się po powrocie z wakacji, piszą, że nie mogą się doczekać, żeby nadrobić towarzyskie zaległości, spotkać się, zacząć jogę, jazdę na rowerze, grę w tenisa.

Po chwili namysłu piszę:

Cześć wszystkim. Jesteśmy nowymi sąsiadami spod numeru 6. Z przyjemnością spotkamy się z Wami na parapetówce w sobotę, od 19. Proszę, dajcie znać, czy przyjdziecie. Alice i Leo.

I nie dając sobie szans na zmianę zdania, wciskam WYŚLIJ.

DWA

— Tu jesteś — mówi Leo, wchodząc do kuchni z brudnymi kieliszkami w rękach. Stawia je obok zlewu i odgarnia włosy z czoła. — Wyjdziesz do ogrodu? Omija cię pogawędka. — Unosi brew. — Przed chwilą dowiedziałem się, że w dniu odbioru śmieci pojemniki muszą stać na podjeździe, a nie schowane gdzieś pod domem.

— Rany! — Uśmiecham się. — Nawet nie wiedziałabym, co na to powiedzieć. — Otwieram paczkę chipsów i wrzucam je do miski, ratując dwa, zanim spadły na podłogę. Sztuczny truflowy zapach atakuje mój nos. — Dołączę do was, jak tylko wszyscy się zjawią, obiecuję. Ktoś musi tu być, żeby otwierać drzwi.

Z powątpiewaniem patrzy na miskę.

— Co to za smak?

— Spróbuj.

Bierze chipsa, rozgniata go w ustach i marszczy nos.

— Martwe ciało — ocenia. — Smakuje jak zwłoki.

Śmieję się, bo wiem, co ma na myśli. Chipsy są ostre, ziemiste. Bierze jeszcze jednego i krzywi się przesadnie, a ja się cieszę, że w końcu wyluzował. Nie krył irytacji, kiedy mu powiedziałam, że zaprosiłam ludzi na parapetówkę. Zaskoczyłam go tym w czwartkowy wieczór, gdy wrócił po trzech dniach z Birmingham. Był kolejny upalny dzień; Leo wyglądał na zgrzanego i podenerwowanego.

– Myślałem, że zgodziliśmy się zaczekać – powiedział, szarpiąc kołnierzyk koszuli.

Poczułam wyrzuty sumienia i sięgnęłam po butelkę wina. Miałam nadzieję, że to go ułagodzi.

– To tylko parapetówka – zaznaczyłam, wiedząc, że muszę unikać słowa „przyjęcie".

– Kogo zaprosiłaś?

Podaję mu butelkę, sięgając do szuflady po korkociąg.

– Tylko ludzi stąd.

– Co? Wszystkich?

– Tak. Ale ci z trójki nie mogą przyjść, a z dziewiątki zjawi się albo Maria, albo Tim, więc będzie co najwyżej dwadzieścia jeden osób.

– Kiedy?

– W sobotę.

– W tę sobotę?

– Tak.

Leo był milczący przez cały wieczór, a wczoraj poszedł zobaczyć się z partnerem Eve, Willem. Patrzyłam z okna, jak rozmawiali na werandzie. Martwiłam się, że Leo mówi sąsiadowi, że zaszła pomyłka i musimy odwołać imprezę. Ale po powrocie powiedział, że wychodzi kupić piwo i szampana, więc odetchnęłam z ulgą.

– Jak schodzi szampan? – pytam teraz. – Wystarczy?

– Piję go w takim tempie, że raczej nie!

Rozpoznając głos Eve, spoglądam nad ramieniem Leo i widzę ją stojącą w drzwiach, z pustym kieliszkiem w ręce. Rumieńce na jej policzkach pasują do różowych końcówek krótkich białych włosów.

– Jest wyborny! Obawiam się, że po nim może mi już nie smakować prosecco.

Poznałam się z Eve dzień po tym, jak podsłuchałam jej rozmowę z Tamsin pod naszym oknem, i natychmiast ją polubiłam. Nie tylko dlatego, że w przeciwieństwie do Tamsin wydawała się chętna poznać mnie i Leo, ale ponieważ okazała się też serdeczna i życzliwa. Rozumiała, że niełatwo jest wprowadzić się na osiedle, gdzie wszyscy już się znają. Ona i Will zamieszkali w Circle półtora roku temu, więc dla niej też wszystko tutaj jest względnie nowe.

Leo odwraca się.

– Eve, jak myślisz, wszyscy już są? Alice martwi się, że z ogrodu nie usłyszy dzwonka.

– Will skończył próbę i właśnie się zjawił, więc chyba są wszyscy, z wyjątkiem Marii i Tima. Ale czy nie widziałam na WhatsAppie wiadomości, że mają problem ze znalezieniem opiekunki do dzieci?

Wyjmuję z lodówki trzy butelki szampana, jedną podaję jej, a dwie Leo.

– Tak, Maria uprzedziła, że przyjdzie jedno z nich, jeśli w ogóle dadzą radę.

Eve się śmieje.

– Mają trzech chłopaków, więc to może wyjaśniać problem z opieką. Są cudowni, ale rozbrykani.

– Nie ma też Edwarda i Lorny – mówię. Znam już imię podstarzałego sąsiada i jego żony. – Poszłam się przedstawić i sprawdzić, czy widzieli zaproszenie. Powiedzieli, że nie są pewni, czy będą mogli przyjść.

– A ja nie jestem pewna, czy lubią takie imprezy – rzuca z powątpiewaniem Eve. – I naprawdę nie sądzę, żeby jeszcze ktoś przyszedł, ale może zostawicie niedomknięte drzwi? – Tuli butelkę do piersi, jakby się bała, że ktoś ją ukradnie. – Jeśli zjawią się Tim albo Maria, to sami wejdą.

Waham się. W Harlestone nie miałabym problemu z zostawianiem otwartych drzwi, ale życie w mieście jest inne. Wyczuwając mój niepokój, Leo cmoka mnie w czubek głowy.

– W porządku – rzuca. – Jesteśmy na zamkniętym osiedlu, nikt tu nie wejdzie, jeśli ktoś go nie wpuści.

Uśmiecham się do niego. Ma rację, a poza tym muszę pozbyć się uprzedzeń do mieszkania w Londynie. Idę przez hol i otwieram zatrzask, gdy dzwoni dzwonek.

– Zaraz będę! – wołam przez ramię do Leo. – Tylko wpuszczę gościa.

Otwieram drzwi przed wysokim, przystojnym mężczyzną w eleganckich chinosach i pięknej lnianej marynarce. Stoi kilka kroków przed progiem, patrząc na mnie głęboko osadzonymi, nieco sennymi oczami.

– Ty musisz być Tim – mówię z uśmiechem. – Jestem Alice, wejdź.

– Cześć, Alice, miło cię poznać.

Wchodzi do holu, chyląc głowę pod szklanym żyrandolem. Przez chwilę żadne z nas się nie odzywa.

– Znałeś wcześniej ten dom? – pytam, przerywając milczenie.

– Nie, niezupełnie. Ale wiem, że włożyliście w niego sporo pracy.

– Tylko na górze. Powiększyliśmy sypialnię, wyburzając ścianę.

– Brzmi fascynująco. Próbuję to sobie wyobrazić. – Spogląda ku schodom. – Od frontu czy z tyłu?

– Z tyłu. Mogę ci pokazać, jeśli chcesz. – Uśmiecham się, ponieważ nie po raz pierwszy tego wieczoru powędrowałabym na górę. Wszystkie domy w Circle, a jest ich dwanaście, pierwotnie były identyczne, chociaż później niektóre zostały przebudowane. Ludzie są ciekawi i chcą zobaczyć, jak wykorzystaliśmy tę samą przestrzeń.

– Świetnie, z przyjemnością – odpowiada i idzie za mną na piętro.

– Więc Maria wyciągnęła krótką słomkę – mówię, gdy dochodzimy do podestu.

– Słucham?

– Musiała zostać w domu i zająć się chłopcami. Wspomniała, że macie kłopot ze znalezieniem opiekunki.

Kiwa głową.

– Zgadza się, nie znaleźliśmy. Pojutrze zaczyna się szkoła, dziewczyny wolą zabawić się w ostatnie dni wakacji.

Otwieram jedyne drzwi po prawej stronie podestu. Tim wchodzi za mną; przez otwarte okno wpada gwar z ogrodu.

– Zdumiewające. – Rozgląda się po pokoju. – Chyba nigdy nie widziałem równie wielkiej sypialni.

– To był pomysł Leo – wyjaśniam. – Nie potrzebowaliśmy trzech sypialni, więc zrobił z dwóch jedną.

– Mam nadzieję, że Mary nie kupi tego pomysłu.

– Mary? – Słyszę zaraźliwy śmiech Eve i nagle rozpaczliwie pragnę stąd wyjść i wziąć udział w imprezie. – Przepraszam, myślałam, że twoja żona ma na imię Maria.

Tim uśmiecha się.

– Tak, ale ja mówię na nią Mary. Zaczęło się od żartu, bo chodziła do szkoły prowadzonej przez zakonnice, i tak już zostało. – Patrzy na szafę, która zajmuje połowę długości ściany naprzeciwko okna. Jest głęboka i ma piękne drewniane drzwi z listewkami. – Nie miałbym nic przeciwko takiej szafie.

Śmieję się. Tim wychodzi z sypialni i przepuszcza mnie na podeście.

– Dziękuję – mówi z powagą, gdy schodzimy do holu. – Za oprowadzenie po domu.

Wskazuję w stronę ogrodu.

– Wszyscy są na zewnątrz, więc bierz kieliszek i częstuj się, czym chcesz. Ja pójdę zamknąć drzwi.

Chwilę stoję przed domem, oddychając w ciszy, po czym idę do ogrodu. Gdy mijam kuchnię, widzę Tima przy zlewie, nalewającego kranówkę do kieliszka. Chcę mu powiedzieć, że na zewnątrz w pojemniku z lodem jest woda w butelkach, ale Leo przywołuje mnie ruchem ręki. Ruszam ku niemu przez gromadę ludzi. Leo stoi z Willem, który teatralnie gestykuluje, coś opowiadając. Will ma gęste ciemne włosy, rzymski nos i usta jak wyrzeźbione. Jest aktorem, wschodzącą gwiazdą na dobrej drodze, żeby zostać idolem. Eve skarży się, że nigdzie nie mogą pójść, bo wszędzie jest rozpoznawany; wiem jednak, że w głębi duszy to ją ekscytuje.

Gdy podchodzę, dołączają do nich Geoff spod ósemki, rozwodnik, i drugi mężczyzna o jasnych włosach. Nie pamiętam, jak ma na imię. Przyszedł z Tamsin, więc jestem trochę nieufna. Szczerze mówiąc, byłam zaskoczona, gdy Tamsin na WhatsAppie odpowiedziała na moje zaproszenie i zapowiedziała, że w sobotę zajrzy do nas z mężem... Cameronem? Connorem? Może Eve przekonała ją do przyjścia.

Z zakłopotaniem wygładzam białą letnią sukienkę, wodząc wzrokiem po ogrodzie w poszukiwaniu kogoś, kto stoi samotnie. Widzę tylko grupki ludzi, którzy znają się od lat i z zadowoleniem nadrabiają towarzyskie zaległości po wakacjach. Uświadamiam sobie, że jestem obca na własnym przyjęciu.

– Alice, tutaj!

Eve stoi na palcach, machając do mnie ręką. Biorę miskę chipsów ze stołu i ruszam.

– Ładna sukienka.

Unoszę wzrok i widzę stojącego przede mną blondyna. Sądząc po czterech kieliszkach, które trzyma w wielkiej ręce, idzie po dolewkę.

– Dzięki. – Uśmiecham się do niego. – Wybacz, nie dosłyszałam twojego imienia.

– Connor. Jestem lepszą połową Tamsin – mówi z lekkim szkockim akcentem.

– Jeszcze się nie poznałyśmy, ale będę o tym pamiętać, kiedy to nastąpi – odpowiadam.

Śmieje się i odchodzi.

This book is to be returned on or before
the last date stamped below.

RENEWALS   Please quote: date of return, your ticket number
and computer label number for each item.

Błazen, myślę, patrząc za nim. I zaraz robi mi się głupio, bo przecież tylko żartował.

Podchodzę do Eve stojącej z przyjaciółkami. Mogłabym przysiąc, że Tamsin leciutko mruży oczy na mój widok.

– Właśnie mówiłyśmy, jaka jesteś dzielna, wprowadzając się tutaj – mówi, za co Eve wymierza jej kuksańca. Z okalającymi twarz miedzianymi kędziorami i jasnozielonymi oczami Tamsin naprawdę jest oszałamiająco piękna.

Uśmiecham się do niej.

– Jestem pewna, że szybko przywykniemy. Zwłaszcza wśród takich miłych sąsiadów jak wy – dodaję, podejmując próbę przeciągnięcia jej na swoją stronę.

Marszczy brwi i wtedy to wyczuwam: nie lubi mnie. Markotnieję. Może Tamsin jest jedną z tych kobiet, które zazdrośnie strzegą swoich przyjaciół, i wyszłam w jej oczach na bezczelną osobę, próbując dołączyć do ich grona. Muszę trochę wyhamować.

– Może wypijesz drinka? – proponuje Cara, śliczna brunetka. Wiem, że przyszła z Paulem, ale nie pamiętam, pod jakim numerem mieszkają. Może pod dwójką? Sięga do miski, którą wciąż trzymam w rękach. – Te chipsy są wyśmienite. Gdzie je znalazłaś?

– W delikatesach na Dean Street – uprzedza moją odpowiedź Tamsin, uśmiechając się sztucznie. – Już je tam kupowałam.

*

Reszta wieczoru mija w zawrotnym tempie. Po wyjściu ostatnich gości czuję się bardziej u siebie, niż myślałam.

– Wszyscy są tacy życzliwi – zwracam się do Leo, gdy wkładamy kieliszki do zmywarki. – Powinniśmy zacząć przyjmować na kolację po parę osób, żeby móc normalnie porozmawiać.

Unosi brew.

– Dajmy sobie czas na rozpracowanie, z kim mamy do czynienia.

– Ja już to wiem – oznajmiam, żeby mu dokuczyć. – Poznałeś Carę i Paula z dwójki? Sprawiają wrażenie naprawdę miłych.

Leo prostuje się.

– Nie wątpię. Ale nie oceniaj ludzi zbyt pochopnie, Alice. I uważaj, co komu mówisz. Nie chcę, żeby było jak w Harlestone.

Patrzę na niego, zaskoczona.

– Dlaczego nie?

Przyciąga mnie do siebie, chcąc złagodzić swoje słowa.

– Bo nie chcę, żeby wszyscy znali nasze sprawy. Dobrze jest nam samym. – Całuje mnie w usta. – Nie potrzebujemy nikogo innego.

TRZY

Mieliśmy leniwy niedzielny poranek: długo wylegiwaliśmy się w łóżku, a potem wyszliśmy do ogrodu. Leżymy obok siebie na drewnianych leżakach pod pomarańczowym parasolem, który Leo znalazł w garażu. Powietrze jest ciężkie od odurzającego zapachu jaśminu. Książka, którą czytałam, leży na mojej piersi. Leniwie obracam głowę ku Leo. Sprawdza wiadomości w telefonie. Wyczuwając moje spojrzenie, patrzy na mnie.

– Paul zaprosił mnie na tenisa w przyszły weekend – mówi. – A Connor przysłał wiadomość, żeby mi przypomnieć o czwartkowym zebraniu stowarzyszenia mieszkańców. – Kładzie telefon na trawie i sięga po moją rękę. – Na szczęście nie jestem pewien, czy zdążę wrócić z Birmingham.

– Zawsze ja mogę pójść – mruczę, przymykając oczy, rozanielona jego dotykiem.

– Sądzę, że to bardziej męska rzecz.

Otwieram oczy.

– Rany, nie zdawałam sobie sprawy, że przeprowadzając się tutaj, wróciliśmy do lat pięćdziesiątych.

Szczerzy zęby i przekręca się na bok; niebieska koszulka odsłania pasek ciała nad spodenkami.

– Nie do mnie miej pretensje. Connor powiedział, że wszyscy później idą do niego na whisky. Handluje whisky i najwyraźniej ma zdumiewającą kolekcję.

– A kobiety nie piją whisky – rzucam cierpko. Nachylam się ku niemu i daję mu całusa, zadowolona, że jest taki rozluźniony. – Jak myślisz, kiedy skończy się twoja praca w Birmingham?

– Za kilka tygodni, mam nadzieję. – Uśmiecha się. – Nie mogę się doczekać, żeby wracać do ciebie co wieczór. Niczego innego nie pragnę, odkąd wjechałaś w przód mojego auta na światłach.

Nie mogę powstrzymać się od śmiechu.

– Akurat! Oboje wiemy, że to ty mnie walnąłeś.

– Wcale nie walnąłem! – protestuje, ale też się śmieje. – Stuknąłem, i było to bardzo małe stuknięcie.

Ma rację, stłuczka była tak lekka, że nawet nie chciałam wysiadać z samochodu, żeby obejrzeć zderzak – chociaż nie chciało mi się głównie dlatego, że był strasznie mokry styczniowy dzień. Ale Leo podszedł w deszczu, zapukał w szybę i skinął ręką, żebym ją opuściła.

– Tak mi przykro – powiedział. Krople wody ściekały mu po twarzy; światła zmieniły się na zielone i gdy samochody zaczęły nas omijać, pochylił się i stwierdziłam, że patrzę w brązowe oczy z zielonymi cętkami, wyrażające jednocześnie podziw i przeprosiny.

– Nic się nie stało – odparłam. – Naprawdę, prawie nie poczułam.

– Coś mogło się stać. Możliwe, że coś uszkodziłem.

– Nie, wszystko w porządku. – Spodobał mi się cień zarostu na jego szczęce i to, jak mokre od deszczu włosy przylegały mu do czoła. Zaczęłam żałować, że nie wyrządził jakiejś szkody, bo wtedy miałabym pretekst, żeby kontynuować rozmowę. Może jednak powinnam sprawdzić. Odpięłam pasy. – Jeśli to pana uspokoi, rzućmy okiem.

Z postawionym w deszczu kołnierzem płaszcza przeszłam na tył auta i pochyliłam się, żeby obejrzeć zderzak. Dostrzegłam tylko znikome ślady i nie mogłabym przysiąc, że ich tam nie było, ponieważ kilka tygodni wcześniej przy cofaniu wjechałam w należącą do Debbie przyczepę do przewożenia koni.

– Może są jakieś uszkodzenia wewnętrzne, których nie da się zobaczyć. Mam pani podać dane, na wypadek gdyby gdzieś dalej na drodze odpadł pani zderzak?

Uśmiechnęłam się.

– Skoro pan nalega.

– Nalegam. – Wyjął z portfela wizytówkę i podał mi ją. – I czy mogę również nalegać, żeby pani podała mi namiary na siebie, na wypadek gdyby odpadł zderzak, a pani w swojej uprzejmości nie chciała mnie o tym powiadomić?

Leo Curtis, przeczytałam, patrząc na wizytówkę.

– Nie mam wizytówki, ale mogę podać numer komórki – powiedziałam.

Zadzwonił do mnie wieczorem.

– Chciałem tylko sprawdzić, czy nie ma pani urazu kręgosłupa.

– Nic mi nie jest, autu też nie – zapewniłam go.

– W takim razie może razem uczcimy ten brak urazów – zasugerował, przyprawiając mnie o śmiech. – Mogę zaprosić panią na kolację?

– Sądzę, że to może być trochę trudne – odparłam z żalem.

Zapadła krępująca cisza.

– Przepraszam, powinienem się domyślić, że...

– Nie, nie to miałam na myśli – przerwałam mu spiesznie. – Po prostu z wizytówki wynika, że mieszka pan w Londynie. Ja mieszkam w East Sussex. Spotkanie nie będzie łatwe.

– Nie ma obawy, mam samochód, podskoczę po panią. Proszę mi powiedzieć, czy niedaleko pani miejsca zamieszkania jest jakaś porządna restauracja, do której mógłbym panią zabrać w ramach przeprosin za wstuknięcie się w pani życie?

– Proszę mi wierzyć albo nie, jest.

I tak to się zaczęło.

*

Teraz Leo ruchem głowy wskazuje mój telefon.

– Dostałaś jakieś wiadomości czy może to ja jestem ulubieńcem osiedla?

Żartuje, co trochę mnie drażni, choć tylko z powodu nieprzyjaznego zachowania Tamsin.

– Tylko jedną od Cary, z podziękowaniem za wieczór – odpowiadam. – To miło z jej strony, bo już wstawiła wiadomość na WhatsAppie, zresztą jak wszyscy inni. Najwyraźniej mieszkają tu bardzo uprzejmi ludzie. Widziałeś te wszystkie kartki z życzeniami na parapetówkę? Ustawiłam je w salonie na kominku.

– Tak, widziałem. Przypuszczam, że będą tam stać tygodniami – zauważa z uśmiechem, nawiązując do moich stojących przez całe wieki kartek urodzinowych i gwiazdkowych.

– Wiem, że to dziwne, ale ludzie przeważnie poświęcają mnóstwo uwagi wyborowi kartek, więc nie mogę się zmusić, żeby od razu wyrzucać je do kosza. – Przeciągam się i wstaję.

– Dokąd idziesz? – pyta, leniwie wyciągając ku mnie rękę.

– Zrobić sałatę do steków.

Wzdycha z zadowoleniem.

– Brzmi cudownie.

*

Budzi mnie nagły ruch. Leo siedzi wyprostowany w łóżku.

– Kto tam jest?! – krzyczy, jego głos brzmi donośnie w ciszy nocy. Jest późno, gęste cienie zalegają w mroku naszej sypialni.

– O co chodzi? – szepczę. Mam wrażenie, że spałam tylko dziesięć minut. Która godzina? Chwytam go za ramię i próbuję położyć, ale niecierpliwie strząsa moją rękę.

– Ktoś tu był. – Głos ma ostry, naglący.

– Co?! – Serce podchodzi mi do gardła. Siadam, już zupełnie rozbudzona, czując uderzenie adrenaliny. – Gdzie?

– Tu, w sypialni. – Sięga do lampki nocnej i sztuczne białe światło na moment mnie oślepia.

Mrugam kilka razy, żeby oczy przywykły, i szybko rozglądam się po sypialni. Nikogo nie ma, jest tylko wbudowana szafa z listewkami w drzwiach i krzesło w kącie, zarzucone naszymi wczorajszymi ubraniami.

– Jesteś pewien? – pytam z powątpiewaniem.

27

– Tak!

Podnoszę się na jednej ręce i mrużę oczy, patrząc przez uchylone drzwi do łazienki. Mój umysł już wizualizuje kogoś ukrywającego się pod prysznicem, z długim nożem trzymanym nad głową. Leo ku mojemu przerażeniu gwałtownie odrzuca kołdrę i spuszcza nogi z łóżka.

– Dokąd idziesz?

Stoi nagi, spięty.

– Zapalić światło w holu.

Sięga przez uchylone drzwi łazienki i pstryka włącznikiem na ścianie. Nasłuchuję dźwięku osoby w pośpiechu opuszczającej dom, zaniepokojonej światłem wylewającym się na podest i schody. Nie słyszę jednak niczego podejrzanego.

– Mam zadzwonić na policję? – pytam, wyrywając telefon z ładowarki.

– Zaczekaj chwilę. Chcę się upewnić, zanim coś zrobimy. Zajrzę do drugiej sypialni.

Wstaję z łóżka i zarzucam na siebie bawełniany szlafrok. Okryta, czuję się mniej bezbronna, ale serce mi bije jak szalone, gdy idę za Leo do drzwi.

– Idę z tobą – mówię.

– Nie. Zostań tu i jeśli coś usłyszysz, dzwoń na policję.

– Czekaj. – Śpieszę do łazienki, szybko sprawdzam, czy nikogo tam nie ma, i zabieram lakier do włosów w sprayu. Zdejmuję pokrywkę i daję mu pojemnik. – Jeśli kogoś zobaczysz, pryśnij mu tym w oczy.

Kiedy indziej uśmiałby się z tego – goły facet z lakierem do włosów jako bronią. Ale bierze go i trzyma w zgiętej ręce z palcem na dyszy, gdy idzie przez podest. Patrzę, jak zagląda do pokoju gościnnego, później do swojego gabinetu. Boję się, ciarki mi chodzą po skórze. Stoję z telefonem w dłoni, gotowa wybrać numer alarmowy.

– Nic! – woła. – Sprawdzę na dole.

– Uważaj! – Czekam chwilę. – Widzisz coś? – Nie odpowiada, więc podchodzę do balustrady i z góry patrzę na hol. Leo akurat znika w salonie.

Wraca po kilku minutach.

– Okna i drzwi są pozamykane i chyba nic nie zginęło.

– Naprawdę kogoś widziałeś? – pytam, gdy wracamy do sypialni.

– Tak… nie… nie wiem – odpowiada. – Po prostu miałem uczucie, że ktoś jest w pokoju.

– Może to był sen.

Z lekko zmieszaną miną odstawia lakier.

– Pewnie tak. Nie chciałem cię wystraszyć. Swoją drogą, która godzina?

Sprawdzam na komórce.

– Trzecia piętnaście. Lepiej się prześpij. Za trzy godziny musisz wstać.

Kładziemy się i Leo szybko zasypia. Ja leżę bezsennie, zadowolona, że jest przy mnie. Rozpamiętuję, ile razy budziłam się w moim wiejskim domu, zaniepokojona z powodu hałasów, których echo niosło się w nocy. Cieszę się, że jestem z Leo, że mogę dzielić z nim życie, że już nie muszę mierzyć się ze wszystkim sama. Tamta stłuczka była najlepszą rzeczą, jaka przytrafiła mi się od wielu lat.

– Wiesz, że po raz pierwszy od wieków okazałaś odrobinę zainteresowania facetem? – powiedziała Debbie, gdy zdałam jej relację z tego, co stało się na światłach.

Miała rację. Skończyłam trzydzieści pięć lat i chociaż miałam w życiu trzy dość długie związki, wszystkie się rozpadły – nie gwałtownie, ale w powolny sposób w stylu „Naprawdę nie jestem pewna, dokąd to prowadzi". Zaczęłam dochodzić do przekonania, że długi związek nie jest mi pisany, i chociaż trochę smuciła mnie myśl, że być może nie znajdę nikogo, z kim spędzę resztę życia, nigdy poważnie nie byłam tym zmartwiona. Ale kiedy Leo wkroczył w moje życie, wszystko się zmieniło.

Po sześciu miesiącach weekendowych spotkań – w tygodniu Leo mieszkał w Londynie i przyjeżdżał do Harlestone tylko na weekendy – oboje zaczęliśmy chcieć czegoś więcej. Pewnego wieczoru wybraliśmy się na kolację i gdy Leo zamówił szampana, mój niepokój szybko osiągnął nowy poziom na myśl, że może mi się oświadczy. Nigdy nie rozmawialiśmy o małżeństwie i nie chciałam zepsuć naszych relacji, mówiąc mu, że potrzebuję czasu do namysłu. Gdy kelner zmagał się z korkiem, zastanawiałam się, czy powinnam powiedzieć „Tak". Perspektywa spędzenia reszty życia w Harlestone z Leo nagle wydała się cudowna.

– Alice, chcę cię o coś spytać – powiedział, gdy kelner nalał szampana do kieliszków. – Chcę cię widywać przez cały czas, nie tylko w weekendy. – Zrobił głęboki wdech. – Wprowadzisz się do mnie?

Miałabym wprowadzić się do niego? Czy chodziło mu o mieszkanie w Londynie?

– Przez chwilę myślałam, że mi się oświadczysz – zażartowałam, żeby ukryć zakłopotanie.

Sięgnął po moją dłoń.

– Kocham cię, ale nigdy nie wierzyłem w małżeństwo i nie zacznę wierzyć teraz, nie w moim wieku. Nigdy nie znałem szczęśliwego małżeństwa, a poza tym to tylko kawałek papieru. Nie sprawi, że będziemy kochać się bardziej, prawda?

– Nie o to mi chodziło. – Pociągnęłam łyczek szampana. – Małżeństwo nie jest mi potrzebne do szczęścia. Ale kiedy mówisz, żebym się wprowadziła, masz na myśli swoje mieszkanie?

– Tak.

Nie mogłam udzielić mu takiej odpowiedzi, jaką chciał usłyszeć. Wprawdzie czasami czułam się samotna w Harlestone, ale wioska była wszystkim, co znałam. Zawsze mieszkałam w Harlestone. Tam miałam przyjaciół. Tam było moje życie.

– Mogę nad tym pomyśleć? – zapytałam.

– Byle nie za długo – odparł z uśmiechem. – Chcę, żebyśmy byli razem przez cały czas, nie tylko w weekendy – powtórzył.

Udawało mi się unikać tematu przeprowadzki do Londynu, dopóki sześć miesięcy temu Leo z powodu pracy nie musiał wyjeżdżać do Midlands. Niezupełnie postawił mi ultimatum, ale kiedy zapytał, czy rozważam przeprowadzkę na północ, wiedziałam, że muszę ustąpić, jeśli chcę dzielić z nim przyszłość. Ja mogłam pracować gdziekolwiek, on nie, i jeśli zamieszkam w Londynie, wciąż dosyć łatwo będę mogła jeździć do Harlestone z dworca King's Cross. Ale potrzebowałam trochę zieleni i zgodziliśmy się, że Leo sprzeda swoje mieszkanie, ja sprzedam mój dom i znajdziemy coś z ogrodem w pobliżu parku. W ten sposób on będzie mógł realizować kontrakt w Midlands, dni od poniedziałku do czwartku spędzając w Birmingham, a od piątku do niedzieli ze mną. Nowy dom dla nas, nowe życie dla mnie.

Wracam pamięcią do tego, co Leo powiedział po przyjęciu: że nie potrzebujemy nikogo innego. Szczerze mówiąc, nigdy nie przyszło mi na myśl, że chce, żebyśmy byli razem dwadzieścia cztery godziny na dobę przez siedem dni w tygodniu. Owszem, ceni sobie prywatność i jest wyjątkowo dobry w odwracaniu uwagi od siebie, gdy pytania stają się zbyt osobiste. Kiedy ja mówię, że ludzie są ciekawi, on mówi, że są wścibscy.

– Kto to był? – zapytałam go pewnego piątkowego popołudnia.

Wyglądałam przez okno w moim domu w Harlestone, czekając na jego przyjazd z Londynu. Z powodu okropnej pogody – spadło trochę śniegu, który przemienił się w lód – wyjechał dopiero w południe i gdy po dotarciu na miejsce wysiadł z samochodu, nie wiadomo skąd pojawiła się jakaś kobieta i zaczęła coś do niego mówić. Leo próbował się od niej uwolnić, ale wydawała się uparta i byłam pewna, że słyszałam, jak w końcu ostrym tonem kazał jej się odczepić.

– Ktoś, kto chciał wiedzieć, jak to jest mieszkać na wsi – odparł z irytacją, gdy o nią spytałam.

Byliśmy na wczesnych etapach związku i przemknęło mi przez myśl, czy to przypadkiem nie jego była dziewczyna. Ale szybko przypomniałam sobie, że Leo nie cierpi każdego, kto narusza jego osobistą przestrzeń. Właśnie dlatego nie mamy przyjaciół, poza Markiem, którego poznał kilka lat temu, gdy robił coś dla jego firmy. I dlatego czuję się winna, ponieważ nie zgadzam się, że nie potrzebujemy nikogo innego. Kocham

Leo, ale w moim życiu są ludzie, których potrzebuję, jak Debbie i przyjaciele z Harlestone. Są moją rodziną i już za nimi tęsknię. Na szczęście tu, w Londynie, mam Ginny, żonę Marka, która została moją serdeczną przyjaciółką i mieszka tylko parę kilometrów dalej, w Islington. Mam nadzieję, że w Circle nawiążę nowe przyjaźnie.

Odwracam poduszkę na drugą stronę i klepię, żeby ją spłaszczyć, po czym przekręcam się i patrzę na Leo, który śpi z głową na wpół schowaną pod kołdrą. Wtedy uświadamiam sobie coś, z czego nie zdawałam sobie wcześniej sprawy: jeśli chodzi o rodzinę, jestem wszystkim, co ma. Zerwał kontakt z rodzicami i choć niewiele mi o nich powiedział, wiem, że nie byli najlepszymi wzorami do naśladowania.

Leo mruczy niespokojnie przez sen i czuję nagły przypływ miłości. Nic dziwnego, że chce stabilizacji w życiu. Że chce mieć kogoś, na kim może polegać.

CZTERY

— Do zobaczenia w czwartek – mówi nazajutrz rano, podnosząc mnie z kuchennego krzesła i dając mi buziaka. – Będziesz ostrożna, prawda? Pamiętaj, żeby zamykać drzwi na noc.

— Nikogo tu nie było – przypominam mu, wtulając twarz w jego koszulę i wdychając jego zapach. – Sprawdziliśmy.

Przez chwilę wspiera podbródek na czubku mojej głowy.

— Wiem. Mimo wszystko uważaj.

Pociągam za krawat, przyciągając Leo do ostatniego pocałunku.

— Kocham cię.

W holu podnosi torbę, macha ręką na pożegnanie i znika za drzwiami. Gdy zatrzaskują się za nim, słucham jego kroków cichnących na podjeździe. Przez chwilę panuje absolutna cisza i mój umysł wraca do myśli, że ktoś tu był, że ktoś nas obserwował, kiedy spaliśmy. I gdy tak stoję, otulona idealnym spokojem, coś wpada mi do głowy.

Nie lubię tego domu.

*

Byłam z Ginny na wakacjach w Wenecji, gdy Leo zadzwonił, żeby mi powiedzieć o domu, który oglądał.

– Jest idealny – oznajmił. Usłyszałam ulgę w jego głosie, ponieważ do tej pory obejrzeliśmy co najmniej dwadzieścia domów. – Przekaż Ginny, że miała rację co do Bena. Jest genialny, znalazł nam dokładnie to, czego potrzebujemy. Dom idealny.

Ginny oderwała wzrok od czasopisma, które czytała, i pokazałam jej uniesione kciuki. Zanim wyjechałyśmy do Wenecji, kazała Leo spotkać się z Benem, agentem nieruchomości, który kilka miesięcy wcześniej znalazł jej i Markowi ich wymarzony dom.

– Idealny pod jakim względem? – zapytałam, ponieważ wydało się to zbyt proste. Zbyt dobre, żeby było prawdziwe.

– Zrobiłem kilka zdjęć, zaraz ci je wyślę.

– Wygląda na duży – rzuciłam parę minut później. I na cholernie drogi, chociaż to przemilczałam. W trakcie rozmowy przeglądam zdjęcia dużego białego domu z ogródkiem od frontu przy prywatnej drodze. Był absolutnym przeciwieństwem mojego małego domu w Harlestone.

– Ma cztery sypialnie, trzy na górze i jedną na dole, i dwie łazienki – powiedział Leo.

– Cztery sypialnie! Nie potrzebujemy czterech sypialni.

– Tak, ale możemy sporo pozmieniać, na przykład w tej na dole urządzić drugi gabinet.

Spojrzałam na następne zdjęcie.

– I nie ma płotów między domami?

– Są, tylko na tyłach. Obejrzyj inne zdjęcia. To zamknięte osiedle dwunastu domów, więc jest naprawdę bezpiecznie. I pośrodku jest ładny skwer, domy stoją wokół niego.

Przeglądałam zdjęcia, pokazując je Ginny. Każdy dom stał na lewej części działki, z garażem i podjazdem po prawej stronie, oddzielającymi posesję od sąsiada. Na ogrodzonym czarnymi barierkami skwerze były ładnie rozplanowane rabaty, ławki i ścieżki, i mały plac zabaw. Wszystko razem wyglądało lepiej niż inne domy, które oglądaliśmy, ale lata świetlne dzieliły to miejsce od tego, które znałam – i gdzie czułam się swobodnie.

– Nie jestem pewna, czy chcę mieszkać na osiedlu – powiedziałam, grając na zwłokę.

– To nie zwyczajne osiedle. Jest bardzo ekskluzywne.

– Gdzie leży?

– Blisko Finsbury Park.

To mnie zastanowiło. Wcześniej wykluczyliśmy tę dzielnicę – była poza naszym zasięgiem finansowym.

– Czy Finsbury nie jest dla nas za drogie?

– Otóż nie. Dom od jakiegoś czasu stoi pusty, więc Ben uważa, że mogę go kupić za tyle, ile dostałem za moje mieszkanie. To oznacza, że nie będziesz musiała sprzedawać swojego domu w Harlestone.

– Nie mam nic przeciwko sprzedaży – zaznaczyłam. – Spodziewałam się tego.

– Wiem. Ale wiem także, ile ten dom dla ciebie znaczy. Od samego początku chciałem znaleźć coś, co zdołam kupić sam, żebyś nie musiała się go pozbywać. – Umilkł na chwilę. – Mogłabyś go wynająć, powiedzmy na pół roku. Jeśli stwierdzisz, że nie podoba ci się życie w Londynie, wciąż będziesz go miała, żeby móc wrócić do Harlestone.

– To zabrzmiało trochę złowieszczo – skomentowałam. Zostawiłam Ginny i przeszłam do sypialni. Zamknęłam za sobą drzwi i podjęłam: – O czym ty mówisz, Leo? Sądzisz, że nie wytrwamy dłużej niż pół roku?

– Nie, nie o to chodzi. Po prostu wiem, że martwi cię przeprowadzka, i pomyślałem, że może będzie ci łatwiej ze świadomością, że wciąż masz swój domek czekający w tle, na wypadek gdybyś naprawdę znienawidziła Londyn. Zabezpieczenie, żebyśmy mogli przemyśleć nasze plany na przyszłość, jeśli będzie trzeba.

Łzy zasnuły mi oczy. Na myśl o sprzedaży domu pękało mi serce i rozpaczliwie próbowałam ukryć te uczucia przed Leo, najwyraźniej bez powodzenia. Miał rację, przeprowadzka do Londynu będzie dla mnie znacznie łatwiejsza, jeśli zatrzymam swój dom.

– Dlaczego jesteś dla mnie taki dobry? – zapytałam.

– Bo cię kocham. Więc mam zielone światło? Mogę złożyć ofertę? Chciałbym załatwić to dzisiaj.

– Zadzwonię do ciebie w ciągu godziny – obiecałam.

Po raz kolejny nieśpiesznie przejrzałam zdjęcia. Ginny spodobał się dom i zaznaczyła, że jest niedaleko od niej i Marka.

– Przynajmniej nie będziesz musiała przejeżdżać przez cały Londyn, żeby się ze mną zobaczyć – powiedziała. Sięgnęła po kapelusz z szerokim rondem i wcisnęła go na głowę. – Chodź, skoczymy na kielszek wina, żeby uczcić twoją przeprowadzkę do Londynu.

– Jeszcze się nie zdecydowałam – przypomniałam jej. Ponieważ było coś, co nie dawało mi spokoju. Jeśli nie sprzedam mojego domu, to będzie dom Leo, nie nasz. Ale czy to ważne? Czy kochalibyśmy się bardziej, gdybyśmy byli współwłaścicielami? Odpowiedź musiała brzmieć „Nie", więc zadzwoniłam do Leo i powiedziałam mu, że ma zielone światło.

Tydzień później w końcu zobaczyłam dom. Zrozumiałam, co Leo rozumiał przez „ekskluzywne osiedle", gdy musiał wpisać kod, żeby otworzyć żeliwną bramę strzegącą wejścia do Circle.

– W każdym domu jest wideodomofon, więc nikt nie może wejść tu nieproszony – wyjaśnił.

Pierwszy dom z numerem 1 stał na lewo od głównej bramy, a ostatni, numer 12, po prawej stronie. Nasz – numer 6 – był w połowie drogi, na wprost bramy, po drugiej stronie skweru.

– I co myślisz? – zapytał Leo, gdy wysiedliśmy z samochodu.

Spojrzałam na białe ściany, stromy dach kryty czerwoną dachówką, schludnie przycięty trawnik, betonowy podjazd, brukowaną ścieżkę wiodącą z podjazdu do drzwi frontowych. Dom wyglądał zupełnie tak samo jak pozostałe.

– Jak zegar domów – rzuciłam, uśmiechając się, żeby ukryć niepewność.

Był w nim przestronny hol, na lewo od niego spora jadalnia – którą natychmiast przeznaczyłam na bibliotekę – a za nią, za dwuskrzydłowymi drzwiami, kuchnia ciągnąca się przez całą długość domu na tyłach. Po prawej stronie holu znajdował się duży salon, a za nim sypialnia z łazienką. Schody na prawo od drzwi frontowych prowadziły na otwarty podest z drzwiami do trzech sypialni, łazienki i gabinetu.

– Pomyślałem, że w sypialni na dole możemy urządzić drugi gabinet, wtedy każde z nas będzie miało swój – powiedział Leo.

– Dobry pomysł, o ile mój będzie na dole – zaznaczyłam, całując go. – Podoba mi się to, że będę bliżej czajnika.

– Dla mnie to żaden problem. – Otworzył drzwi po drugiej stronie podestu. – To największa sypialnia.

– Ładna. – Rozejrzałam się po przestronnym słonecznym pomieszczeniu.

– Tak, ale sąsiednia ma łazienkę. Chodź i zobacz.

Poszłam za nim. Ten pokój był nieco mniejszy, ale wciąż duży.

– Pomyślałem, że możemy połączyć dwie sypialnie i mieć jedną dużą z przyległą łazienką. I tak zostanie nam pokój gościnny, gdyby Debbie wpadła na dłużej.

– Brzmi nieźle – przyznałam, podchodząc do okna, żeby spojrzeć na ogród. Był początek maja i kwitł piękny złotokap. Rosło tam również coś, co wyglądało na czereśnię, a wzdłuż płotu po lewej stronie widziałam krzewy malin. – Pięknie tu. Naprawdę uroczo.

Stanął za mną i objął mnie.

– Widzę, jak siedzimy tam w letni wieczór z lampkami wina – wymruczał.

Poczułam na szyi jego ciepły oddech i odruchowo przechyliłam głowę.

– Ja też.

Obrócił mnie w ramionach, żeby widzieć moją twarz.

– Czy to znaczy, że ci się podoba? – zapytał, wpatrując się we mnie brązowymi oczami.

– Kocham ten dom – odparłam, w myślach krzyżując palce, bo go nie kochałam, nie naprawdę. Ale nauczę się go kochać, dla Leo. Z czasem bardziej mi się tu spodoba.

Tylko że się nie spodobało.

PIĘĆ

Siedzę po turecku na podłodze w kuchni, myśląc o wewnętrznym głosie, który przed chwilą z taką siłą mi powiedział, że nie lubię tego domu. To nieprawda, niezupełnie. Na przykład uwielbiam mój gabinet na dole. Ma ściany w najbledszym odcieniu różu – nie przypuszczałam, że kiedykolwiek polubię ten kolor – i przyległą łazienkę, ponieważ w zamyśle miała tam być sypialnia. Pod oknem stoi biurko, które kiedyś należało do mojego ojca, a w kącie kanapa z mieszkania Leo. Lubię też kuchnię, z blatami z jasnego marmuru i białymi szafkami firmy Bulthaup – a przynajmniej polubię, kiedy trochę ją ożywię. W tej chwili jest dla mnie zbyt schludna i sterylna, same czyste linie i wszystko pochowane w szafkach. Więc nie chodzi o to, że nienawidzę tego domu. Nie odpowiada mi jego klimat.

Może po prostu dlatego, że go nie ma; dom zbudowano zaledwie pięć lat temu, natomiast ten, w którym urodziłam się i wychowałam, i mieszkałam jeszcze kilka tygodni temu, stoi od dwóch stuleci. Tak się cieszę, że mogłam go zatrzymać. Zrobiłam to, co zaproponował Leo, i wynajęłam go na pół roku sympatycznej parze z Manchesteru, chcącej zakosztować wiejskiego życia.

Spoglądam na leżące przede mną fotografie. Są na nich głównie Debbie i moi inni przyjaciele z Harlestone, ale też ja i Leo, z naszego tygodniowego wypadu do Yorkshire Dales. Podnoszę jedno z innych zdjęć, portret mojej siostry. Patrzę na nie przez chwilę, potem sięgam po inne, moich rodziców i siostry, zrobione w dniu rozdania dyplomów. Podnoszę je i przyciskam do ust, rozpamiętując z zamkniętymi oczami. Nie mogę uwierzyć, że naprawdę zamierzam powiesić te dwie cenne fotografie na lodówce, ponieważ moje oczy odruchowo będą się ku nim kierować za każdym razem przy zamykaniu albo otwieraniu jej. I oczy innych ludzi, którzy mogą pytać o moją rodzinę, a wtedy będę musiała wyjaśnić. Dlatego zwykle trzymałam zdjęcia schowane w sypialni. Ale przeprowadzka do Londynu jest dla mnie nowym początkiem pod niejednym względem.

Klękam i zaczynam przyczepiać zdjęcia na górnych drzwiach lodówki, używając maleńkich magnesów. Kiedy w zasięgu ręki nie ma już miejsca, podnoszę się i dodaję kolejne fotografie, aż pokrywam całe drzwi. Cofam się, podziwiając swoje dzieło, i od razu rzucają mi się w oczy dwa zdjęcia, te z siostrą i rodzicami. Rozglądam się po kuchni; wciąż potrzebuje więcej kolorów, więc idę do jadalni po książki kucharskie. Gdy mijam salon, spoglądam do środka i uśmiecham się, widząc, że Leo poukładał kartki z parapetówki płasko na kominku – jego mały żarcik po wczorajszej rozmowie.

W kuchni kładę książki na blacie. Później przyniosę trochę kwiatów z ogródka i postawię je na stole, w znalezionym w sklepie z używanymi rzeczami czerwonym dzbanku ze złotym dzióbkiem.

Jeszcze się nie ubrałam, więc idę na górę i przystaję w drzwiach naszej sypialni, nadal zdumiona tym, jaka jest duża. Z nierozpakowanymi ostatnimi pudłami i bez Leo wydaje się jeszcze większa niż zwykle. Ogarnia mnie nagła potrzeba wyjścia z domu, więc przeglądam schludnie przewieszone przez oparcie krzesła rzeczy, szukając białej sukienki. Prognoza pogody na resztę tygodnia zapowiada niższe temperatury, więc dzisiaj prawdopodobnie włożę ją po raz ostatni. Ale nie mogę jej znaleźć. Wiem, że nie wrzuciłam jej do kosza na pranie, bo chciałam ją jeszcze ponosić. Na pewno schowałam ją do szafy.

Sięgam do przepastnego wnętrza i przeglądam ubrania na wieszakach. Sukienki nigdzie nie ma, więc wyjmuję niebieskie szorty i top, przy okazji zauważając, że starannie ustawione na podłodze buty są poprzewracane. Schylam się, żeby je poprawić, zastanawiając się, czy mogę zobaczyć się z Eve. Zarabia na życie pisaniem blogów, głównie o kosmetykach, i pracuje tyle, ile chce.

– Idealna praca – powiedziała mi pierwszego dnia, kiedy przyszła podziękować za zaproszenie zamieszczone na grupie na WhatsAppie. – Jestem taka wdzięczna mojej siostrze. Jest dyrektor naczelną w BeautyTech i to ona podsunęła mi pomysł, żeby zacząć prowadzić blog. Piszę o czymś, co uwielbiam, testuję niesamowite produkty i dostaję tyle darmowych próbek, że nie mieszczą się na półkach... przypomnij mi, żebym ci jakieś dała... i mogę wpasować to zajęcie w resztę mojego życia. Mamy szczęście, że możemy pracować w domu, prawda, Alice? Czasami nawet bloguję w łóżku!

Mogę tylko przyznać jej rację. Jestem tłumaczką literatury i choć zwykle podczas pracy siedzę przy biurku, często czytam teksty w łóżku, zwłaszcza zimą. Jak Eve, uwielbiam swój zawód i ani trochę nie przeszkadza mi brak współpracowników – i dojazdów. Poza tym podoba mi się zmienne natężenie pracy. W tym momencie mam przerwę; czekam na książkę od włoskiego wydawcy, z którym mam podpisaną umowę. Cieszyłam się z paru tygodni wolnego, bo chciałam złapać oddech po pracowitych miesiącach przed przeprowadzką. Ale znów muszę zacząć pracować, zanim nuda, która już do mnie podpełza, zagnieździ się na dobre.

Wychodzę z sypialni i gdy mijam gabinet Leo, widzę, że fotel jest przekręcony. Wchodzę, kładę rękę na oparciu i obracam go przodem do biurka. Patrzę przez okno i zdaję sobie sprawę, że widać stąd każdy dom w Circle. Okna spoglądają na mnie jak oczy i czuję, że drżę. Czy zbudowali domy w kręgu po to, żeby wszyscy mogli wzajemnie się obserwować?

Na dole biorę klucze i wkładam tenisówki. Nie będę przeszkadzać Eve, prawdopodobnie jest zajęta. Mam nogi, mogę pójść na spacer. Z Leo zwiedziłam okolice Circle, ale nie dotarliśmy do Finsbury Park.

Droga spod domu do głównej bramy zabiera mi tylko pięć minut, choć idę powoli. Ale jest pięknie. Skwer z ławkami i placem zabaw jest idealnym miejscem dla dzieci i starszych mieszkańców. Coś dla każdego: na tym polega uroda tego miejsca. Ale widzę, że huśtawki i zjeżdżalnie na placu proszą się o odmalowanie, co wyjaśnia wiadomości o konserwacji zamieszczane na WhatsAppie.

W ogóle nie znam Londynu i gdy tylko opuszczam Circle, przytłacza mnie kakofonia klaksonów i syren. Zatłoczone ulice i przepychający się ludzie są dla mnie nowością i uświadamiam sobie, że w Harlestone żyłam pod kloszem – tam najgłośniej hałasują kombajny, które wczesnym latem zbierają zboże na okolicznych polach. Jednak w hałasie metropolii jest coś ożywczego i ogarnia mnie poczucie, że jestem elementem większego obrazu. Szybko zwiększam tempo, żeby dostosować się do londyńczyków. Z pomocą Citymappera zmierzam do Finsbury Park. Gdy docieram na miejsce, czuję się tak, jakbym ukończyła tor przeszkód.

W Harlestone mogę godzinami chodzić po polach i nikogo nie spotkać. Tutaj obejście parku zajmuje zaledwie godzinę, ale i tak jestem zadowolona, bo mam gdzie spacerować bez strachu, że coś mnie rozjedzie. Poza tym muszę przestać porównywać moje wcześniejsze życie z obecnym.

Wracam do Circle i gdy wystukuję kod na bocznej furtce, otwiera się główna brama i przejeżdża minivan. Maria macha do mnie ręką, więc skręcam w prawo i minąwszy numery 12, 11 i 10, podchodzę do dziewiątki.

– Cześć, Alice! – woła Maria, wysiadając z samochodu. – Jak się masz? Zadomowiłaś się?

– Tak, mniej więcej. Właśnie wracam ze spaceru.

– Piękny dzień, prawda? Dziś po południu nie mam umówionych spotkań, więc postanowiłam wcześnie skończyć pracę i odebrać dzieci ze szkoły. – Dwaj starsi chłopcy wysiadają z samochodu. Maria wysadza najmłodszego, który ma jakieś trzy lata, po czym zasuwa ciężkie drzwi. – Idźcie do domu, chłopcy. Poproście tatusia, żeby dał wam sok.

– Szkoda, że nie mogłaś przyjść w sobotę – mówię, idąc ku niej podjazdem.

Uśmiecha się ze smutkiem.

– Ja też żałuję. – Ma niezwykle delikatną twarz z szeroko rozstawionymi brązowymi oczami i wysoko zarysowanymi kośćmi policzkowymi. – Zawiodły opiekunki, które zwykle nam pomagają.

– Tak, Tim o tym wspominał. Miło, że chociaż on mógł przyjść.

– Tim? – Marszczy czoło. – Nie sądzę. Był ze mną i chłopcami. Chyba że wymknął się do was, kiedy poszłam spać.

– Z pewnością, bo był.

Kręci głową, rozbawiona.

– Bezczelny gnojek. I nie wspomniał mi o tym słowem. – Zabiera torebkę z fotela pasażera, podchodzi do drzwi i krzyczy w głąb domu: – Tim, nie mówiłeś, że byłeś w sobotę u Alice i Leo!

– Zaraz! – odkrzykuje. – Nie słyszę, co mówisz.

– Słuch wybiórczy – mówi Maria bezgłośnie, gdy jej mąż staje w drzwiach.

– Wybacz, co mówiłaś? – Patrzy na mnie. – Cześć. Jesteś naszą nową sąsiadką?

A ja wpatruję się w mężczyznę, którego nigdy wcześniej nie widziałam.

SZEŚĆ

Opadają mnie najdziwaczniejsze uczucia; mam wrażenie, że zaraz stanie się coś, co mi się nie spodoba.

– Ale... ty jesteś Tim? – jąkam zbita z tropu.

Śmieje się.

– Byłem, kiedy ostatnio sprawdzałem.

– Ale nie ten Tim, który przyszedł do nas w sobotę. – Zwracam się do Marii: – Hm... teraz wiem, że to był jakiś inny Tim.

– Mówiłam, że nie sądzę, żeby wykradł się bez mojej wiedzy.

– Wykradł się skąd? – pyta Tim.

– Do Alice i Leo, w sobotę.

– Nie wykradłem się.

– Wiem, że nie. Ale był u nich ktoś o imieniu Tim i Alice założyła, że to ty.

Przyglądam mu się i rejestruję różnice. Jest niezupełnie taki wysoki, niezupełnie taki szczupły i niezupełnie taki ciemnowłosy jak mężczyzna, którego widziałam. Ani niezupełnie równie przystojny. I ma na sobie pasiastą koszulkę rugby, w której nie wyobrażam sobie tego drugiego Tima.

– Czy w Circle mieszka inny Tim? – pytam. – Z żoną o imieniu Maria?

– Nic mi o tym nie wiadomo – odpowiada Maria. – Chyba że latem wprowadził się ktoś nowy. Rany, wyobraź sobie mieszkających tu naszych imienników!

– Może jest znana jako Mary, nie Maria. Może jest tu jakaś para o imionach Tim i Mary?

Tim kręci głową.

– Jesteś pewna, że tak się przedstawił?

– Tak. – Śmieję się, żeby ukryć zakłopotanie, bo właśnie wpadło mi do głowy, że przecież mężczyzna wcale nie przedstawił się jako Tim. Ja powiedziałam: „Ty musisz być Tim" i wpuściłam go, nie czekając na potwierdzenie lub zaprzeczenie. A że mówił o żonie Mary, a nie Maria? Czy dlatego, że źle mnie zrozumiał i musiał wymyślić coś, żeby zamaskować potknięcie?

– Ile miał lat? – pyta Maria.

– Trudno powiedzieć… może ciut po czterdziestce?

Opisuję im tego drugiego Tima. Nie przychodzi im na myśl nikt, kto pasowałby do rysopisu.

Z głębi domu dochodzi trzask.

– Lepiej wrócę do chłopców – rzuca Tim w pośpiechu.

– To na pewno czyjś brat albo ktoś, kto przypadkiem przechodził i wśliznął się za kimś przez bramę – mówi Maria. – Odkąd Will występuje w serialach, kilka razy wdarli się tu fani.

– Nie wyglądał na fana.

Zdaję sobie sprawę, że staję się nudna, i kończę rozmowę o nieproszonym gościu. Nie mogę jednak przestać o nim myśleć, dlatego podczas pięćdziesięciometrowej przechadzki obok domów z numerami 8 i 7 dzwonię do Leo.

– Czy w sobotni wieczór rozmawiałeś z jakimś Timem? – przechodzę do sedna po tym, jak już zapytałam, jak mu minął dzień.

– Chyba nie.

– Możesz spróbować sobie przypomnieć, czy rozmawiałeś, czy nie? To ważne.

Leo milczy.

– Nie przypominam sobie żadnego Tima. Czemu pytasz?

Widzę, że Geoff idzie przez skwer z dwoma ciężkimi torbami, i macham do niego ręką.

– Bo zjawił się mężczyzna o imieniu Tim i pomyślałam, że to mąż Marii z…

– Niemożliwe – przerywa mi. – Widziałem Tima dziś rano, kiedy wychodziłem. Przeprosił, że nie mogli przyjść.

– Wiem, dopiero co z nim rozmawiałam. – Zatrzymuję się na naszym podjeździe i sięgam do kieszeni po klucze. – Rzecz w tym, że tu nie mieszka żaden inny Tim. – Przytrzymuję komórkę podbródkiem, żeby otworzyć drzwi, i powtarzam moją rozmowę z nieznajomym.

– Zaraz, zaraz – rzuca Leo. – Powiedziałaś: „Ty musisz być Tim"? On sam się nie przedstawił? Nie potwierdził, że ma tak na imię?

– Nie zaprzeczył – mówię obronnym tonem, wchodzę do holu i zaczynam ściągać buty.

– I to o jego żonie… ty powiedziałaś Maria, a on Mary?

– Tak.

– Jak wyglądał?

– Wysoki, ciemne włosy, szare oczy, elegancko ubrany – recytuję. Człapię na bosaka do kuchni, czując pod stopami rozkosznie chłodną drewnianą podłogę. – Czy to ci kogoś przypomina?

– Ani trochę. Może powinnaś się rozpytać. Przecież musiał rozmawiać z kimś na przyjęciu. Jak długo u nas był?

Wyjmuję z lodówki kartonik soku i przystaję na chwilę, żeby popatrzeć na zdjęcie siostry i rodziców.

– Nie wiem. Zostawiłam go, żeby wziął sobie drinka, a sama poszłam zamknąć drzwi. Widziałam go w kuchni, ale później już nie. Na pewno nie widziałeś go w ogrodzie?

– Na pewno. Mam nadzieję, że nie wszedł na piętro. W moim gabinecie jest mnóstwo poufnych dokumentów.

Chcę skłamać, ale nie mogę.

– Nie sam… nie.

– To znaczy?

Sięgam do szafki po szklankę i nalewam do niej soku.

– To, że pokazałam górę paru osobom.

– Co? Dlaczego?

– Bo byli ciekawi zmian, jakie tam wprowadziliśmy.

– Na litość boską, Alice, nie mogę uwierzyć, że oprowadzałaś po naszym domu gromadę nieznajomych! – Leo nie ukrywa rozdrażnienia i mogę sobie wyobrazić, jak przegarnia ręką włosy, niemal jakby chciał je wydrzeć, sfrustrowany moją naiwnością. – Skąd wiesz, czy ten facet nie poszedł myszkować, kiedy został sam?

– Nie poszedł.

– Mówiłaś, że więcej go nie widziałaś. Może dlatego, że był na górze i wszystko przetrząsał?

– To nie ten typ człowieka. Wyglądał… sama nie wiem.

– Nie ten typ! Sprawdziłaś, czy czegoś nie brakuje?

– Nie...

– W takim razie może sprawdzisz, czy twoja biżuteria i karty kredytowe są na swoim miejscu.

Narasta we mnie niepokój.

– Na pewno wszystko jest w porządku. – Silę się na beztroski ton, żeby Leo się nie stresował. – Prawdopodobnie jest przyjacielem kogoś, kto tu mieszka. Może się u nich zatrzymał.

– Nie powiedziałby o tym?

– Popytam – obiecuję, chcąc już zakończyć rozmowę.

– Zadzwoń później. Jeśli się nie dowiesz, kim był ten facet, warto będzie zgłosić to na policję.

Rozłączam się i biegnę na górę, napędzana przez myśl o mężczyźnie w sypialni. Śpieszę do toaletki, sprawdzam, czy jest biżuteria – jest – i czy moje karty kredytowe są w torebce, która od soboty wieczorem leży na półce w szafie – są. Wszystko jest dokładnie tak, jak być powinno. Ale nie mogę się odprężyć i wiem, że nie zdołam, dopóki się nie dowiem, kim jest ten mężczyzna i dlaczego nieproszony przyszedł na przyjęcie.

*

Ktoś musi go znać; ktoś musiał podać mu kod, skoro wszedł na teren osiedla. O siódmej wieczorem postanawiam iść do Eve i Willa, ale jej samochodu nie ma na podjeździe i gdy pukam do drzwi, nikt nie odpowiada. Idę dalej, przeciwnie do ruchu wskazówek zegara; przerywam ludziom kolację i oglądanie programów telewizyjnych. Niektórzy uprzejmie zapraszają mnie do środka, ale stoję na progu i szybko wyjaśniam, że chodzi mi o mężczyznę, który zjawił się nieproszony w sobotę. Pytam kolejne osoby, czy z nim rozmawiały. Nikt nie odpowiada twierdząco.

Docieram do domu z numerem jedenaście i powtarzam pytanie o wysokiego, ciemnowłosego, przystojnego nieznajomego, którego próbuję wytropić.

– Jesteś pewna, że nie był wytworem twojej wyobraźni? – mówi Connor, przeciągając słowa. Tamsin, która stoi obok niego, może niezupełnie uśmiecha się złośliwie, ale się uśmiecha, i policzki mi płoną z zakłopotania.

Para z dziesiątki nie przypomina sobie, żeby widzieli nieproszonego gościa, Geoff z ósemki też nie. Jestem w połowie podjazdu Lorny i Edwarda, gdy przypominam sobie, że przecież nie byli u nas w sobotę. Myśląc, że może dostrzegli mnie przez okno, mimo wszystko podchodzę do drzwi i dzwonię. Otwiera Edward.

– Mam nadzieję, że mi wybaczysz, jeśli cię nie zaproszę. – Z białymi włosami ze schludnym przedziałkiem i niezmąconymi przez wiek niebieskimi oczami wciąż jest przystojnym mężczyzną. – Jesteśmy podziębieni i nie chcielibyśmy, żebyś coś złapała.

– Och, przykro mi – mówię, zawstydzona, że zawracam im głowę. – Mogę jakoś pomóc?

Edward kręci głową.

– Za parę dni będziemy zdrowi jak ryby. To tylko lekkie przeziębienie.

– Przepraszamy, że nie mogliśmy przyjść do was na przyjęcie – mówi Lorna, która pojawia się za jego plecami, nieśmiało poprawiając włosy, równie białe jak u męża. – Dobrze się bawiliście?

– Tak, świetnie, dzięki. – Milknę i oboje patrzą na mnie wyczekująco. – Chociaż zdarzyło się coś dziwnego. Niedawno odkryłam, że jednego z gości, którzy do nas przyszli, nie powinno tam być.

– Och? – mruczy Edward.

– Myślałam, że to Tim z dziesiątki – wyjaśniam. – Ale niedawno zobaczyłam Tima i zrozumiałam, że się pomyliłam. Więc teraz jestem ciekawa, kto to był... a Leo martwi się i zastanawia, czy nie powinniśmy zadzwonić na policję. Jestem pewna, że istnieje jakieś proste wyjaśnienie – dodaję pośpiesznie, bo Lorna bladnie i jej twarz robi się niemal równie biała jak włosy.

Unosi rękę i ściska sznur pereł, który ma na szyi.

– Powiedział, że jest waszym przyjacielem – mówi. Głos ma dziwnie zduszony i przez chwilę niepokoję się, że za bardzo skręciła naszyjnik. – I że nie odbieracie domofonu. Dlatego go wpuściłam.

Skonsternowana mina Edwarda błyskawicznie zmienia się w zszokowaną. Patrzy na żonę takim wzrokiem, jakby niezupełnie wierzył w to, co powiedziała. Teraz jej twarz ciemnieje.

– Tak mi przykro, nie miałam pojęcia, że zaprosiliście tylko mieszkańców.

– Nic się nie stało – zapewniam ją szybko. – Już wiem, jak wszedł do Circle, co sprawiło mi pewną ulgę. Ale czy możesz powtórzyć, co dokładnie powiedział?

– Że został zaproszony na parapetówkę do szóstki i że prawdopodobnie nie słyszycie domofonu z powodu hałasu.

– Użył nazwiska, mojego albo mojego partnera?

Zastanawia się przez chwilę.

– Nie, powiedział tylko o parapetówce. Nigdy dotąd nikogo nie wpuściłam, nie bez sprawdzenia. Nie mam pojęcia, dlaczego zrobiłam to tym razem. – Patrzy z miną winowajcy na męża, a on kiwa głową, potwierdzając, że po raz pierwszy zachowała się tak nierozważnie.

– Naprawdę nic się nie stało – powtarzam.

– Daj nam znać, jeśli się dowiesz, kim on był – prosi Edward, już zamykając drzwi.

– Dobrze.

Ale mogę zapytać już tylko Eve i Willa. Patrzę na ich podjazd; samochód Eve już tam jest, więc idę prosto do nich.

SIEDEM

Eve przestaje siekać liście kolendry i obraca się ku mnie z nożem w ręce.

– W ogóle nikt go nie pamięta? – pyta.

Z frustracją kręcę głową.

– Obeszłam całe Circle. Ty i Will jesteście moją ostatnią nadzieją.

– Mówisz, że był wysoki?

– Tak, wyższy od Tima.

– I powiedział, że ma na imię Tim?

– Nie powiedział, że jest Timem ani że nie jest. Założyłam, że to Tim, bo wcześniej rozmawialiśmy, że przyjdzie albo on, albo Maria. Wiem tylko tyle, że nie jest z Circle.

Eve odkłada nóż i wyciera ręce.

– Dla mnie wygląda na nieproszonego gościa – mówi ze śmiechem.

– Nie wiem, co cię tak bawi.

– Wybacz. Po prostu trochę podziwiam nieproszonych gości, zwłaszcza jeśli uchodzi im na sucho jakiś duży numer.

54

Dopóki niczego nie niszczą albo nie kradną – zaznacza. Patrzy na mnie. – Zrobił coś złego?

– Nie, ale nie o to chodzi. Nie zaprosiliśmy go, więc nie powinno go tam być.

– Kiedyś z Willem wkręciliśmy się na wesele. To było niesamowite. Siedzieliśmy przy drinkach w hotelu, gdy nagle znaleźliśmy się w środku wielkiego wesela, co najmniej na dwieście osób. Nagle ktoś wszedł i zaprosił wszystkich do ogromnego bufetu. Było lato i widzieliśmy, jak ludzie wynoszą talerze do nakrytych białymi obrusami stołów na tarasie. Patrzyliśmy przez chwilę i przyjęcie wydawało się bardzo nieformalne, nie było wyznaczonych miejsc, ludzie siadali, gdzie chcieli. Stanęliśmy na końcu kolejki, napełniliśmy talerze jedzeniem i klapnęliśmy przy stole, przy którym siedziały trzy starsze pary.

– Nie gadaj!

– Poważnie. Nie czuliśmy się źle, bo wszyscy wydawali się zadowoleni, że się dosiedliśmy. Kiedy zapytali, jak dobrze znamy państwa młodych, odparliśmy prawie zgodnie z prawdą, że nie bardzo. Okazało się, że oni też nie. Byli sąsiadami rodziców panny młodej i dali do zrozumienia, że zostali zaproszeni z uprzejmości, bo są sąsiadami, a nie przyjaciółmi. I zdecydowanie ożywiliśmy im wieczór, więc uznaliśmy, że nikomu nie stała się krzywda. Poza tym byliśmy głodni… i bardzo młodzi. Pewnie teraz nie zrobilibyśmy czegoś takiego.

– Ja nie miałabym odwagi – mówię. – Ale wracając do naszego tajemniczego mężczyzny, z jakiego powodu miałby przychodzić na parapetówkę? Dla kiełbasek w cieście i chipsów? Nawet tego nie dostał, bo nikt nie przypomina sobie, żeby go widział w ogrodzie. Widziałam, jak w kuchni nalewał sobie wody z kranu, ale wątpię, żeby to pragnienie skłoniło go do przyjścia bez zaproszenia.

– Jesteś pewna, że nic nie zginęło?

– Tak, całkowicie. W każdym razie nic cennego. Moja biżuteria i karty kredytowe są na miejscu. Zdaje mi się, że nic nie zginęło. Poza tym nie mamy niczego wartościowego.

– Poszedł na górę?

– Tak, ale tylko dlatego, że sama zaproponowałam, że mu pokażę, co tam zmieniliśmy.

Eve pociera ręką czoło.

– Byłaś z nim przez cały czas?

– Tak, chociaż przypuszczam, że mógł tam wrócić, kiedy wyszłam do ogrodu. Leo jest zły, bo ma w gabinecie jakieś poufne papiery.

Podnosi nóż i wraca do siekania kolendry.

– Spytam Willa, czy pamięta nieznajomego z waszego przyjęcia. Zjawi się lada chwila. Jadłaś? Zostaniesz na kolację?

Wstaję niechętnie.

– To miło z twojej strony i pachnie smakowicie, ale lepiej zadzwonię do Leo. I rozejrzę się po domu, jeszcze raz sprawdzę, czy czegoś nie brakuje.

*

Sprawdzam, czy nasze komputery, tablety i cenne rzeczy są na swoich miejscach. Już mam zadzwonić do Leo, gdy dzwoni Ginny.

– Jak wieczorek zapoznawczy? – pyta.

– Naprawdę dobrze. Udało mi się poznać mniej więcej wszystkich mieszkańców Circle. Co najlepsze, sporo par jest w naszym wieku. Eve i Will są młodsi, ale inni koło czterdziestki. Następnym razem, kiedy zjawisz się z Markiem, zaproszę ich, żebyście mogli się poznać. – Po chwili dodaję: – Chociaż zrobiłam sobie wroga.

– Serio?

– Niezupełnie wroga, ale wiem, że niezbyt mnie lubi. Piękna ruda o imieniu Tamsin. Chyba myśli, że mam zamiar na siłę dołączyć do grona jej przyjaciółek. Trzyma się z Eve, a Eve mieszka po sąsiedzku ze mną. Może się martwi, że całymi dniami będziemy przesiadywać u niej albo u mnie.

– Chyba powinnaś ostrożnie podchodzić do już istniejących przyjaźni – radzi mi Ginny. – To szczególnie ważne w tak małej społeczności jak Circle.

– Mówisz tak, jakby chodziło o sektę.

– Może chodzi – szepcze dramatycznie.

Żartuje, ale to nie powstrzymuje dreszczu, który przebiega mi po plecach.

– Wszyscy wydawali się naprawdę zainteresowani remontem, jaki zrobiliśmy na górze – mówię.

– Wcale się nie dziwię. Sypialnia wygląda super. Leo odwalił kawał dobrej roboty.

– A co u ciebie? Miałaś udany weekend?

– Mark grał w golfa z Benem, więc bardzo udany.

Śmieję się. Ona i Mark pracują razem, są ze sobą praktycznie na okrągło, więc Ginny w każdy weekend namawia Marka do gry w golfa, żeby mieć trochę czasu dla siebie. Jest wdzięczna Benowi, który jest równie dobrym golfistą, jak agentem nieruchomości.

– I teraz tak będzie co tydzień? – pytam.

– Mam nadzieję. Nie masz pojęcia, jak dobrze pobyć samej w domu.

– W tej chwili mam aż zbyt dobre pojęcie.

– Będzie fajnie, kiedy tylko się zadomowisz.

– Chciałabym, żeby tak było.

Nie chciałam okazywać przygnębienia, ale Ginny od razu wyłapuje takie rzeczy.

– Wszystko w porządku?

– Tak, tylko że ja naprawdę chcę tu nawiązać przyjaźnie, a Leo mówi, że nie ma pośpiechu. Nie był zachwycony, kiedy wzięłam sprawy w swoje ręce i zaprosiłam ludzi na parapetówkę. A później wpuściłam nieproszonego gościa, więc teraz jest jeszcze mniej zadowolony.

– Och, opowiadaj. Jestem zaintrygowana!

Mówię jej o człowieku, z którym nikt nie rozmawiał, i im dłużej o nim mówię, tym większy niepokój mnie ogarnia.

– Wybacz, Ginny, ale muszę zadzwonić do Leo. Przynajmniej teraz mogę mu powiedzieć, jak nasz nieproszony gość wszedł na osiedle.

– Nie ma sprawy. Pozdrów go ode mnie.

*

Dzwonię do Leo i powtarzam mu to, czego dowiedziałam się od Lorny.

– Cóż, jedna część tajemnicy rozwikłana – mówi. – Chociaż nadal nie wiemy, dlaczego się zjawił. – Wzdycha z irytacją. – Naprawdę nie chce mi się wierzyć, że oprowadzałaś ludzi po domu.

– Wybacz. – Przepełnia mnie poczucie winy. – Ale wszystkie akta twoich klientów są zamknięte w szafce, prawda? – Zastanawiam się, czy dlatego mi nie odpuszcza.

– Nie w tym rzecz.

– Myślisz, że mogło to mieć coś wspólnego z twoją pracą?

– Jestem konsultantem, nie szpiegiem. – Słyszę ostrość w jego głosie. – Słuchaj, nie chcę cię martwić, ale czy masz swoje klucze?

– Są w torebce. Dlaczego pytasz?

– Tak po prostu. Hm… wiesz, że słyszałem kogoś w nocy, prawda? Zastanawiałem się, czy może ma to związek z naszym nieproszonym gościem.

Przebiega mnie dreszcz niepokoju.

– Myślałam, że się zgodziliśmy, że nikogo tam nie było.

– Wiem. I skoro masz klucze, nie ma się czym przejmować. Ja też mam swoje. Podczas przyjęcia były tylko dwa komplety i żadnego nie brakuje.

– I mamy od wewnątrz zasuwę, więc nikt nie może wejść – zaznaczam. – Chyba że zapomniałeś ją zamknąć, zanim poszliśmy spać.

– Nie, nie sądzę. Ale pamiętaj, żeby to zrobić wieczorem, Alice. I rozpytuj dalej, dobrze? Musimy się dowiedzieć, kim był ten człowiek.

– Dobrze.

Tyle że nie mam już kogo pytać. Tajemniczy mężczyzna zniknął równie łatwo, jak się pojawił.

OSIEM

Biorę poduszki i kołdrę i niosę je na górę, nieco zakłopotana, że przez dwie noce spałam w gabinecie. W poniedziałek wieczorem nie mogłam się zmusić, żeby spać w sypialni. Nie tylko dlatego, że Leo myślał, że poprzedniej nocy ktoś był w domu, przeszkadzała mi również świadomość, że mieliśmy nieproszonego gościa. Czując się bezpieczniej na dole, rozłożyłam kanapę i tam spałam.

Zaścieliłam nasze łóżko, ponieważ nie mogę zawsze spać na dole, i idę do szafy po dżinsy. Gdy zdejmuję je z półki, widzę białą letnią sukienkę, tę, którą chciałam włożyć w poniedziałek, wciśniętą między dwie inne. Wyjmuję ją, zadowolona, że się znalazła. Jeśli narzucę na nią sweter, będę mogła w niej dziś pochodzić. Gdy wciągam ją przez głowę, leciutki zapach proszku do prania łaskocze mnie w nos; wciąż jest świeża i czysta, mimo że nosiłam ją na przyjęciu.

Gdy jem śniadanie, przychodzi poczta, a z nią powieść, którą mam przełożyć z włoskiego na angielski. Lubię przeczytać książkę dwa razy, sporządzając notatki, zanim zacznę tłumaczyć, więc zabieram ją do gabinetu. Kulę się na kanapie, zadowolona, że będę mogła wrócić do rutyny: pracy od dziewiątej do siódmej przez cztery dni w tygodniu. Do tej pory robiłam sobie wolne piątki, żeby mieć trzydniowe weekendy, ale ponieważ Leo w piątki pracuje w domu, decyduję się na wolny czwartek.

Z początku trudno mi się skupić, ponieważ wciąż mam głowę zajętą nieproszonym gościem i zastanawiam się, czy kiedyś dojdziemy, kim był. I co ważniejsze, dlaczego przyszedł, bo to niepokoi mnie najbardziej.

Przed południem, kiedy mam za sobą kilka rozdziałów, słyszę głosy z ulicy. Zamykam książkę, idę do salonu i z okna widzę Eve stojącą przed czarną żeliwną furtką skweru. Rozmawia z Tamsin i Marią, które, sądząc po wielu torbach, wracają z zakupów w miejscowych sklepach. Z zazdrością patrzę, jak śmieją się z czegoś, co powiedziała Eve. Uderza mnie fala samotności; chcę należeć do ich grupy tak bardzo, że nie mogę się powstrzymać i idę do nich.

Przystaję na końcu podjazdu, żeby przepuścić furgonetkę z supermarketu. Kiedy zatrzymuje się przed domem Lorny i Edwarda, przechodzę przez ulicę, machając ręką do wychodzącego z domu Edwarda. Trzy kobiety już się nie śmieją. Teraz stoją blisko siebie jak osoby, które mówią o czymś poważnym, sekretnym. Przeklinam swoje złe wyczucie czasu. Nie chcę im przeszkadzać, ale jest za późno. Maria mnie dostrzega.

– Dziwne, że wcale się tym nie przejmuje – mówi Tamsin, gdy podchodzę.

– Zaczynam się zastanawiać, czy w ogóle wie – rzuca Eve.

– Pewnie, że wie – prycha Tamsin.

Maria uśmiecha się promiennie i wtedy zdaję sobie sprawę, że rozmawiały o mnie.

– Cześć, Alice, jak się masz?

– Dobrze, dzięki – odpowiadam z uśmiechem.

Eve i Tamsin szybko się odwracają. Obie mają ciemne okulary przeciwsłoneczne i czuję się jeszcze bardziej onieśmielona przez tę materialną barierę między nimi a mną.

– Alice! – woła Eve, jakby nie widziała mnie od miesięcy. Przesuwa okulary na czubek głowy, rozdzielając krótkie włosy. – Co robiłaś?

– Czytałam. Usłyszałam głosy i pomyślałam, że zrobię sobie przerwę.

– Co czytasz?

– Książkę, którą muszę przetłumaczyć.

– Na jaki język? – pyta Maria.

– Na angielski, z włoskiego.

– Robi wrażenie.

– Babcia Willa jest Włoszką i Will próbuje uczyć mnie włoskiego, żebym mogła z nią rozmawiać, bo ona nie zna angielskiego – mówi Eve. – Nie radzę sobie zbyt dobrze.

– Powinnaś spróbować rosyjskiego. Minęły wieki, od kiedy ostatnio rozmawiałam w tym języku.

Eve z podziwem spogląda na Marię.

– Nie wiedziałam, że mówisz po rosyjsku.

– Mówię, ale niezbyt dobrze. Nie biegle, daleko mi do tego.

Przenoszę spojrzenie na milczącą Tamsin. Dziś ma jasnoniebieskie dżinsy i pomarańczową koszulkę, w której każda inna ruda kobieta wyglądałaby co najmniej dziwnie. Ona wygląda fantastycznie.

– A ty? – pytam. – Znasz jakieś języki?

– Nie – rzuca.

– Aha. – Może mnie nie lubi, ale jej zachowanie graniczy z chamstwem. Patrzę na nią szacującym wzrokiem. Jest oszałamiająco piękna, ale otacza ją aura smutku. Nagle chcę dowiedzieć się więcej o tych trzech kobietach. – Zastanawiałam się... może wejdziecie na kawę, zamiast stać na drodze? – proponuję. – Chyba że goni was praca.

– Mnie nie! – odpowiada Eve. – Nie dzisiaj.

Maria się uśmiecha.

– Mnie też nie, więc byłoby miło.

– Ja nie mogę. – Tamsin unosi ręce, żeby pokazać torby z zakupami. – Muszę iść i to rozpakować. Ale z wami dwiema zobaczę się później.

Wiem, że nie powinnam odbierać jej słów osobiście. A jednak odbieram.

*

Jesteśmy w połowie dzbanka, gdy zaczynam rozumieć, kim naprawdę są moi sąsiedzi. Eve i Will znają się od ponad dwudziestu lat i mają teraz po trzydzieści jeden.

– Chodziliśmy razem na zajęcia szkolnego kółka teatralnego – wyjaśnia Eve. – On z początku nie chciał się zapisać, bo należały tam głównie dziewczynki. Ale kiedy się zaprzyjaźniliśmy, zaczął chodzić ze mną i nagle wszyscy stwierdzili, że ma zdumiewający talent. Tylko nie chciał nic z tym zrobić, dopóki go nie przekonałam, żeby poszedł na przesłuchanie do RADA*. Zgodził się tylko dlatego, że zagroziłam, że jeśli tego nie zrobi, przestanę się z nim umawiać.

– Uwielbiam tę historię – mówi Maria. – Tim i ja poznaliśmy się, wynosząc śmieci w akademiku.

Maria i Tim są pod czterdziestkę. Tim jest psychologiem, pracuje na pół etatu i dokształca się, robiąc specjalizację z psychoterapii. Maria jest logopedą i mówi, że będzie pracować przez cztery dni w tygodniu, dopóki Luke, ich najmłodszy syn, nie pójdzie do przedszkola.

– Pracuję codziennie z wyjątkiem środy – wyjaśnia. – Miło jest mieć dzień wolny w środku tygodnia. Dzięki temu mogę chodzić na jogę z Eve i Tamsin, a później odbierać chłopców ze szkoły. W pozostałe dni to obowiązek Tima.

– Ja też nigdy nie pracuję w środy – oznajmia Eve. – Gdybym pracowała, nie widywałabym się z Marią.

W myślach przenoszę swój wolny dzień z czwartku na środę. Zajęcia jogi są kuszące.

– To zabawne, ja też mam wolne w środę – rzucam z uśmiechem.

Pytam o Tamsin i Connora. Są w tym samym wieku co Maria i Tim i już wiem od Leo, że Connor sprzedaje whisky z górnej półki bogatym klientom. Tamsin, która kiedyś była modelką – żadna niespodzianka – obecnie jest pełnoetatową mamą.

– Jest też geniuszem matematycznym – dodaje Maria. Jest od stóp do głów ubrana w czerń i z czarnymi włosami wygląda

---

*Royal Academy of Dramatic Art – Królewska Akademia Sztuki Dramatycznej w Londynie, najbardziej znana szkoła teatralna w Wielkiej Brytanii.

zdumiewająco dramatycznie. – Robi kursy online i kiedy zda egzaminy, zamierza zostać księgową.

– Rany! – Jestem pod wrażeniem. – Chciałabym mieć ścisły umysł.

– Dowiedziałaś się czegoś więcej o tym tajemniczym mężczyźnie? – pyta Maria, sięgając po herbatnika.

– Nie. Staram się tym nie przejmować, ale jest mi przykro ze względu na Lornę. To ona go wpuściła i jest z tego powodu zdruzgotana.

– Szkoda, że tak się stało. – Zmartwienie gasi uśmiech Eve. – Lorna i Edward nie potrzebują w życiu więcej stresu. Wiesz o ich synu? Zginął w Iraku. Był ich jedynym dzieckiem, przez co to wszystko staje się jeszcze gorsze.

– Straszne. – Jestem zaszokowana. – To musi być dla nich potworne.

– Mieszkali na wybrzeżu, chyba w Bournemouth, ale przeprowadzili się tu trzy lata temu – ciągnie Maria. – Lorna zwierzyła mi się, że w miarę upływu czasu wspomnienia coraz bardziej ich dołowały i dlatego postanowili zacząć od nowa. Wybrali Londyn, bo uwielbiali tu przyjeżdżać do teatru i muzeów, a z biegiem lat podróżowanie z Bournemouth stawało się coraz trudniejsze. I przez jakiś czas mieli się dobrze, byli naprawdę towarzyscy i często wychodzili, tak jak zaplanowali. Ale później strata syna znów ich dopadła i stali się odludkami. To naprawdę smutne, bo teraz już nigdzie nie wychodzą, nawet na zakupy. Wszystko zamawiają z dostawą do domu, łącznie z ubraniami. Jest tak, jakby stracili całą wiarę w siebie.

– Albo wolę życia – wtrącam cicho. Przyłapuję je na wymianie spojrzeń i nagle decyduję, że pora to z siebie wyrzucić. – Sama wiem, jak to jest, gdy traci się kogoś, kogo się kocha. Moi rodzice i siostra zginęli w wypadku samochodowym, kiedy miałam dziewiętnaście lat. Na długi czas straciłam wolę życia.

– Och, Alice, to straszne – szepcze Eve, sięgając po moją rękę. – Tak mi przykro.

– Siostra miała tylko dwadzieścia dwa lata. Była na wakacjach w Grecji ze swoim chłopakiem i rodzice pojechali po nią na lotnisko.

– Nie wyobrażam sobie, co musiałaś przeżywać. – Oczy Marii są pełne współczucia. – Jak sobie poradziłaś?

– Musiałam myśleć o dziadkach. Musiałam być silna dla nich, a oni musieli być silni dla mnie. Wzajemnie się wspieraliśmy.

Gdy dolewam kawy, jestem zadowolona, że Tamsin do nas nie dołączyła. Kiedy wcześniej Maria wspomniała o jodze, nie powiedziałam nic, co mogłoby sugerować, że czekam na zaproszenie, żeby do nich dołączyć – chociaż bardzo mi na tym zależy. Nie chcę jeszcze bardziej zrażać jej do siebie. Poza tym, czy Leo mnie nie przestrzegł, żebym nie śpieszyła się z nawiązywaniem przyjaźni?

– Wybacz, Alice, ale muszę iść – mówi Maria, przywracając mnie do chwili obecnej. – Joga jest o drugiej, muszę pędzić do domu i zabrać legginsy. Eve, spotkamy się przed domem.

– To nasz środowy rytuał – wyjaśnia Eve po jej wyjściu. – Mamy zajęcia z jogi, a później z Tamsin i Marią odbieramy ich dzieci ze szkoły. Jeśli jest ładna pogoda, wstępujemy na plac, żeby dzieci się pobawiły. Później idziemy do którejś z nas na herbatę.

– Brzmi fantastycznie – odzywam się tęsknie.

Eve otwiera usta i przez chwilę myślę, że poprosi, żebym do nich dołączyła.

– Chodziłaś kiedyś na jogę? – pyta.

– Nigdy. – Uśmiecham się niepewnie. – Może się zapiszę, gdy w styczniu zacznie się nowy cykl.

Eve wychodzi, a ja z gabinetu Leo patrzę, jak obie z Marią idą przez skwer, żeby spotkać się z Tamsin. Miło spędziłam czas i z zadowoleniem wracam do czytania książki. Lektura tak mnie pochłania, że podskakuję z zaskoczenia, gdy słyszę dzwonek do drzwi. Szybko zamykam książkę, mając nadzieję, że to Eve z zaproszeniem na pogawędkę na skwerze. Sprawdzam na komórce, która godzina. To nie może być Eve, dochodzi trzecia, więc jeszcze nie skończyły jogi. Może to Lorna albo Edward.

Wsuwam telefon do kieszeni i otwieram drzwi.

Stoi z odwróconą głową, patrząc na skwer, ale natychmiast go rozpoznaję. Instynkt każe mi zatrzasnąć drzwi, ale zdążyłam zobaczyć jego zaskoczoną minę, gdy obracał się w moją stronę. Cofam się z walącym sercem. Dlaczego wrócił?

Dzwonek znów dzwoni. Przyskakuję do drzwi i zapinam łańcuch.

– Pani Dawson?

– Jeśli pan nie odejdzie, zadzwonię na policję – uprzedzam go.

– Mam nadzieję, że pani tego nie zrobi. Pani Dawson, nazywam się Grainger, Thomas Grainger, i jestem prywatnym detektywem zajmującym się sprawą pomyłki sądowej. Brat mojej klientki został oskarżony o zabójstwo, którego nie popełnił.

– Nie obchodzi mnie to, wzywam policję. W ostatnią sobotę nielegalnie wszedł pan do mojego domu!

– Prawdę mówiąc, sama mnie pani zaprosiła.

– Tylko dlatego, że założyłam, że jest pan kimś, kto został zaproszony!

– Zapytała pani, czy jestem Tom, i jestem, tylko że nikt się tak do mnie nie zwraca.

– Powiedziałam „Tim”!

– Nie jestem pewny, czy byłaby pani w stanie udowodnić to przed sądem. – Jego głos zdradza, że się uśmiecha, co trochę zmniejsza moją nieufność. – Mogę prosić, żeby otworzyła pani drzwi? Naprawdę muszę z panią pomówić, a nie mogę prowadzić rozmowy przez płytę drewna.

Niechętnie otwieram drzwi, ale nie zdejmuję łańcucha. Patrzy na mnie przez szczelinę, lekko uginając kolana, żebym dobrze widziała jego twarz. Ulica za nim jest pusta.

– Dziękuję. – Z wewnętrznej kieszeni marynarki wyjmuje wizytówkę i wyciąga ją ku mnie. – Jak już mówiłem, jestem prywatnym detektywem i zajmuję się sprawą zabójstwa Niny Maxwell.

Nie biorę wizytówki, nie mogę. Nazwisko sprawia, że kręci mi się w głowie. Do morderstwa doszło ponad rok temu, ale zapamiętałam tę sprawę, bo moja siostra miała na imię Nina.

Zawsze to samo. Gdy poznaję jakąś Ninę, automatycznie chcę się z nią zaprzyjaźnić. Jeśli czytam o jakiejś Ninie, biorę sobie jej historię do serca. Tak wpłynęła na mnie śmierć starszej siostry, którą ubóstwiałam. Dla mnie siostra wciąż żyje w życiu innych kobiet o imieniu Nina.

Po dłuższej chwili uwalniam się od wspomnień, które kłębią mi się w głowie.

– Nina Maxwell? – powtarzam. – Nie rozumiem. Co jej zabójstwo ma wspólnego ze mną?

Przez jego twarz przemyka lekki grymas.

– Nic, poza miejscem, w którym to się stało.

Patrzę na niego przez szparę.

– Co... tu, w Circle?

Unosi brwi.

– Tu, w tym domu.

Kręcę głową.

– Nie. Musiała zajść jakaś pomyłka. Ona tu nie mieszkała, nie w tym domu. Wiedzielibyśmy, gdyby było inaczej, agent nieruchomości powiedziałby nam o tym.

– Nie jestem pewien...

– Przykro mi – przerywam mu, wściekła, że przez niego tak się czuję. – Zaszła pomyłka. Może Nina Maxwell mieszkała gdzieś w Circle, ale nie tutaj. Nie kupilibyśmy domu, gdyby popełniono w nim morderstwo. I wiedzielibyśmy o tym, agent by nas powiadomił.

Zaczynam zamykać drzwi, ale mężczyzna przyciąga moje spojrzenie.

– Obawiam się, że to nie pomyłka, pani Dawson. Nina Maxwell tu mieszkała. – Po chwili milczenia dodaje: – I tu zmarła.

DZIEWIĘĆ

Po raz drugi w ciągu kilku minut zatrzaskuję mu drzwi przed nosem. Trzęsą mi się nogi, siadam na schodach.

– Przepraszam.

Podskakuję, gdy słyszę jego głos przez drzwi. Myślałam, że odszedł.

– Wiem, że to dla pani szok.

– Proszę odejść, bo naprawdę wezwę policję – mówię ze złością.

– W porządku, już odchodzę. Ale mogę prosić, żeby coś pani zrobiła? Przede wszystkim proszę sprawdzić w Google. I po drugie, niech pani zadzwoni do agenta nieruchomości i zapyta, dlaczego nie ujawnił szczegółów, kiedy kupowaliście dom. – Słyszę szmer, gdy wsuwa wizytówkę przez szczelinę na listy. – Jeśli pani uzna, że warto ze mną porozmawiać, proszę zadzwonić pod ten numer. Ja i moja klientka będziemy bardzo wdzięczni.

Jego kroki cichną na ścieżce. Przygwożdżona do schodów przez narastający strach, nie mogę się ruszyć. A jeśli to prawda? Wyjmuję z kieszeni komórkę i wpisuję do wyszukiwarki

„morderstwo Niny Maxwell". Na ekranie pojawia się kilka linków. Wchodzę w pierwszy, z dwudziestego pierwszego lutego 2018 roku, i widzę zdjęcie ładnej blondynki o roześmianych brązowych oczach, ze złotym łańcuszkiem na szyi. Rozpoznaję je – po jej śmierci było we wszystkich mediach. Z sercem w gardle przewijam do informacji.

Wczoraj w Londynie doszło do zabójstwa. Około 21.30 policjanci zostali wezwani do domu na ekskluzywnym osiedlu Circle w pobliżu Finsbury Park i znaleźli martwą Ninę Maxwell (38 lat).

Robi mi się niedobrze. Zmuszam się do ponownego przeczytania tekstu, oczy mnie pieką, gdy zatrzymuję spojrzenie na „Circle" – mam nadzieję, że to słowo zniknie, gdy będę wpatrywać się w nie dostatecznie długo. Ale nie, nie znika, i choć w notce nie ma wzmianki o numerze posesji, przeraża mnie możliwość, że Nina Maxwell została zamordowana tutaj, w domu, w którym mieszkam. Przypominam sobie zdjęcie opublikowane po zabójstwie – odgrodzony taśmami policyjnymi dom z leżącymi przed nim na chodniku bukietami kwiatów. Czy to ten dom?

Podnoszę się ze schodów, biorę klucz i otwieram drzwi, trochę się obawiając, że zobaczę za nimi detektywa. Na szczęście zniknął bez śladu. Nie widać też nikogo innego. Wychodzę, czując się strasznie bezbronna. Nie mogę zostać w domu, nie teraz.

Przechodzę przez drogę, otwieram furtkę na skwer i wciąż mając mętlik w głowie, opadam na najbliższą ławkę. Nie wiem, dlaczego czuję się zagrożona. Thomas Grainger był niezwykle uprzejmy przy dwóch okazjach, kiedy z nim rozma-

71

wiałam. Uświadamiam sobie, że przeraża mnie nie on, ale to, co powiedział. Jak to się stało, że dowiedział się o morderstwie popełnionym w domu, w którym mieszkam z Leo, a my o tym nie wiemy? Dlaczego Ben nie poinformował Leo?

Znajduję dane kontaktowe Redwoods, agencji nieruchomości, i dzwonię.

– Mogę rozmawiać z Benem? – pytam, starając się ukryć podenerwowanie, gdy zgłasza się jakaś kobieta.

– Niestety, nie będzie go przez kilka dni – odpowiada znudzonym głosem.

Posępnieję.

– Kiedy wróci?

– W poniedziałek. Mogę w czymś pomóc? Jestem Becky, pracuję z Benem.

Waham się. Korci mnie, żeby spytać, czy wie coś o morderstwie popełnionym w domu, który Leo kupił za ich pośrednictwem. Z pewnością każdy, kto pracuje w agencji, zna historię domu, jeśli niedawno doszło w nim do zabójstwa.

– Jestem Alice Dawson – przedstawiam się i podejmuję próbę. – Mój partner, Leo Curtis, niedawno kupił za pośrednictwem Bena dom w Finsbury, numer sześć na osiedlu Circle. Zastanawiałam się… Doszły mnie słuchy, że w lutym ubiegłego roku coś wydarzyło się w tym domu. Ktoś powiedział, że zmarła w nim kobieta. – Nie mogę się zmusić, żeby wypowiedzieć słowa „została zamordowana".

Następuje długa cisza, co mi się nie podoba.

– Niestety, musi pani porozmawiać z Benem.

– Właśnie to chcę zrobić. Może mi pani podać numer jego komórki?

– Przykro mi, nie mogę. Ale gdy tylko wróci w poniedziałek, poproszę go, żeby do pani zadzwonił.

– Dziękuję.

Kończę połączenie, czując się bliska płaczu. Ze złością ocieram oczy, ale nie mogę pohamować narastającej zgrozy na myśl, że nasz dom był miejscem zbrodni. Może Becky tego nie potwierdziła, ale też temu nie zaprzeczyła. Rodzi się we mnie gniew. Jak Ben mógł to przed nami zataić? Powiedział Leo, że dom jest tańszy, niż wynosi cena rynkowa, bo przez ponad rok stał pusty. Leo na pewno go zapytał dlaczego i wtedy Ben albo skłamał, albo wymigał się od odpowiedzi. Leo będzie załamany. Jeśli to prawda, czekają nas poszukiwania następnego domu.

Wybiegam myślą do przodu – Leo wystawi ten na sprzedaż, przeprowadzimy się do tymczasowego lokum i będziemy szukać nowego domu. Albo, jeszcze lepiej, zamieszkamy u mnie na wsi. Szybko tłumię iskierkę szczęścia na myśl o powrocie do Harlestone. Radość wydaje się niestosowna w obliczu morderstwa, a poza tym mój dom będzie wynajęty jeszcze przez pięć miesięcy.

Chcę – muszę – porozmawiać z Leo, ale kiedy wybieram jego numer, zgłasza się poczta głosowa. Czekam kilka minut i dzwonię jeszcze raz. Nie odbiera. Tak bardzo chcę dotrzeć do sedna, że jestem gotowa ponownie zadzwonić do agencji i nalegać, żeby podano mi numer komórki Bena. Ale coś sobie uświadamiam. A jeśli Ben nie miał obowiązku poinformować Leo o zbrodni? Otwieram wyszukiwarkę i piszę: „Czy agenci nieruchomości muszą informować o morderstwie na posesji?". Wyskakuje pomocny artykuł, ale gdy zaczynam czytać, moja wdzięczność zmienia się w konsternację. Wygląda na to, że choć większość agentów nie przemilcza takich faktów, nie są zobowiązani o nich wspominać.

Oszołomiona, odchylam się na ławce. Nie chce mi się wierzyć, że Ben okazał się człowiekiem bez skrupułów. Nawet jeśli nie był zobowiązany przez prawo, to co z obowiązkiem moralnym? Polecili nam go Ginny z Markiem, on i Mark są przyjaciółmi. Muszę ich przed nim ostrzec.

Wysyłam Ginny wiadomość: **Możemy pogadać?** Ginny, jak to Ginny, jest w stanie z tych kilku słów odczytać, że dzieje się coś złego, i natychmiast dzwoni.

– Alice, co się stało? Nic ci nie jest? A Leo?

– Dzięki, z nami w porządku. Ale potrzebuję twojej rady. Szczerze mówiąc, muszę porozmawiać z Benem. Masz przypadkiem numer jego komórki?

– Mark ma. Dlaczego? Jakiś problem z domem?

Aż podskakuję z zaskoczenia.

– Skąd wiesz?

– Nie wiem. – Ginny nie kryje zdziwienia. – Ale skoro pytasz o numer Bena, to musi mieć związek z domem, no bo z jakiego innego powodu chciałabyś z nim rozmawiać?

– Tak, chodzi o dom. Właśnie się dowiedziałam, że tu, pod szóstką, została zamordowana kobieta. – Samo mówienie o tym budzi we mnie grozę, więc wolną ręką ściskam ławkę, żeby się opanować.

– Co?! – Słyszę szok w głosie Ginny. – Mówisz, że w waszym domu została zamordowana kobieta? W domu, który kupił Leo?

– Tak.

– Jesteś pewna?

– Tak, sprawdziłam. Pamiętasz zabójstwo Niny Maxwell? Kobiety, która została zamordowana przez męża?

– Czy on nie popełnił samobójstwa?

– Tak, chyba tak. To stało się w ich domu. Przejrzałam artykuły, wspominają o Circle, nie podają numeru, ale to tu, wiem, że tu.

– Alice, to straszne! Tak mi przykro.

– Właśnie dlatego dom przez długi czas stał pusty, dlatego nikt nie chciał go kupić. Wcale się nie dziwię. Nie chcę tu być, nie mogę wytrzymać w tym domu. Siedzę na skwerze i nawet stąd jest za blisko. Ben powinien powiedzieć o tym Leo, tylko że tego nie zrobił.

– Ale… nie rozumiem. Nie miał takiego obowiązku?

– Najwyraźniej nie, sprawdziłam.

– Może nie wiedział.

– Sądzę, że musiał wiedzieć.

Furtka się otwiera. Geoff zamyka ją za sobą i wchodzi na skwer. Jak zwykle ma na sobie szorty i workowatą koszulę, tylko że dziś dodał czapkę z daszkiem dla ochrony łysiejącej głowy przed słońcem. Posyła mi radosny uśmiech i przez chwilę mam ochotę wstać i zapytać go, czy wie coś o morderstwie. Odwzajemniam uśmiech i pochylam głowę nad telefonem, by widział, że rozmawiam.

– Nie chce mi się wierzyć, że Ben wam nie powiedział – mówi Ginny. – Nie znam go dobrze, Mark zna go lepiej niż ja, ale nie wyobrażam sobie, że mógł być taki nieuczciwy.

– Dlatego muszę z nim porozmawiać – rzucam do telefonu, gdy Geoff mnie mija. – Zadzwoniłam do jego biura i usłyszałam, że nie będzie go przez kilka dni. Ale to ważne. Możesz wziąć jego numer od Marka?

– Zaraz do niego zadzwonię. Chcesz, żebym zadzwoniła do Bena?

– Zrobisz to? – Głos mi się łamie. – To dlatego, że miała na imię Nina. Jeśli się dowiesz, czy wiedział, wtedy ja się tym zajmę.

– Oczywiście – obiecuje Ginny współczującym tonem. Nie znała Niny, ale rozumie, dlaczego jestem wytrącona z równowagi. – Zadzwonię do ciebie.

*

Mam wrażenie, że mijają wieki, wieki w samotności, bo Geoff dawno odszedł i nikogo innego nie ma w pobliżu. Gdy wreszcie dzwoni komórka, widzę Eve, Tamsin i Marię wchodzące przez furtkę na drugim końcu skweru z gromadką rozgadanych dzieci. Chcę odebrać, więc szybko odwracam się do nich plecami. Mam nadzieję, że mnie nie zobaczą i nie podejdą.

Nie znam tego numeru. Patrzę na ekran, czując przyśpieszone bicie serca. A jeśli to ten detektyw?

Naciskam zielone kółko, odbierając połączenie.

– Pani Dawson? – Słyszę męski głos i już mam przerwać połączenie, gdy zdaję sobie sprawę, że to nie Thomas Grainger.

– Tak. – To na pewno Ben.

– Pani Dawson, tu Ben Forbes z Redwoods. Przed chwilą rozmawiałem z Ginny i postanowiłem do pani zadzwonić. Mam nadzieję, że to pani nie przeszkadza?

– Nie, nie. Chciałabym tylko wiedzieć, jak to się stało, że mieszkamy w domu, w którym została zamordowana kobieta.

– Wiem, że to dla pani szok – mówi, powtarzając słowa Thomasa Graingera.

– Święte słowa! – cedzę z wściekłością, bo jest oczywiste, że wiedział. – Czy nie powinien pan poinformować o tym Leo, nawet jeśli nie był pan do tego zobowiązany przez prawo?

– Mogę spytać, jak się pani dowiedziała?

– Od sąsiadki – zmyślam, bo nie musi wiedzieć o detektywie. – Tak czy inaczej, czy to ważne, jak się dowiedziałam? Powinniśmy dowiedzieć się od pana.

– Mogę spytać… Rozmawiała pani z panem Curtisem?

– Nie, jest w pracy. Będzie załamany, bo nie ma możliwości, żebyśmy teraz tu mieszkali. Mam nadzieję, że pan rozumie.

– Sądzę, że powinna pani zadzwonić do pana Curtisa.

– Zrobię to, gdy tylko usłyszę, dlaczego nie powiedział mu pan o morderstwie.

– Przykro mi, pani Dawson, ale pan Curtis zna fakty. Poznał historię domu, zanim złożył ofertę. Wiedział, dlaczego dom stał pusty przez ponad rok, dlaczego był tańszy, niż powinien. – Milknie, dając mi czas na przyswojenie tych informacji. – Kiedy wrócił z ofertą, zapytałem, czy jest pewien, że pani to nie przeszkadza, ponieważ mieliśmy chętnych, którzy po obejrzeniu domu stwierdzali, że nie czuliby się w nim komfortowo. Pan Curtis zapewnił, że nie ma pani nic przeciwko, że jest pani gotowa przymknąć oko na historię domu, bo dzięki temu będzie pani mogła zatrzymać nieruchomość na wsi… w Sussex, prawda? – Kolejna pauza. – Przykro mi, ale naprawdę musi pani porozmawiać z panem Curtisem.

DZIESIĘĆ

Jestem tak odrętwiała z powodu szoku, że ledwie słyszę dzwonek komórki. To Ginny. Nie odbieram, nie mogę. Mój umysł jest zbyt zajęty borykaniem się z tym, co usłyszałam od Bena.

Nie mogę w to uwierzyć. Nie mogę uwierzyć, że Leo wziął sprawy w swoje ręce i kupił dom, chociaż wiedział o morderstwie. To nie mieści mi się w głowie. Jak mogło mu to nie przeszkadzać? Jak mógł myśleć, choćby przez minutę, że mnie nie będzie przeszkadzać? Wie, jaka jestem wrażliwa, wie, że podczas oglądania filmu wychodzę z pokoju, gdy tylko przeczuwam, że zaraz stanie się coś złego. Nie powiedział mi, ponieważ wiedział, że nie zgodzę się tu zamieszkać. Jeszcze gorsze jest to, że okłamał Bena, mówiąc mu, że znam prawdę. Mało tego, powiedział Benowi, że nie mam nic przeciwko, bo nie będę musiała sprzedawać mojego domu na wsi. Jak mógł? Wyszłam przez niego na gruboskórną i wyrachowaną i nienawidzę go za to. Przynajmniej Ben teraz zna prawdę. Dzięki temu czuję się lepiej, ale tylko odrobinę.

Nie mogę zrozumieć, dlaczego Leo to przede mną zataił. Przecież musiał zdawać sobie sprawę, że w końcu się dowiem. Czy dlatego nie chciał zaprosić do nas mieszkańców osiedla? Bo ktoś mógłby napomknąć o morderstwie? I dlaczego nikt o tym nie wspomniał, dlaczego Eve ani Maria, ani nikt inny na przyjęciu nic nie powiedział?

Ponieważ nie mogli, uświadamiam sobie z przygnębieniem. Założyli, że wiem i że to mi nie przeszkadza. Niełatwo byłoby zainicjować rozmowę: „Więc, Alice, jak ci się podoba mieszkanie w domu, w którym popełniono zbrodnię?". Pamiętam, jak na przyjęciu Tamsin stwierdziła, że jestem dzielna. Nie nawiązywała do mojej przeprowadzki ze wsi do Londynu – miała na myśli wprowadzenie się do domu ze straszną przeszłością. I dziś rano, ta rozmowa, którą podsłuchałam, gdy do nich podeszłam. Co powiedziała Tamsin? Zamykam oczy i wraca do mnie jej głos. „Dziwne, że wcale się tym nie przejmuje". I komentarz Eve: „Zaczynam się zastanawiać, czy w ogóle wie".

Czuję wdzięczność wobec Eve za zrozumienie, że może nie jestem taka bezduszna, jak muszą myśleć o mnie wszyscy inni. Dziwię się, że okazała mi tyle życzliwości i że inni mieszkańcy osiedla na ogół są tacy serdeczni. Może niektórzy potajemnie krytykowali nas za kupno tego domu, ale większość wydawała się szczerze zainteresowana…

O Boże. Pochylam się i wspieram ciężką głowę na rękach. Oprowadzałam ludzi po domu, pokazywałam im górę. Co oni sobie myśleli? Ci, którzy chcieli zobaczyć sypialnię… czy dlatego, że właśnie tam doszło do zbrodni?

Wciąż trzymam telefon, więc znowu wygooglowuję zabójstwo Niny Maxwell i znajduję artykuł napisany cztery dni po jej śmierci. Zawiera więcej szczegółów: znaleziono ją w sypialni, przywiązaną do krzesła. Miała ścięte włosy i została uduszona. „Aresztowany mężczyzna pomaga policji w dochodzeniu", tak kończy się tekst.

Żółć podchodzi mi do gardła. Wiedziałam, jak zmarła Nina Maxwell, i prześladowało mnie to miesiącami. Ale widzieć to czarno na białym... Zwalczam mdłości, przekuwam je w gniew na ludzi, którzy chcieli obejrzeć sypialnię, miejsce zbrodni. Tamsin i większość kobiet nie skorzystała z mojego zaproszenia, gdy chciałam pokazać wprowadzone przez nas zmiany; zainteresowani byli głównie mężczyźni. Eve była na górze, nie podczas przyjęcia, ale w dniu, kiedy przyszła się przedstawić. Zaciągnęłam ją do sypialni, żeby pokazać jej naszą wielką szafę. Z początku się wzbraniała i pomyślałam, że nie chce wyjść na ciekawską.

– Alice?

Unoszę głowę. Eve idzie ścieżką.

– Co tutaj robisz? – pyta i marszczy czoło. – Drżysz! Wszystko w porządku?

– Nie, niezupełnie.

– Jesteś chora? Mam do kogoś zadzwonić?

– Nie, nic mi nie jest. To znaczy wprost przeciwnie – mówię, siląc się na żart. – Ale nie jestem chora. Czuję się taka upokorzona, taka wściekła!

– Złość jest dobra. – Siada obok mnie. Zapach jej perfum, Sì Armaniego, jest dziwnie pocieszający. – Znacznie lepsza niż choroba czy smutek. Może powiesz, co się stało?

– Właśnie dowiedziałam się, że nasz dom… – wskazuję go ręką – był sceną brutalnego morderstwa. – Patrzę na nią w udręce. – Nie wiedziałam, Eve. Leo wiedział, ale nie pisnął słowa.

– Och, Alice… – Współczucie w jej oczach też niesie mi pociechę. – Zaczynałam myśleć, że może nie wiesz. Z początku pomyślałam, że jesteś jedną z tych osób, które potrafią odcinać się od różnych rzeczy, które potrafią powiedzieć „Było, minęło".

– Nie jestem taka niewrażliwa. Dziwię się, że w ogóle chciałaś ze mną rozmawiać. Dziwię się, że ktokolwiek mógł ze mną rozmawiać, skoro ani słowem nie wspomniałam o tej zbrodni i nie powiedziałam, jak mi przykro, że straciliście sąsiadkę.

– Nikt cię nie osądzał.

– Myślę, że Tamsin mogła.

– Hm… może. Trochę. Nina była jej najbliższą przyjaciółką, więc to zrozumiałe. – Milknie na chwilę. – Kiedy cię po raz pierwszy zobaczyła, przez chwilę myślała, że to Nina. Stała w oknie sypialni i widziała, jak idziesz przez skwer. Masz podobną figurę i z daleka dostrzegła tylko długie jasne włosy. Przeżyła lekki szok.

Z roztargnieniem kiwam głową.

– Ale dlaczego ludzie mnie nie osądzali? Nie powinni?

Eve przegarnia palcami włosy.

– Gdy dom został sprzedany, chyba wszyscy czuli ulgę, że ktoś w nim zamieszka i już nie będzie pusty. Stał się swego rodzaju kaplicą. Dzieciaki zaczęły poszeptywać, że jest nawiedzony, a rodzice nie chcieli, żeby w to wierzyły. Kiedy usłyszeliśmy, że ktoś go kupił, było tak, jakby do Circle wpadł powiew świeżego powietrza. W końcu mogliśmy ruszyć z miejsca. – Patrzy na mnie z powagą. – Ludzie są wdzięczni, Alice. Widzimy to jako nowy początek.

– Może, ale teraz nie będziemy mogli tu zostać. Przynajmniej ja nie. Leo najwyraźniej wcale się tym nie przejmuje.

– Powiedział Willowi, że zrobił remont na górze, żeby zlikwidować pokój, w którym to się stało. Twierdził, że chce ci ułatwić mieszkanie w tym domu.

– Insynuując w ten sposób, że o wszystkim wiedziałam. – Sięgam do kieszeni po chusteczkę higieniczną. – I oczywiście w sobotę nikt nie śmiał wspomnieć o morderstwie, chociaż nie brakowało chętnych, żeby zobaczyć miejsce zbrodni. A można by pomyśleć, że przynajmniej jedna osoba zapyta, czy nie przeszkadza mi mieszkanie z duchem zamordowanej kobiety.

Eve ma zakłopotaną minę.

– Może miałam z tym coś wspólnego. Leo powiedział Willowi, że będzie wdzięczny, jeśli nikt nie wspomni przy tobie o historii domu, bo jesteś przewrażliwiona. Will mi to powtórzył i wieść się rozeszła.

Wraca do mnie wspomnienie: Leo idzie pogadać z Willem następnego dnia po tym, jak mu powiedziałam, że zaprosiłam sąsiadów na parapetówkę.

– Nie wierzę! – rzucam z narastającą złością. – Naprawdę nie chciał, żebym się dowiedziała, prawda? – Patrzę na nią, mając nadzieję, że da mi odpowiedź. – Nie potrafię tego pojąć, Eve. Nigdy wcześniej nie zrobił mi czegoś takiego, nigdy niczego nie ukrywał, zawsze mówił mi prawdę. I przecież musiał wiedzieć, że w końcu się dowiem. Czegoś takiego nie da się utrzymać w tajemnicy.

– A jak się dowiedziałaś? – pyta Eve, sięgając do torebki. Wyjmuje czapkę z daszkiem i zaczyna się nią wachlować.

– Dostałam telefon. – Mam nadzieję, że nie zauważyła mojego lekkiego wahania. – Z gazety. – Nie okłamuję jej, bo jestem prawie pewna, że Thomas Grainger jest dziennikarzem i przedstawia się jako prywatny detektyw, żeby brzmiało to bardziej interesująco.

Eve wciska czapkę na głowę, nie dbając, że ma okulary przeciwsłoneczne na włosach.

– Czego chcieli?

– Jakaś reporterka zapytała, jak to jest mieszkać w domu, w którym doszło do brutalnego morderstwa – improwizuję. Rozmyślnie zmieniłam płeć, żeby odejść dalej od prawdy. – Kiedy powiedziałam, że nie mam pojęcia, o czym mówi, kazała mi wygooglować Ninę Maxwell. – Przynajmniej to jest prawdą. – I tak zrobiłam.

– Straszny sposób na poznanie prawdy.

Powoli kręcę głową.

– Nie wierzę, że Leo wiedział. – Wzdrygam się wewnętrznie, myśląc o tym, jak oskarżałam Bena, że go nie powiadomił. – Powiedział agentowi nieruchomości, że to mi nie przeszkadza, bo dzięki temu dom jest tańszy i nie będę musiała sprzedawać mojego domu w Harlestone. Wyszłam na kompletnie bezduszną osobę.

Eve próbuje mnie uściskać, ale siedzimy na ławce w taki sposób, że wypada to niezręcznie. Uświadamiam sobie, że w zasadzie jej nie znam. Czy w ogóle znam Leo?

– Co zamierzasz zrobić? – pyta.

– Pogadam z Leo, ale nie chcę dzwonić, muszę to zrobić twarzą w twarz. Wraca jutro wieczorem, więc będę musiała zaczekać. Nie mogę jednak zostać w domu, przeniosę się do hotelu. – Patrzę na nią. – Eve, mogę prosić cię o przysługę? Muszę zabrać z domu parę rzeczy, pójdziesz ze mną? Wiem, to głupie, ale czuję się trochę dziwnie na samą myśl, że tam wchodzę.

– Wcale nie głupie i oczywiście, że z tobą pójdę. I nie musisz iść do hotelu, możesz zatrzymać się u nas.

Waham się, nagle niezdecydowana, co zrobić.

– Jesteś pewna?

– Jasne!

– Nie potrzebuję wiele, tylko piżamę, szczoteczkę do zębów i ubrania na zmianę. I książkę, i laptopa.

– No to idziemy.

*

Podaję Eve klucze. Otwiera drzwi i wchodzi do domu. Stoję na progu, strach ściska mi wnętrzności. Nie wiem, czego się spodziewałam. Chyba tego, że będzie jakoś inaczej. Że dom będzie sprawiać inne wrażenie. Ale nie, nic się nie zmieniło, więc przełamuję się i wchodzę.

Eve przystaje, żeby coś podnieść z podłogi.

– Czyjaś wizytówka – mówi, podając mi ją bez patrzenia.

– Dzięki. – Wsuwam ją do kieszeni i czekam, gdy Eve zdejmuje czapkę, chowa ją do torebki i zrzuca buty. Zdejmuję swoje i idę za nią na górę do sypialni. Ona wchodzi, ja przystaję w drzwiach.

Wyciąga do mnie rękę.

– Jest tak samo jak wcześniej, Alice. Nic się nie zmieniło.

Oddycham głęboko dla uspokojenia i rozglądam się po pokoju. Ma rację, jest taki sam. Wzorzyste zasłony wydymają się na wietrze, zupełnie jak rano. Szczotka do włosów leży na toaletce, wczorajsze ubrania wciąż wiszą na krześle. Ale...

– Nie mogę tu być – mówię, przytłoczona przez narastającą panikę. Podchodzę do komody, wyjmuję piżamę i bieliznę, po czym wybiegam z pokoju, byle dalej od zła, które wsącza się w moje pory.

JEDENAŚCIE

– Proszę. – Eve podsuwa mi kubek herbaty. – Wypij, a później otworzymy butelkę wina.

– Przepraszam. Nie wiem, co mnie napadło w sypialni. – Siedząc z podkulonymi nogami na jasnej skórzanej kanapie, nagle zdaję sobie sprawę, że zasługuje na prawdę. – W gruncie rzeczy wiem. Moja siostra miała na imię Nina, więc reaguję emocjonalnie na wszystko związane z osobami o tym imieniu.

Przytula mnie.

– Och, Alice, tak mi przykro.

– Gdyby moja siostra żyła, byłaby w tym samym wieku co Nina Maxwell. Wiem, to zabrzmi okropnie dramatycznie, ale czuję się tak, jakby moja siostra została zabita dwa razy.

– I do tego wszystkiego Leo nie powiedział ci o morderstwie… Każdy w twojej sytuacji wychodziłby z siebie – mówi. – Masz mnóstwo na głowie.

Po kieliszku chablis zaczynam czuć się lepiej.

– Jaka była? – pytam.

– Nina? – Eve pociąga łyk wina. – Nie miałam okazji dobrze jej poznać, bo wprowadziliśmy się pięć miesięcy przed jej śmiercią. Na pewno urocza i trochę uduchowiona. Była terapeutką, a także dyplomowaną instruktorką jogi. – Uśmiecha się. – Założyła naszą grupę jogi i później kontynuowałyśmy sesje ku jej pamięci.

Podoba mi się, że Nina Maxwell lubiła jogę, bo moja siostra też. Kilka razy próbowała wyciągnąć mnie na zajęcia, ale zawsze miałam coś do zrobienia. Później żałowałam, że nie poszłam z nią chociaż raz. Podoba mi się również to, że Nina Maxwell była terapeutką; wygląda na to, że była troskliwą osobą.

– A jej mąż?

– Z tego, co o nim wiem, to milszego ze świecą szukać. Chociaż nigdy nie zna się nikogo na wylot, prawda?

– Musiałaś być zszokowana, gdy aresztowano go za zabójstwo.

Eve sięga do niskiego szklanego stolika, którego blat nie jest ani okrągły, ani kwadratowy, i podnosi kieliszek.

– Każdy był. – Sączy wino. – Nie mogliśmy w to uwierzyć. Myśleliśmy, że to sprawa z rodzaju tych, w których „zawsze winny jest mąż, dopóki nie znajdą prawdziwego sprawcy". A później usłyszeliśmy, że popełnił samobójstwo.

Przypominam sobie, co detektyw powiedział o pomyłce sądowej.

– I dlatego uznaliście, że jednak on ją zabił?

– Tak.

– Ale dlaczego?

Eve nagle robi zakłopotaną minę.

– Przepraszam, że tak wypytuję – mówię. – Po prostu staram się zrozumieć. Jeśli wolisz, żebym nie pytała, to dam spokój.

– Nie, w porządku. Szczerze mówiąc, rozmowa z kimś, kogo tu wtedy nie było, przynosi mi ulgę. Ta sprawa stała się tematem tabu. – Milknie, zastanawiając się nad moim pytaniem. – Nie było śladów włamania, ale uwierzyliśmy w winę Olivera nie tylko z tego powodu. Doszliśmy do wniosku, że odebrał sobie życie, bo nie mógł się pogodzić z tym, co zrobił. Bo on naprawdę kochał Ninę... to było takie tragiczne. Wyszły też na jaw inne rzeczy i dlatego uznaliśmy, że jego wina jest nie tylko możliwa, ale też prawdopodobna.

– Jakie rzeczy?

– Najpierw to, że skłamał, o której tamtego dnia wrócił do domu. – Marszczy czoło, waha się chwilę i spogląda na mnie przepraszająco. – Szczerze mówiąc, głupio powtarzać to, co doszło do mnie z drugiej albo trzeciej ręki. Jak mówiłam, sama niezbyt dobrze znałam Ninę. Tamsin znała ją znacznie lepiej. I to Lorna była świadkiem. – Odstawia kieliszek i sięga po butelkę. – Pozwól, że ci doleję.

Chociaż jestem zaciekawiona, rozmowa o morderstwie nie sprawia mi przyjemności. Poza tym szanuję Eve za to, że nie chce plotkować.

– Obejrzymy jakiś film? – proponuje. – Coś lekkiego, żebyś choć na trochę mogła się od tego oderwać.

– Dobry pomysł.

– Masz ochotę na *Kiedy Harry poznał Sally*? Widziałam to tylko raz.

Śmieję się.

– Czemu nie? Komedia dobrze mi zrobi.

*

Wciąż wracam myślą do morderstwa, ale film zaprząta naszą uwagę do czasu przyjścia Willa.

– Proszę, powiedz, że nie jesteś głodny – mówi Eve, zrywając się z kanapy, żeby go pocałować. – Gawędzimy sobie z Alice. Zostaje u nas na noc, czy to nie miłe?

Widzę, jak daje mu znać oczami, że to sytuacja kryzysowa. Will zdejmuje plecak i kładzie go na podłodze.

– Bardzo – odpowiada, uśmiechając się do mnie. – I tak, jestem głodny, jak zawsze po całodziennej próbie. Wy już jadłyście?

– Nie – jęczy Eve. – Nawet paczki chipsów.

– Może w takim razie przyrządzę dużą miskę spaghetti?

Zarzuca mu ramiona na szyję.

– Miałam nadzieję, że to powiesz. – Odwraca się w moją stronę. – Will robi najlepsze spaghetti pod słońcem. Odziedziczył po prababci przepis na przewyborny sos. Zakochasz się, zobaczysz!

– Ale jeśli będę go robić od zera, to zajmie dwie godziny – zaznacza Will.

– No tak, zapomniałam. – Eve ma taką zawiedzioną minę, że parskam śmiechem. – Całe to gotowanie na wolnym ogniu, żeby zredukować sok z pomidorów.

– Otóż to. W takim razie zrobię carbonarę, jeśli mamy boczek.

Eve uśmiecha się promiennie.

– Mamy. Chcesz kieliszek wina, gdy będziesz gotować?

– Nie, dzięki, wezmę sobie piwo. – Will idzie do kuchni. – Do zobaczenia za jakieś dwadzieścia minut.

Dzwoni komórka i natychmiast wpadam w panikę.

– To Leo. Nie mogę z nim rozmawiać, jeszcze nie.

– No to nie rozmawiaj – radzi mi Eve. – Wyślij mu esemesa, że jesteś u nas na kolacji i że pogadacie później. W ten sposób zyskasz czas do namysłu, co mu powiedzieć.

– Dobry pomysł. – Od razu czuję się spokojniejsza.

Eve wstaje.

– Nakryję do stołu – mówi, żeby zapewnić mi trochę prywatności. – Przyjdź, jak skończysz.

Piszę wiadomość i gdy Leo odpisuje radośnie **OK, baw się dobrze!**, natychmiast opadają mnie wyrzuty sumienia, bo nie ma pojęcia, co mam mu do powiedzenia. Przypominam sobie, że przecież to nie moja wina, że to on nie był ze mną szczery, ale to tylko trochę poprawia mi samopoczucie.

Układ pomieszczeń we wszystkich domach w Circle jest taki sam, więc wiem, gdzie jest kuchnia. Gdy idę przez hol, słyszę cichą rozmowę i przypuszczam, że Eve wyjaśnia Willowi, dlaczego tu jestem.

– Mogę pomóc? – pytam, otwierając drzwi.

– Tylko dołączając do mnie z następną lampką wina – odpowiada Eve, wyjmując kolejną butelkę z lodówki.

Tam gdzie my mamy stół, oni mają wyspę. Sadowię się na stalowym stołku barowym w stylu bistro i patrzę, jak chodzą po kuchni. Will od czasu do czasu trąca Eve, udając, że wchodzi mu w drogę. Uśmiecham się, widząc, jak dobrze im razem, a później myślę o sobie i Leo. Czy nam jest dobrze razem? Kiedyś tak myślałam. Teraz nie jestem pewna.

Idziemy do stołu i gdy jemy pyszny makaron, czekam, aż Will powie coś o tym, co się stało. Nie miałabym nic przeciwko, bo może z męskiego punktu widzenia przedstawiłby jakieś wyjaśnienie, dlaczego Leo postanowił zataić przede mną tak ważne informacje. Willowi udaje się mnie rozweselić, jest w tym dobry, i trochę się odprężam. Niestety, nie mówi ani słowa o Leo ani o morderstwie.

*

Później, gdy leżę na kanapie w ich ładnym pokoju gościnnym, przypominam sobie nie tak dawną rozmowę z Leo o jednej z moich przyjaciółek, która odkryła, że jej mąż przegrał ich wszystkie pieniądze.

– Szkoda, że jej nie widziałeś, Leo. Jest taka załamana. Nie wie, co zrobić, czy z nim zostać, czy odejść. Mówi, że całe zaufanie przepadło.

– Co ty byś zrobiła na jej miejscu?

– Gdybym nie mogła ci ufać, nie mogłabym z tobą być. A gdybym nie mogła z tobą być, życie stałoby się niewarte życia. – Spojrzałam mu głęboko w oczy. – Widzisz, jak bardzo cię kocham?

Wtedy nie przypuszczałam, że te słowa wrócą, żeby mnie prześladować. Ale prześladują i martwiąc się rozmową, jaką muszę z nim przeprowadzić, nie mogę zasnąć. Leo z pewnością uznał za dziwne, że nie zadzwoniłam, chociaż może zasnął, zanim zdążył to sobie uświadomić. Pamiętając, że Ginny dzwoniła kilka razy, podnoszę telefon z podłogi i wysyłam jej wiadomość:

Leo wiedział o morderstwie od Bena. Jestem u Eve i Willa. Zadzwonię jutro xx

Udaje mi się przepędzić Leo z głowy, ale zastępuje go Nina Maxwell. Trudno mi nie myśleć o tym, co przecierpiała, w końcu jednak zmuszam się do myślenia o jej życiu, a nie o śmierci, i zasypiam, zastanawiając się, jaką była osobą.

PRZESZŁOŚĆ

– *Jak się masz?* – *pytam z uśmiechem. To jej ósma sesja i można zauważyć znaczne postępy.*

– *Dobrze* – *odpowiada.* – *Mam bardziej pozytywne nastawienie do wszystkiego.*

To prawda, bo chyba po raz pierwszy jest taka zrelaksowana. Do czwartej sesji przychodziła w klasycznych spódnicach i wizytowych bluzkach. Dzisiaj ma kraciastą sukienkę przed kolana. Włosy związała jak zwykle, ale jeśli ostatnie sesje mogą być jakąś wskazówką, niebawem je rozpuści.

– *Doskonale* – *mówię.* – *Zakładam, że masz za sobą udane dwa tygodnie?*

– *Tak.* – *Unosi rękę i ściąga frotkę z kucyka.* – *Mnóstwo czasu poświęciłam na rozmyślanie o tym, czego dotyczyły nasze ostatnie rozmowy.* – *Potrząsa głową i uwolnione włosy spadają na jej ramiona.*

Z aprobatą kiwam głową. Wymagało to sporo czasu, ale w końcu na poprzedniej sesji przyjęła do wiadomości, że źródłem jej problemów jest mąż i że jeśli chce odzyskać trochę we-

wnętrznego spokoju, musi go zostawić. Czekam, żeby zaczęła o tym mówić.

– Miałaś porozmawiać z mężem – podpowiadam jej. – Może dlatego czujesz się lepiej?

Przytakuje.

– Przeprowadziliśmy długą rozmowę i coś sobie uświadomiłam. Nie on jest powodem mojego niezadowolenia.

Tłumię westchnienie. Nie mogę okazać dezaprobaty, ale ją czuję. Przysuwam notes.

– Podczas ostatniej sesji doszłaś do wniosku, że to przez niego – przypominam jej, przeglądając notatki. Po chwili dodaję: – Podjęłaś też decyzję, że go zostawisz.

– Wiem. Ale wszystko się zmieniło. Już nie czuję się nieszczęśliwa. Nie sądzę, że kiedykolwiek byłam, naprawdę.

Dzisiaj jest zimno, ale świeci słońce i na jej twarzy kładą się idealnie równe prążki wpadającego przez żaluzje światła.

– Sądzę, że musimy zgłębić przyczynę twojej zmiany zdania.

– Wydaje mi się, że w końcu poszłam po rozum do głowy. – Uśmiecha się do mnie. – I muszę ci za to podziękować.

– Tak?

– Tak. Według ciebie najlepszym podejściem jest szczerość, więc powiedziałam Danielowi, co czuję... nie, że chcę od niego odejść, ale że jestem nieszczęśliwa... a on na to, że wcale nie jestem nieszczęśliwa, tylko znudzona. I zrozumiałam, że ma rację. – Bawi się maleńkim srebrnym J, które wisi na zapince zegarka Omega z białego złota. – W związku z naszą sytuacją finansową nigdy nie myślałam o podjęciu pracy. To oznacza, że mam za dużo czasu... za dużo czasu na myślenie, za dużo czasu na skupianie się na sobie, podczas gdy powinnam patrzeć

w przyszłość, wykorzystać moją energię do pomagania innym. Daniel zasugerował, że powinnam zająć się wolontariatem, i już mnie skontaktował z kilkoma organizacjami. – Śmieje się. – Mówiłam ci, że jest idealny.

– To rzeczywiście postęp. – Uśmiecham się.

– Przypuszczam, że będę musiała zakończyć nasze sesje. Czuję się winna, że nie powiedziałam o nich Danielowi, i nie jestem pewna, czy są mi dłużej potrzebne. Z drugiej strony, nie chcę zniweczyć całej naszej pracy, decydując się na nagły koniec. – Patrzy na mnie niespokojnie. – Co sądzisz?

– Sądzę, że dobrym rozwiązaniem będzie kilka sesji omówionej na naszym pierwszym spotkaniu terapii relaksacyjnej. Weźmiesz je pod uwagę?

Z zadowoleniem kiwa głową.

– Na pewno. Terapia relaksacyjna jest czymś, co Daniel zrozumie.

– Dobrze. – Nie cierpię tracić pacjentów po włożeniu w nich mnóstwa pracy. Sprawdzam na zegarku, która godzina, i wstaję. – Mamy czas na jedną sesję, jeśli chcesz.

DWANAŚCIE

– Zostań tak długo, jak chcesz – mówi nazajutrz rano Will, odnosząc do zmywarki swój talerz i kubek po kawie. – Tylko zatrzaśnij za sobą drzwi, kiedy wyjdziesz.

– Dzięki – odpowiadam z wdzięcznością.

– Wychodzimy razem, Eve? – pyta, wsuwając koszulę za pasek dżinsów. – Bo ja muszę już lecieć.

Eve zsuwa się ze stołka barowego i patrzy na mnie z zatroskaniem.

– Na pewno nie chcesz, żebym odwołała spotkanie z mamą? Nie będzie miała nic przeciwko.

– Nie, w porządku, muszę przemyśleć, co powiem Leo.

– W takim razie tak, Will, idę z tobą. – Przytula mnie na chwilę. – Gdybyś mnie potrzebowała, zadzwoń. Masz mój numer.

– I oboje będziemy wieczorem – dodaje Will, podnosząc plecak.

– Dziękuję. Jesteście tacy mili.

Eve jeszcze się waha.

– Dasz sobie radę?

– Pewnie. Mam pracę.

Ale czuję się zbyt podenerwowana, żeby skupić uwagę na książce, którą powinnam czytać. I zraniona. I niepewna. Leo mnie okłamał... i nakłamał o mnie, więc zastanawiam się, co jeszcze może przede mną ukrywać. Naprawdę niewiele wiem o tym, jak wyglądało jego życie, zanim się poznaliśmy. Wiem, że odszedł z domu w wieku osiemnastu lat, bo nie dogadywał się z rodzicami, i brał jedną niskopłatną pracę po drugiej, aż zrozumiał, że lekarstwem na jego problemy będzie wykształcenie. Po studiach pracował dla kilku firm zajmujących się zarządzaniem inwestycyjnym, aż w końcu został pracującym na własny rachunek specjalistą do spraw zarządzania ryzykiem.

Muszę się czymś zająć, więc otwieram laptop i wyjmuję wizytówkę, którą podała mi Eve, kiedy byłam z nią wczoraj w domu. Trzymam ją mocno; czcionka jest czarna, wypukła: THOMAS GRAINGER. Wpisuję do wyszukiwarki „Thomas Grainger, prywatny detektyw", żeby sprawdzić jego prawdomówność. Ku mojemu zaskoczeniu wyskakuje skromna, ale profesjonalna strona z informacją, że biuro mieści się w Wimbledonie. Wpisuję adres do komórki. Zmotywowana, zaczynam przeglądać wszystkie artykuły poświęcone zabójstwu Niny Maxwell. Chcę się dowiedzieć o nim jak najwięcej, chociaż nie jestem pewna dlaczego. Może podświadomość mi podpowiada, że poczuję się lepiej, gdy poznam wszystkie fakty. Może ma to coś wspólnego z poczuciem odzyskiwania kontroli, a nie jej kompletnym brakiem.

Czytam artykuł po artykule, robiąc notatki, ale dowiaduję się niewiele więcej. Nina została zamordowana około dziewiątej wieczorem. Jej mąż zadzwonił pod numer alarmowy o dziewiątej dwadzieścia i powiedział, że wrócił z pracy do domu i znalazł ją martwą w sypialni.

Ściska mnie w dołku, gdy przypominam sobie, z jakim uporem Leo dążył do przebudowania dwóch sypialń w jedną. „Chcę tu trochę pozmieniać", powiedział. Pewnie, że chciałeś, myślę z urazą. Chciałeś, żebym nie świrowała na punkcie spania w tym samym pokoju, kiedy w końcu dowiem się o morderstwie, ponieważ zasadniczo nie będzie to ten sam pokój. Tyle że jest.

Według jednego z bardziej szczegółowych doniesień w domu doszło do szamotaniny i Nina Maxwell dzielnie walczyła o życie, dopóki napastnik jej nie ogłuszył i nie przywiązał do krzesła paskami szlafroków należących do niej i męża. Moim zdaniem wszystko wskazywało na to, że mordercą był mąż.

Dostaję SMS-a:

Mam nadzieję wrócić o 19. Dziś zebranie stowarzyszenia mieszkańców, więc będę miał czas tylko na szybką kolację. Nie mogę się doczekać, żeby Cię zobaczyć xx

Odpisuję: **Daj znać, jak będziesz w Euston.**

Czy zauważył, że tym razem nie dodałam dwóch buziaków? Kiedy za piętnaście siódma pisze z Euston, zbieram się na odwagę, biorę laptop, książkę i torbę i idę do domu.

Dom. To teraz mój dom, przypominam sobie, gdy wsuwam klucz do zamka. W ciągu kilku tygodni sprawiłam, że stał się nasz, mój i Leo. Co będzie, jeśli nie zdołam się zmusić, żeby tu zostać? W holu próbuję myśleć o szczęśliwych chwilach, jakie z pewnością przeżyła tu Nina Maxwell. Na pewno była szczęśliwa; miała przyjaciół i jak powiedziała Eve, cudownego męża. Tyle że skończyło się na tym, że ją zabił. Ze znalezionych w sieci zdjęć i artykułów nie wyłaniał się obraz człowieka zdolnego do popełnienia morderstwa. Ale przecież niewielu zabójców sprawia takie wrażenie.

Zdecydowana nazywać ich w myślach Niną i Oliverem, nie ofiarą i sprawcą, chodzę po domu, przywołując wspomnienia o siostrze i jej chłopaku, żeby wyobrazić sobie wspólne życie Maxwellów. Niemal widzę ich w kuchni, rozmawiających podczas przygotowywania kolacji, a później w salonie, skulonych na kanapie przed telewizorem, Nina z nogami na udach Olivera. Wiedli najzupełniej zwyczajne życie, dopóki coś strasznego nie zakończyło go na zawsze. Tak jak było w przypadku mojej siostry.

Skupianie się na Ninie i Oliverze jako żywych osobach pomaga mi trochę stłumić niepokój, który towarzyszy mi od wczoraj. Chcę poddać się próbie i idę na górę. Nic mi nie jest, gdy staję na podeście, nic mi nie jest, kiedy wchodzę do pokoju gościnnego; to tylko pokój. Ale gdy otwieram drzwi po drugiej stronie podestu i zaglądam do sypialni, widzę wszystko to, co próbowałam zablokować – martwa Nina siedzi przywiązana do krzesła, wokół niej na podłodze leżą długie jasne włosy. Obraz jest tak żywy, że aż zapiera mi dech w piersi. Zatrzaskuję drzwi i biegnę na dół, w oszołomieniu przytrzymując się poręczy. Wiem, że lada chwila zjawi się Leo, więc idę do kuchni i ochlapuję twarz wodą z kranu, a później siadam przy stole. Czekam, żeby się dowiedzieć, jak to się stało, że mieszkam w domu, w którym zamordowano kobietę.

*

Nie muszę długo czekać. Słyszę, jak Leo przekręca klucz, jego kroki w holu, łupnięcie torby rzuconej na podłogę.

– Wróciłem!

Miękki szmer materiału, gdy zdejmuje marynarkę, brzęk monet, kiedy wiesza ją na słupku schodów, świst krawata wysuwanego spod kołnierzyka, westchnienie, gdy rozpina guzik koszuli – słyszę to wszystko.

– Alice, gdzie jesteś?!

Nie widzę jego zatroskanej miny, gdy odpowiada mu cisza, mogę tylko ją sobie wyobrazić. Idzie przez hol do kuchni, wciąż w butach, wciąż ze zmarszczonymi brwiami. Ulga wygładza jego rysy, kiedy widzi mnie siedzącą przy stole.

– Tu jesteś – mówi z uśmiechem. Pochyla się, żeby mnie pocałować, a ja się odsuwam – O co chodzi? – pyta zaniepokojony.

– Kim ty jesteś, Leo?

Kolory odpływają mu z twarzy tak szybko, że instynkt podpowiada mi, żebym wstała i kazała mu usiąść. Ale nie ruszam się z miejsca i obojętnie patrzę, jak chwyta oparcie krzesła i ciężko się na nim opiera, rozpaczliwie próbując odzyskać panowanie nad sobą.

– Jak mogłeś? Jak mogłeś zataić przede mną coś tak... tak strasznego, tak okropnego? – Czuję frustrację, bo nie mogę znaleźć lepszych słów niż „straszne" albo „okropne" na opisanie tego, co stało się na górze. – Jak mogłeś myśleć, że się nie dowiem?

– Kto ci powiedział? – pyta tak cichym głosem, że ledwie go słyszę.

– Sąsiadka. – Nie obchodzi mnie, że kłamię. Powiem mu o Thomasie Graingerze, kiedy dokopię się do dna jego oszustwa.

Unosi głowę, pod grymasem bólu na jego twarzy widzę szok.

– Sąsiadka ci powiedziała?

Wytrzymuję jego spojrzenie.

– Tak.

– Ale... – Przegarnia ręką włosy, drugą trzymając się krzesła. – Która?

– Czy to ważne? – rzucam niecierpliwie. – Jak mogłeś mnie okłamać, Leo?

– J-ja... – jąka się, jakby zbierało mu się na płacz.

Czuję niepokój i lekkie zawstydzenie. Musiał żyć w strachu, że się dowiem. Ale nie mogę mu wybaczyć, jeszcze nie.

– Niemal jeszcze gorsze jest to, że nie tylko mnie okłamałeś, ale też nakłamałeś o mnie.

– Co masz na myśli? – mamrocze.

– Dałeś Benowi do zrozumienia, że mieszkanie tu mi nie przeszkadza, bo dzięki temu będę mogła zatrzymać dom w Harlestone.

Patrzy na mnie tak długo, że myślę, że się wyprze albo powie, że Ben źle zrozumiał. Po czasie, który wydaje mi się wiecznością, wysuwa krzesło, którego się przytrzymywał, i opada na siedzenie.

– Przepraszam. – Ulga na jego twarzy mówi mi, że jest zadowolony, że dłużej nie musi ukrywać prawdy.

– Coś ty sobie myślał? Miałeś nadzieję, że się nie dowiem?

Wpatruje się w swoje ręce.

– Nie, wiedziałem, że się dowiesz. Miałem nadzieję, że nie wcześniej, niż sam będę mógł ci o tym powiedzieć.

– A kiedy zamierzałeś to zrobić?

– Po prostu chciałem, żebyś bardziej się tu zadomowiła.

– Dlaczego?

– Żeby trudniej było ci odejść. Dlatego ci nie powiedziałem przed kupnem domu. Wiedziałem, że nie zgodzisz się tu zamieszkać, a ja… – unosi wzrok – naprawdę chciałem go mieć.

– Tak bardzo, że przymknąłeś oko na to, że zmarła tu kobieta?

– To nie jest ten sam dom, Alice. Wszystko zostało odnowione i zmieniłem rozkład na górze.

Walę ręką w stół.

– To dokładnie ten sam dom! Nie rozumiem, jak możesz tego nie widzieć? To w dalszym ciągu jest dom, w którym popełniono zbrodnię!

Bezradnie wzrusza ramionami, co wcale mnie nie uspokaja.

– W takim razie może po prostu jestem w stanie z tym żyć. Wiem, to zabrzmi bezdusznie, ale naprawdę mi to nie przeszkadza. I pamiętam, jak kiedyś ktoś powiedział, że twój dom ma dwieście lat, więc na pewno ludzie w nim umierali. Twierdziłaś, że to cię wcale nie martwi.

– Jest ogromna różnica pomiędzy spokojną śmiercią ze starości we własnym łóżku a brutalnym morderstwem, gdy masz trzydzieści osiem lat!

– Nie zawsze znamy historię domów, w których mieszkamy. Może kogoś zamordowano w domu w Harlestone.

Jestem wściekła, bo może mieć rację.

– A jeśli jutro – ciągnie – ktoś zadzwoni i powie: „Cześć, właśnie odkryłem, że pięćdziesiąt lat temu w twoim domu doszło do zabójstwa", czy natychmiast z niego zrezygnujesz i nigdy nie spędzisz tam ani jednego dnia?

Kocham mój domek na wsi. Leo zauważa moje wahanie i pochyla się ku mnie.

– Zostałabyś tam, prawda? Nie sprzedałabyś domu.

– Szczerze mówiąc, wystawiłabym go na sprzedaż. Nawet pięćdziesiąt lat to za mało.

– Nie wierzę ci. – Pociera twarz rękami.

Wybucham gniewem.

– Kiedy ta rozmowa zeszła na mnie? I kiedy zacząłeś mi nie wierzyć? To nie ja popełniłam błąd, Leo, tylko ty!

– Wiem, i przepraszam. – Sięga po moją dłoń, ale ją odsuwam.

– Co musieli myśleć sobie ludzie w sobotę, kiedy proponowałam im obejrzenie góry? Byli przekonani, że wiedziałam o morderstwie.

– Nie spodziewałem się, że będziesz oprowadzać ludzi po domu.

– Właśnie dlatego nie chciałeś, żeby tu przyszli, prawda? – Wstaję, napędzana potrzebą zwiększenia odległości między nami. – Martwiło cię, że ktoś wspomni o tym, co się tu stało. – Przechodzę na drugą stronę kuchni i opieram się o blat. – Nie rozumiem, wprost nie mieści mi się w głowie, jak mogłeś myśleć, że twoje kłamstwo się nie wyda.

Rozkłada ręce, prosząc mnie o zrozumienie.

– Zamierzałem ci powiedzieć w odpowiednim czasie.

– A tymczasem nie miałeś nic przeciwko temu, że ludzie uważają mnie za nieczułą sukę.

– Jestem pewien, że nikt tak nie myślał.

– Tamsin.

– Ta ruda?

– Tak. Słyszałam, jak mówiła, że nie może uwierzyć, że się tym nie przejmuję. Nie miałam pojęcia, o co jej chodzi. Teraz już wiem.

Leo wzdycha ciężko.

– Co chcesz zrobić? – pyta.

Biorę ścierkę i zaczynam wycierać blat, który już jest czysty.

– Nie mogę tu zostać, nie teraz.

– Możemy na kilka dni zatrzymać się w hotelu.

– A co potem? Wrócić tu i udawać, że tego morderstwa nie było?

Wzdryga się.

– Nie. Ale może pogodzić się z tym, co zaszło, i żyć dalej. Chyba powinniśmy dać szansę temu domowi, Alice.

Przestaję wycierać blat i odwracam się, żeby na niego spojrzeć.

– Co masz na myśli?

Pochyla się i przeszywa mnie wzrokiem.

– Stwórzmy dla niego nowe wspomnienia. Bądźmy tu szczęśliwi.

Wybucha we mnie uraza.

– Bądźmy tu szczęśliwi?! Jak mogę...? – Ze złością rzucam ścierkę do białego emaliowanego zlewu. – Ona miała na imię Nina!

– Wiem, i również dlatego wahałem się, czy ci o tym powiedzieć. – Jego głos, cichy i rozsądny, ma mnie uspokoić. – Martwiłem się, że akurat wtedy, kiedy postanowiłaś zostawić przeszłość za sobą, wyjeżdżając z Harlestone, wszystko powróci. Podjęłaś dobrą decyzję, zgadzając się na przeprowadzkę. Nie możemy na tym budować? – Czeka, żebym się odezwała, ale nie mogę, bo słowa o nowych wspomnieniach dla domu trąciły w moją czułą strunę. Znowu pociera twarz. – Co chcesz zrobić? Wrócić do Harlestone? Chcesz, żebym wystawił ten dom na sprzedaż i wynajął mieszkanie w Londynie, kiedy będę czekać na kupca? Bo to będę musiał zrobić. Nie mogę codziennie dojeżdżać do Birmingham z Harlestone, więc w ciągu tygodnia musiałbym mieszkać w Londynie i widywalibyśmy się w weekendy, sporadycznie, jak przed przeprowadzką. Czy tego chcesz?

Siedzi, czekając na odpowiedź; drobne zmarszczki wokół jego oczu są głębsze niż wcześniej. Ale nie mogę mu odpowiedzieć. Chcę tego, co zasugerował, i jednocześnie nie chcę. Nie chcę tu zostać – ale nie mam dokąd pójść. Chcę, żeby odszedł, ale jeśli mam zostać w tym domu, przynajmniej dzisiaj, nie chcę być w nocy sama. W tej chwili jestem pewna jednego: nie chcę być blisko Leo. Ani blisko pokoju na górze.

Idę do drzwi.

– Nie wiem, czego chcę – mówię napiętym głosem. – I dopóki się nie dowiem, będę spać w moim gabinecie.

Dopiero gdy rozkładam kanapę, przychodzi mi na myśl, że nie zapytałam, dlaczego tak bardzo zależało mu na tym domu.

TRZYNAŚCIE

– Dlaczego tak bardzo zależało ci na tym domu? – pytam następnego dnia rano. Stoimy w kuchni. Jest nieskazitelnie czysta, bo żadne z nas nie jadło wczoraj wieczorem, i światło wczesnego poranka odbija się od marmurowych powierzchni.

– Słucham? – Wygląda na zmęczonego, ale nie jest tak zmęczony jak ja.

– Wczoraj powiedziałeś, że nie wspomniałeś mi o morderstwie przed przeprowadzką, ponieważ wiedziałeś, że nie zgodzę się tu zamieszkać, a ty naprawdę chciałeś mieć ten dom. Pytam, dlaczego tak ci na nim zależało. Jest ładny, jednak nie aż tak, żeby człowiek z czystym sumieniem przymknął oko na fakt, że popełniono w nim zbrodnię. – Wiem, że jestem szorstka, ale prawie nie spałam i zmęczenie daje mi w kość.

Podchodzi do czarnego chromowanego ekspresu.

– Kawy?

Oddałabym życie za kawę.

– Nie, dzięki.

Robi sobie kawę, nie odpowiadając, jakby miał nadzieję, że znudzi mnie czekanie. Ale jestem gotowa dać mu tyle czasu, ile trzeba.

– Chciałem mieć ten dom, bo stoi na zamkniętym osiedlu – odzywa się w końcu. – Podoba mi się, że nikt nie może tu wejść, jeśli tu nie mieszka albo nie zostanie wpuszczony przez mieszkańca. Tak jest bezpieczniej. I ponieważ było mnie na niego stać. Nie byłbym w stanie go kupić, gdyby nie miał przeszłości.

– Od kiedy to przywiązujesz taką wagę do bezpieczeństwa?

– Odkąd zaczęli nękać mnie klienci.

– Nie miałam o tym pojęcia.

Zerka na mnie.

– Nie miałaś, bo postanowiłem ci nie mówić.

– Wiem, że dostawałeś niechciane telefony. – Przypominam sobie, jak odbierał komórkę i natychmiast się rozłączał, i jak czasami patrzył na ekran, po czym odrzucał połączenie, a później mówił mi, że to pomyłka. – Nie zdawałam sobie sprawy, że to klienci. Ale nikt cię nie nachodził, prawda? – Milknę, gdy napływa wspomnienie. – Z wyjątkiem tej blondynki w Harlestone. Kiedy cię o nią zapytałam, powiedziałeś, że chciała wiedzieć, jak to jest mieszkać na wsi. Była twoją klientką?

– Nie. Jeśli klient chce się dowiedzieć, gdzie mieszkam, to się dowie. Nigdy nikomu nie podałem twojego adresu, ale gdyby ktoś zjawił się w Harlestone, szukając mnie, każda jedna osoba w wiosce zaprowadziłaby go pod twoje drzwi, po drodze opowiadając, co jadłem poprzedniego dnia na kolację.

W jego tłumaczeniu jest coś, co nie brzmi wiarygodnie. Nie mówi mi wszystkiego – lecz co tai?

– Przecież Circle też jest małe – mówię, zbita z tropu.

Wzdycha ze zmęczeniem.

– Właśnie dlatego je wybrałem. Wolałbym anonimowy blok z systemem ochrony, jak wcześniej. Ale jasno dałaś do zrozumienia, że nie zamieszkasz w takim miejscu, więc szukałem rozwiązania, które zadowoliłoby nas oboje. Tutaj ty masz małe środowisko, jak lubisz, a ja mam zaspokojoną potrzebę bezpieczeństwa. To kompromis, Alice, kolejny cholerny kompromis.

– Czy nie na tym polegają związki? – rzucam urażona. – Na kompromisach?

Zdejmuje kubek z ekspresu.

– Dam ci zjeść śniadanie w spokoju. Jeśli będziesz chciała pogadać, będę w moim gabinecie.

Oczy szczypią mnie od łez. Leżałam bezsennie przez prawie całą noc, zastanawiając się, i wciąż nie wiem, co zrobić. Kusi mnie powrót do Harlestone, ale wtedy będę musiała prosić Debbie, żeby pozwoliła mi koczować u siebie przez kilka miesięcy, bo przecież nie wyrzucę najemców z dnia na dzień. Ale co będzie ze mną i Leo? Ma rację – musielibyśmy wrócić do tego, co było, i widywać się tylko w weekendy, a przecież przeprowadziłam się do Londynu, żebyśmy mogli spędzać razem więcej czasu. I nie mogę wyrzucić z pamięci tego, co powiedział o nowych wspomnieniach dla domu. I wcale mi się to nie podoba, bo jeśli podejmę to wyzwanie, będę miała wrażenie, że odrzucam moją przeszłość – że odwracam się plecami nie tylko do Niny Maxwell, z którą połączyła mnie jakaś niewytłumaczalna więź, ale również do siostry.

– Chciałem o coś spytać. – Słyszę głos Leo za plecami. Stoi w drzwiach. – Powiedziałaś, że dowiedziałaś się o morderstwie od sąsiadki. To była Eve?

– Nie.

– Więc kto?

Nie mam wyboru. Muszę mu powiedzieć to, co usłyszeli ode mnie Eve i Will.

– To nie była sąsiadka, tylko ktoś z prasy – mówię z okropną świadomością, że do naszego związku wpełza zbyt wiele kłamstw.

– Paparazzi?

– Tak.

– Kobieta czy mężczyzna?

– Kobieta.

– Przyszła tu?

– Nie, zadzwoniła.

Przeczesuje ręką włosy; widać, że jest wściekły.

– Powiedziała, z jakiej gazety?

– Nie. – Odwracam się w stronę ekspresu i wciskam guziki.

– Nie spytałaś?

– Nie, byłam w zbyt wielkim szoku.

– Znasz jej nazwisko?

– Nie.

– Co dokładnie powiedziała?

– Chciała wiedzieć, jak to jest mieszkać w domu, w którym popełniono morderstwo. – Nagle milknę, zastanawiając się, czy zauważył, że użyłam prawie takiego samego zdania jak on, kiedy mówił mi o kobiecie, która przyjechała do Harlestone: „Chciała wiedzieć, jak to jest mieszkać na wsi". Co oznacza, że oboje kłamiemy.

– Mówiła coś więcej?

– Nie. – Patrzę na niego z zaciekawieniem. – Czemu pytasz?

– Bez powodu.

Zostawia mnie i siadam przy stole. Coś tu nie gra. Zdaje się, że Leo dostał obsesji na punkcie fikcyjnej reporterki. I ta jego przesadna reakcja, gdy wczoraj zaczęłam z nim rozmowę. Wyglądał tak, jakby zaraz miał zemdleć. I podany przez niego powód kupna domu – zapewnienie bezpieczeństwa – nie przekonuje mnie.

*

Idę do gabinetu i zamykam za sobą drzwi. Od wczoraj moje miejsce pracy jest również moim azylem. Składam kanapę, starannie złożoną kołdrę chowam do szafki, bo nie umiem pracować w bałaganie. Siadam przy biurku. Biorę komórkę, żeby zadzwonić do Ginny, i w tym momencie dostaję wiadomość od Eve z pytaniem, czy wszystko w porządku. Odpisuję, że jest dobrze i że zobaczymy się po weekendzie. **Daj znać, gdybyś potrzebowała mnie wcześniej xx** – odpowiada, a ja cieszę się, że mam przyjaciółkę tak blisko domu. Dom. To słowo rezonuje w moim mózgu. Czy kiedykolwiek to będzie mój dom?

Dzwonię do Ginny.

– Jak się masz? – pyta.

– Niezbyt dobrze.

– Rozmawiałaś z Leo?

– Tak, powiedział, że nie wspomniał o morderstwie, bo ogromnie mu zależało na tym domu i wiedział, że jeśli się dowiem, nie będę chciała tu zamieszkać. Co do tego miał rację. – Po chwili milczenia ciągnę: – Tylko że nie przemawia do mnie tłumaczenie, z jakiego powodu chciał mieć akurat ten dom. Twierdzi, że dlatego, że jest na zamkniętym osiedlu, że nikt nie

111

może tu wejść, jeśli nie zostanie wpuszczony przez mieszkańca. Podobno nękają go klienci.

– Czy to znaczy, że dostawał jakieś groźby? – pyta Ginny.

– Nie wiem. Nigdy wcześniej nie wspominał o nękaniu. Wiem, że nie zawsze odbierał telefony albo od razu się rozłączał. Kiedyś zdenerwował się na kobietę, która zaczepiła go przed moim domem w Harlestone. Powiedział, że to nie była klientka, ale był wtedy strasznie poirytowany.

– Jak się skończyła wasza rozmowa?

– Cóż, spałam na kanapie w gabinecie i dzisiaj będzie tak samo.

– Naprawdę ci współczuję, Alice.

– Dzięki, ale jest dobrze… albo będzie.

Rozłączam się i zastanawiam, czy między mną i Leo kiedyś znów będzie dobrze. Wiem, że nie będę w stanie spać w sypialni, nie teraz, gdy wiem, co się tam stało. Samo w sobie nie jest to problemem, bo przecież moglibyśmy się przenieść do sypialni gościnnej, a w naszej Leo mógłby umieścić swoje przyrządy do ćwiczeń, zamiast ćwiczyć w garażu. Ale na razie nie mogę myśleć o dzieleniu z nim łóżka. A poza tym dlaczego właściwie Thomas Grainger zajmuje się tym morderstwem? Powiedział, że pracuje dla klientki, której brat został niesłusznie oskarżony o zabójstwo. Zatem jego klientką jest siostra Olivera, więc nie traktuję poważnie tego, co mówił o pomyłce sądowej. To normalne, że członkowie bliskiej rodziny nie wierzą, że ich ukochani są zdolni do popełnienia zbrodni. Co nie znaczy, że ci ich nie popełniają.

Szukam w telefonie zrzutu ekranu ze zdjęciem Niny. Ma długie jasne włosy upięte w niedbały kok i z jej uszu zwisają cienkie złote kółka. Wygląda na szczęśliwą i beztroską, a mnie zalewa znajoma fala smutku.

– Kto cię zabił, Nino? – szepczę. – Oliver?

Patrzy na mnie z kącikiem ust uniesionym w uśmiechu. Dowiedz się, zdaje się mówić.

Przyglądam się fotografii, wypatrując śladów podobieństwa do mojej siostry. Nie ma ich. Moja Nina miała ciemniejsze włosy, ciemniejsze niż ja. Moja siostra, która chciała, żebym miała tak samo na imię jak ona. Miała trzy lata, kiedy się urodziłam, i bardzo upierała się przy swoim pomyśle, więc w końcu rodzice pozwolili jej wybrać dla mnie imię. Wybrała je ze swojej ulubionej książki, *Alicji w Krainie Czarów*.

*

Przez resztę weekendu wzajemnie się unikamy, zajmując różne części kuchni, kiedy przypadkiem jesteśmy tam w tym samym czasie, i odnosimy się do siebie uprzedzająco grzecznie, niemal jak dwoje nieznajomych. Gdy Leo mówi, że wychodzi na tenisa z Paulem, nie kryję zaskoczenia. Na jego miejscu byłabym zbyt zażenowana, żeby się publicznie pokazać. Ale później uświadamiam sobie, że przecież poza Eve i Willem nikt w Circle nie wie, że nie powiedział mi o morderstwie.

Wykorzystuję czas, żeby nadrobić zaległości z czwartku i piątku i gdy nadchodzi niedzielny wieczór, kończę pierwsze czytanie powieści.

Rozkładam właśnie kanapę, kiedy Leo puka do drzwi.

– Dzięki, że nie odeszłaś – mówi, pomagając mi przełożyć poduszki.

– Jeszcze nie zdecydowałam, co zrobię.

Kiwa głową.

– W tym tygodniu będę dojeżdżać do Birmingham, żebyś w nocy nie była sama… jeśli tu zostajesz – oznajmia.

– Dzięki. – Całkiem zapomniałam, że miałabym tu być sama do czwartku.

Ścielimy łóżko i zamykam za nim drzwi, zdumiona ironią sytuacji. To miał być nowy początek, szansa na to, żebyśmy po tym, jak skończy się jego obecny kontrakt, żyli jak zwyczajna para, spędzali razem wieczory i gawędzili o tym, jak minął nam dzień. Nawet jeśli do tego dojdzie, to co będzie, jeśli stwierdzimy, że jednak nie możemy mieszkać ze sobą dzień w dzień? Może nasz związek wytrwał do tej pory dlatego, że większość czasu spędzaliśmy osobno.

Prawie śpię, gdy przypominam sobie, że potrzebuję ubrań na rano. Od piątku wystarczały mi te wyciągnięte z kosza do prasowania, ale z powrotem są w pralni. Czyste mam w sypialni, a nie chcę tam wchodzić.

Piszę wiadomość do Leo.

Zanim wyjdziesz, przynieś mi, proszę, trochę ubrań z sypialni i zostaw na krześle w holu. Białe szorty, czerwoną sukienkę, dżinsy, dwie białe koszulki, dwie granatowe i cztery komplety bielizny. Moje białe tenisówki i niebieskie sandały ze złotym paskiem. I skarpety. Dzięki.

Wyłączam telefon i zasypiam.

CZTERNAŚCIE

Budzę się w nocy z łomoczącym sercem. Coś mnie zbudziło, nie wiem co. Leżę bez ruchu, wstrzymując oddech, spięta, próbując to rozpracować. I wtedy do mnie dociera. Ktoś jest w pokoju i instynktownie wiem, że to nie Leo.

W pobliżu mnie nie ma włącznika światła, najbliższa lampa stoi na biurku. Jestem zbyt przerażona, żeby się ruszyć, zbyt przerażona, żeby otworzyć oczy, i tylko przewracam je pod zamkniętymi powiekami. Gdzie ten ktoś jest? Nie powinnam słyszeć oddechu, wykryć jakiegoś ruchu? Nic nie ma, tylko uczucie, że ktoś mnie obserwuje. Nagle, kiedy wysiłek leżenia bez ruchu ze wstrzymanym oddechem staje się zbyt wielki, wrażenie czyjejś obecności mnie opuszcza.

Z moich ust z szumem wyrywa się oddech – drżące sapnięcie w dławiącej ciszy nocy. Czekam, aż serce zwolni, i wysuwam nogi spod kołdry. Czuję się zbyt bezbronna, żeby po ciemku opuścić łóżko, więc wyciągam rękę w stronę biurka i zapalam lampę. Słaby żółty blask nie sięga w kąty gabinetu, ale widzę, że nikogo tam nie ma. Drzwi są lekko uchylone; nie pamiętam, czy je zamknęłam przed położeniem się spać.

Wstaję, gotowa zawołać Leo, i zmieniam zdanie. Dam sobie radę sama. Z sercem w gardle zapalam światło w holu. Nabierając głęboko powietrza, z udawaną pewnością siebie przechodzę przez pokoje na dole, zapalając światła dla dodania sobie odwagi. Na krześle w holu leży schludny stosik ubrań; Leo musiał je przynieść, gdy zasnęłam, żeby rano zaoszczędzić na czasie. Idę na górę, zaglądam do gabinetu i pokoju gościnnego. Drzwi naszej sypialni są zamknięte. Delikatnie kładę rękę na klamce i je otwieram. Skrzypią cicho i wstrzymuję oddech, pewna, że Leo się zbudzi i zapyta, kto tam. Ale nic się nie dzieje. Zaglądam; śpi jak kamień, oddychając głęboko i regularnie.

Idę na dół i dostrzegam ściętą w ogrodzie białą różę, leżącą na parapecie okna obok drzwi frontowych. Uśmiecham się ponuro do siebie, zdumiona, że Leo myśli, że tak łatwo można mnie udobruchać. Zabieram różę do kuchni i wyrzucam do kosza.

Zostawiam na wpół otwarte drzwi, żeby nie być w kompletnej ciemności, i kładę się do łóżka. Spodziewam się kłopotów z zaśnięciem, lecz nagle jest już dzień i Leo zdążył wyjechać do Birmingham.

*

Rano przychodzi SMS od Eve: **Kawa?** Sprawdzam, która godzina; już dziewiąta, ale dziś mogę zacząć pracę trochę później. Idę do Eve. Podchodzi do drzwi w białym stroju do biegania, jedząc grzankę grubo posmarowaną masłem orzechowym.

— Rano przebiegłam osiem kilometrów, więc mi wolno — mówi, podsuwając mi talerz. — A tobie wolno, bo miałaś gówniany weekend. A może nie?

Biorę grzankę i idę za nią do kuchni.

– Leo dał plamę, ale plus jest taki, że udało mi się posunąć pracę do przodu. Przestałam myśleć o problemie, co wyszło mi na dobre.

– Więc zostałaś w domu?

– Tak, ale spałam na dole, w gabinecie.

Eve odstawia na chwilę talerz i siada na blacie.

– Jak ci poszło z Leo?

– Trzymamy się na dystans, a ja próbuję przeanalizować moje uczucia. Jestem taka skołowana tym wszystkim. Czuję, że powinnam uciec z domu, może nawet od Leo. Ale powiedział, że powinniśmy stworzyć nowe wspomnienia.

Patrzy na mnie z przechyloną głową.

– Jak się z tym czujesz?

– Nie jestem pewna. Może to zabrzmi dziwnie, ale odkąd Leo to powiedział, zaczęłam czuć się tak, jakbym powinna zostać z uwagi na Ninę, jakbym była jej to winna. Mam wrażenie, że coś mnie do niej przyciąga. Kiedy w czwartek wróciłam do domu, niemal czułam jej obecność, niemal widziałam, jak siedzi w salonie z Oliverem, jak są razem w kuchni. I kiedy myślę, jak cierpiała… – dodaję cicho – wtedy moje trudności wydają się błahostką. Może Leo ma rację, może jedynym sposobem na uwolnienie domu od zła, które się tam wydarzyło, jest stworzenie nowych wspomnień.

– Dobre wibracje przepędzające złe, to wcale nie brzmi dziwnie. Nie usiądziesz?

– Wybacz. – Dopiero teraz zdaję sobie sprawę, że krążę po kuchni. Wysuwam krzesło. – Leo powinien zostać w Birmingham do czwartku, jak zwykle, ale chce wracać do domu codziennie wieczorem, żebym nie była sama.

– To miło z jego strony.

– Eve, co byś zrobiła na moim miejscu?

– Sądzę, że gdybym należała do tych, którzy umieją sobie radzić, a ty chyba się do takich zaliczasz, zostałabym na jakiś czas, żeby zobaczyć, jak rozwinie się sytuacja.

– Czułabym się znacznie lepiej, gdybym mogła spotkać się z każdym na osiedlu i wyjaśnić, że nie wiedziałam o morderstwie. Ale przypuszczam, że wyglądałoby to co najmniej dziwnie.

– Jeśli chcesz, mogę powiedzieć o tym Tamsin i Marii, one powtórzą to swoim sąsiadom, a ci przekażą to dalej i zanim się obejrzysz, wszyscy będą wiedzieli. Mam tak zrobić?

– Tak, proszę. Naprawdę zależy mi na tym, żeby ludzie wiedzieli, że nie jestem gruboskórna. – Wpada mi do głowy nowa myśl, która mnie martwi. – Ale co sobie o mnie pomyślą, jeśli nadal będę mieszkać w tym domu, mimo że wiem o tej zbrodni?

– Myśleli, że wiedziałaś od samego początku, i uważali, że jesteś niewiarygodnie dzielna. Poza tym niewielu zdobyłoby się na wyprowadzkę i wynajęcie jakiegoś tymczasowego lokum, żeby w nim czekać na sprzedaż domu, więc to też zrozumieją. Wynajęłaś swój dom na wsi, więc nie możesz tam wrócić. I w ogóle dlaczego przejmujesz się tym, co ktoś pomyśli?

– Nie chcę zostać odrzucona, i to krótko po tym, jak się tu zjawiłam.

Eve wybucha śmiechem.

– Nikt cię nie odrzuca!

– Więc jeśli zaproszę ciebie, Tamsin i Marię na lunch w środę przed jogą, przyjdziecie? – Sama jestem zaskoczona tym pytaniem, bo właściwie nie zamierzałam ich zaprosić.

– Pewnie, że tak! Przyszliśmy na parapetówkę, prawda?

– Chciałabym zaprosić Carę, ale nie sądzę, żeby miała wolne w środku dnia. Czy nie mówiła, że pracuje dla Google'a?

– Tak, jest programistką. Ma zwariowane godziny pracy, więc można ją złapać tylko w weekendy.

– No to tylko my cztery.

Niedługo później wychodzę. Eve zaproponowała, że mogę pracować u niej, ale jeśli mam zostać w domu, to muszę przywyknąć do samotności.

– Co byś zrobiła, Nino? – mruczę do zdjęcia siostry na drzwiach lodówki. – Zostałabyś czy odeszła? – Ale nie ma odpowiedzi, jest tylko absolutny spokój pustego domu.

*

Zamiast czytać książkę po raz drugi, decyduję się od razu zabrać do tłumaczenia. Praca wymaga koncentracji i nie mogę pozwolić, żeby rozpraszały mnie myśli o morderstwie.

Dzień mija zaskakująco szybko. Leo zjawia się w domu i staje na głowie, żeby mnie przeprosić.

– Masz ładną fryzurę – mówi. Splotłam włosy w warkocz, żeby nie przeszkadzały mi podczas pracy.

– Dzięki.

Wzdycha ciężko.

— Powiedz mi, jak mam ci to wynagrodzić.

— Nie mam pojęcia, nie wiem nawet, czy to w ogóle możliwe. Jak mam ci zaufać, skoro byłeś w stanie zataić przede mną coś tak ważnego?

Mam wrażenie, że jestem niesprawiedliwa, i jestem wściekła, że tak się czuję. Ale niech się nie spodziewa, że padnę mu w ramiona i powiem, że wybaczam. Proponuje, że zrobi mi kolację. Kiedy odmawiam, zjada szybko i znika w swoim gabinecie. Nie wspomina o róży, którą wyrzuciłam do kosza, więc może jej nie widział.

Dom jest cichy, zbyt cichy. Zdaję sobie sprawę, że nie powiedziałam Leo, że w nocy myślałam, że ktoś jest w domu. Korci mnie, żeby pójść za nim. Ale nie chcę, by pomyślał, że znalazłam pretekst do rozpoczęcia rozmowy. Tak czy inaczej, w moim gabinecie nikogo nie było, po prostu sprawa morderstwa rozstraja mi nerwy.

PIĘTNAŚCIE

Zdałam się na Eve, żeby zaprosiła Marię i Tamsin na lunch u mnie. Przychodzą razem o dwunastej, z kwiatami z ogródka Marii i butelką wina. Wszystkie są w szortach i koszulkach, więc w luźnej sukience do połowy uda czuję się przesadnie wystrojona.

– Wejdźcie – mówię, cofając się, żeby je przepuścić.

Eve i Maria wchodzą, ale Tamsin stoi niepewnie przed drzwiami. Przez chwilę myślę, że ma wątpliwości co do lunchu u mnie.

– Przepraszam – rzuca. – Ten dom zawsze przypomina mi o Ninie.

– Oczywiście. – Współczująco kiwam głową. Chcę wyciągnąć ręce i ją uściskać, ale szybko wchodzi do środka.

– Jak się masz? – pyta Maria, przytulając mnie. – Musiałaś przeżyć szok, kiedy w taki sposób dowiedziałaś się o Ninie. Nawet sobie nie wyobrażam, co musisz czuć.

– Jestem zła i przerażona – odpowiadam, prowadząc je do ogrodu. – Chciałam się wyprowadzić, nie sądziłam, że dam radę tu zostać.

– Ale nadal tu jesteś – zauważa uszczypliwie Tamsin.

Jeśli ktoś zamierza mnie osądzać, to właśnie ona.

– Tak, nadal tu jestem. Na razie. – Uśmiecham się nieśmiało. – Miałam nadzieję, że może opowiesz mi o Ninie. Nigdy więcej nie będę spać w sypialni na górze, ale kiedy będę wiedziała, że przeżyła tu szczęśliwe chwile, może to zmniejszy mój niepokój.

Twarz Tamsin łagodnieje.

– Miała mnóstwo szczęśliwych chwil.

– Może pogadamy przy lunchu? – sugeruje Eve. – Musimy wyjść za dwadzieścia druga, żeby zdążyć na jogę.

– Tak, wiem – mówię. – Zrobiłam quiche z łososiem i sałatę, a na deser będą truskawki. Mam nadzieję, że lubicie?

Maria uśmiecha się.

– Dla mnie brzmi idealnie!

*

Mamy piękny wrześniowy dzień; promienie słońca padają na ogród. Łagodny wiatr przywołuje wspomnienie lata, niosąc boski zapach kolorowych fuksji na taras, na którym jemy lunch. Bardzo chcę zapytać o Ninę, ale powściągam niecierpliwość. Pytam Marię o synów, a Tamsin o jej córeczki, Amber i Pearl.

– Podobają mi się ich imiona – mówię.

Uśmiecha się.

– Musisz zajrzeć do nas w środę po południu, żeby je poznać.

– Z przyjemnością – odpowiadam, zadowolona z zaproszenia. – Widziałam je tylko z daleka.

Czekam, aż skończą jeść.

– Wiem, że Nina miała trzydzieści osiem lat – zaczynam –
i Eve powiedziała mi, że była terapeutką, ale to wszystko, co
mi o niej wiadomo.

Tamsin strzepuje okruszki z nieskazitelnie białej koszulki.

– Kochała swoją pracę, uwielbiała pomagać. Miała czas
dla każdego, zawsze mogłaś do niej pójść, kiedy miałaś jakiś
problem. Bardzo mi pomogła.

– A Oliver? Czym się zajmował?

– Pracował w jakiejś firmie przewozowej – mówi Maria. –
Nie jestem pewna, na czym polegała jego praca, ale często wy-
jeżdżał za granicę.

– I byli razem szczęśliwi?

– Tak, bardzo.

– Tylko że… – waham się – zabił ją.

Tamsin gromi mnie wzrokiem z drugiej strony stołu.

– Z kim rozmawiałaś?

– Z nikim – zapewniam ją szybko. – Wiem tylko to, co
wyczytałam w artykułach.

– To ci nie wystarczy?

Rumienię się, zakłopotana zmianą atmosfery, jakby nagle
temperatura spadła o dziesięć stopni.

– Próbuję tylko zrozumieć, jak żyła – wyjaśniam, starając się przywrócić wcześniejszy nastrój. – Eve wspomniała, że
była uduchowiona i założyła waszą grupę jogi. Miała jakieś
hobby?

Nie udaje mi się.

– Dlaczego to miałoby mieć znaczenie? – cedzi zimno
Tamsin. – To już nieważne.

Nienawidzę grania kartą mojej siostry, ale nie mogę wymyślić innego sposobu, żeby zjednać sobie Tamsin. Odsuwam krzesło. Eve patrzy na mnie z niepokojem w oczach.

– W porządku – rzucam. – Idę po truskawki. Zabiorę talerze.

W kuchni odkładam naczynia, biorę truskawki z lodówki i zdjęcie Niny z drzwi.

– Eve mówiła ci o mojej siostrze? – zwracam się do Tamsin, stawiając przed nią truskawki, i wracam na swoje miejsce.

Wierci się na krześle.

– Tak, mówiła. Przykro mi.

– To jej zdjęcie. – Pokazuję fotografię.

Maria bierze ją ode mnie.

– Była piękna.

– Mogę zobaczyć? – pyta Eve. Patrzy na zdjęcie, potem na mnie. – Macie takie same oczy.

– Tak. – Zwracam się do Tamsin i Marii: – Eve prawdopodobnie wam powiedziała, że moja siostra miała na imię Nina. Wiem, że to głupie, ale od jej śmierci mam obsesyjną potrzebę dowiadywania się o jej imienniczki.

– Wcale nie głupie. – Maria się uśmiecha. – Nie wiem, jak twoja Nina, ale nasza uwielbiała robić zdjęcia z zaskoczenia. To czasami bywało irytujące, bo zaskakiwała cię w najgorszym momencie, na przykład podczas posiłku, gdy miałaś otwarte usta albo wypchane policzki.

– Albo kiedy za dużo wypiłaś i miałaś szkliste oczy i czerwony nos – dodaje Eve, udając wstawioną, czym mnie rozśmiesza.

– Ale robiła też piękne zdjęcia. – Maria patrzy na Tamsin. – Mam kilka uroczych fotek z dziećmi. Ty też, Tamsin, prawda?

– Tak. Wciąż za nią tęsknię.

Ku mojej konsternacji oczy Tamsin zachodzą łzami.

– Przepraszam – rzucam z miną winowajcy. – Nie powinnam cię o nią wypytywać. Po prostu chcę... sama nie wiem... chcę, żeby stała się prawdziwa, żebym czuła, kim była. Może to pomoże mi zadecydować, czy mam tu zostać, czy nie.

Wyciąga chusteczkę i przedmuchuje nos.

– Mam nadzieję, że zostaniesz. Miło jest mieć po sąsiedzku zamieszkany dom, a nie mauzoleum.

– Dziękuję – mówię, ponieważ zabrzmiało to szczerze.

– Eve wspomniała, że dowiedziałaś się o morderstwie od reporterki?

– Tak, to prawda.

Podnosi torebkę, przetrząsa ją i wyjmuje nową paczkę chusteczek.

– Co dokładnie powiedziała?

– Zapytała, jak to jest mieszkać w domu, w którym doszło do brutalnego zabójstwa – odpowiadam, pamiętając o tym, co mówiłam Eve, bo nie chcę, żeby kłamstwo się na mnie zemściło.

– I to wszystko?

– Tak. Odparłam, że nie mam pojęcia, o czym mówi, a ona poradziła mi, żebym wygooglowała zabójstwo Niny Maxwell.

– Przedstawiła się albo powiedziała, dla kogo pracuje?

– Nie. – Pytanie Tamsin sprawia, że czuję się niezręcznie. Czy wie, że kłamię?

– No to skąd wiesz, że była reporterką?

Wie, że kłamię.

– Nie... nie wiem, po prostu tak założyłam. Kim innym mogłaby być?

– Tam – mityguje ją Maria. – Przestań. Przez ciebie Alice czuje się skrępowana.

– Wybacz. Po prostu robi mi się niedobrze na myśl, że ktoś wściubia nos i wywleka tę sprawę, podczas gdy dopiero niedawno udało nam się przejść nad nią do porządku.

– Pogadajmy o czymś innym – proponuje lekkim tonem Eve. – Jak Boże Narodzenie, Halloween albo... kolacja w piątek u Marii. – Patrzy na nią. – Zgadza się, Mario?

Maria śmieje się.

– Dzięki, że mi przypomniałaś. Tamsin, Alice, macie wolny piątkowy wieczór? Wczoraj wspomniałam Eve o kolacji. Ona i Will mogą przyjść i mam nadzieję, że wy również.

Tamsin nie odpowiada; patrzy w okno, zagubiona w myślach.

– Tamsin, macie z Connorem wolny piątek? – dopytuje się Maria nieco głośniej.

– Co? – Tamsin szybko kręci głową, jakby chciała, żeby się w niej rozjaśniło. – Tak, a co?

– Kolacja u mnie.

– Cudownie, dzięki.

– A ty, Alice, macie z Leo czas?

– Chyba tak.

– Dasz mi znać, jak już z nim pomówisz?

– Zapytam go dziś wieczorem – obiecuję.

Niedługo później wychodzą i gdy sprzątam, myślę o zaproszeniu Marii. Pójdę z przyjemnością, bo nie chcę stracić szansy na zobaczenie w akcji grupy przyjaciół, do której należała Nina z Oliverem. Chcę obserwować ich reakcje i relacje między parami, żeby poznać ich trochę lepiej. Nie pojmuję pewnych rzeczy, takich jak uparte twierdzenie, że Nina i Oliver byli bezgranicznie szczęśliwi. Jeśli tak, to dlaczego ją zabił? Pamiętam, jak Eve powiedziała, że Lorna była świadkiem, więc postanawiam się z nią spotkać.

W gabinecie zmieniam koszulkę, którą udało mi się ochlapać dressingiem, zabieram klucze ze stołu, otwieram drzwi frontowe – i patrzę prosto na Thomasa Graingera.

SZESNAŚCIE

Zaskoczyłam go równie mocno, jak on mnie. Ręka, którą sięgał do dzwonka, szybko opada. Grainger robi krok do tyłu, jakby się bał, że przypuszczę werbalny atak.

– Pani Dawson, przepraszam za najście. – Unosi ręce na znak, że się cofa. – Już sobie idę.

– Chwileczkę.

Zatrzymuje się, na wpół obrócony twarzą do podjazdu.

– Powiedział pan, że zajmuje się zabójstwem Niny Maxwell.

Obraca się w moją stronę.

– To prawda.

– Dlaczego teraz, ponad rok po jej śmierci?

– Zajmuję się tą sprawą, odkąd jej mąż popełnił samobójstwo. Ale musiałem odłożyć ją na bok, ponieważ nie mogłem zdobyć potrzebnych informacji. Jako prywatny detektyw jestem dla policji *persona non grata*.

– Jakich informacji pan szuka?

Patrzy mi w oczy, przykuwa moje spojrzenie. Dokładnie to samo zrobił poprzednim razem, pamiętam. Chcę odwrócić wzrok, ale nie mogę. Ma w oczach coś hipnotyzującego.

– Chyba nie jestem gotów rozmawiać o tym przez próg.

Teraz albo nigdy. Jeśli go nie zaproszę, więcej nie wróci. Szerzej otwieram drzwi.

– Dziękuję. – Wchodzi do holu. – Naprawdę jestem wdzięczny, że zgodziła się pani ze mną porozmawiać.

Prowadzę go do salonu, zachodząc w głowę, co robię, wpuszczając nieznajomego do domu. Może jest elegancko ubrany – ma lekki garnitur i rozpiętą pod szyją bladoniebieską koszulę – ale przecież może być mordercą. Może być zabójcą Niny. Wyjmuję z kieszeni komórkę i trzymam ją w ręce. Wskazuję mu fotel, a sama stoję przy drzwiach. W ten sposób będę mogła szybko się ewakuować, jeśli zajdzie taka potrzeba.

– Chciałbym ponownie przeprosić za szok, jaki musiała pani przeżyć, kiedy w ubiegłym tygodniu powiedziałem pani o zabójstwie – mówi Thomas Grainger. – Nie miałem pojęcia, że pani nie wiedziała.

– Rozumiem.

– Mam nadzieję, że nie wynikły z tego żadne kłopoty.

– Absolutnie. – Nie zamierzam mu mówić, że Leo zataił to przede mną i że prawie nie rozmawiamy. – Decydujemy z mężem, co zrobić. – Nie musi wiedzieć, że nie jesteśmy małżeństwem. – Nie mamy pewności, jak podejść do dalszego mieszkania w tym domu.

– Potrafię to zrozumieć.

– Sądzę, że powinien pan zacząć od początku. Skąd pan wiedział, że urządzamy parapetówkę?

– Niestety, nie mogę pani powiedzieć.

– Dlaczego?

Patrzy na mnie spokojnie. Nie odpowiada.

– Jest pan w kontakcie z kimś stąd?

– Nie, w żadnym wypadku. – Czeka na mój ruch. Nie reaguję w żaden sposób, więc kiwa głową. – Powiedzmy, że dowiedziałem się dzięki pani zaproszeniu.

Zrozumienie zajmuje mi trochę czasu.

– Włamał się pan na grupę na WhatsAppie?

Nie potwierdza ani nie zaprzecza, a ja nawet nie jestem pewna, czy można zhakować WhatsAppa. Nie naciskam, bo i tak mi nie powie.

– Więc dlaczego wszedł pan tu nieproszony?

– Postąpiłem nieetycznie, wiem. Ale od ponad roku próbowałem dostać się do tego domu. Raz udawałem potencjalnego nabywcę, ale agent nie odstępował mnie na krok, więc nie miałem okazji zrobić tego, na co liczyłem, czyli rozejrzeć się po pokoju, w którym doszło do zabójstwa. Jeśli nie wiadomo, jak wygląda miejsce śmierci ofiary, trudno jest przedstawić alternatywną wersję przebiegu wydarzeń. – Uśmiecha się leciutko. – Zachowanie agenta utwierdziło mnie w przekonaniu, że brat mojej klientki nie zabił Niny Maxwell. Jestem pewien, że policja poinstruowała agencję, że należy mieć oko na każdego, kto okaże zainteresowanie domem.

Narasta we mnie ciekawość. Przysiadam na brzegu fotela stojącego najbliżej drzwi.

– Dlaczego policjanci mieliby to robić?

– Może mieli nadzieję, że sprawca wróci na miejsce zbrodni i jakoś się zdradzi.

– Przecież uważają, że zabójca nie żyje, prawda? To zamknięta sprawa.

– Nie według mojego źródła. – Widzi, jak unoszę brwi, i dodaje: – Tak, to prawda, każdy prywatny detektyw ma informatora w policji, zupełnie jak dziennikarze. Często tego samego. I moje źródło twierdzi, że śledztwo wciąż trwa. – Milknie na chwilę. – Mogę spytać, czy było podobnie, gdy pani oglądała dom?

– Mój mąż był tu beze mnie. Zobaczyłam dom dopiero po kupnie.

Próbuje ukryć zaskoczenie, lecz nie jest dość szybki.

– Może wrócimy do parapetówki? – sugeruję.

– Wpadło mi do głowy, że może nikt nie zwróci na mnie uwagi. – Uśmiecha się lekko. – Nie przewidziałem, że zaprosiła pani tylko tutejszych. Gdy się zorientowałem, od razu wyszedłem.

– Cóż, moja sąsiadka, która pana wpuściła, jest starszą osobą. Bardzo się zdenerwowała, kiedy usłyszała, że nie jest pan naszym znajomym.

– Przepraszam. Powtórzę: wyobraziłem sobie wielkie przyjęcie i pomyślałem, że wśliznę się za kimś przez bramę.

– Jak się pan dostał tym razem? Chyba nie niepokoił pan znowu mojej sąsiadki?

Kręci głową.

– Zamierzałem zadzwonić na pani domofon w nadziei, że zgodzi się pani mnie wysłuchać. Ale ktoś był przede mną i mnie wpuścił. Chciałem mu powiedzieć, że powinien być ostrożniejszy, ale przecież gdyby przestrzegał zasad, zatrzasnąłby mi furtkę przed nosem. Większość ludzi tego nie robi, są zbyt uprzejmi. Poprzednim razem, gdy tu przyszedłem, wmaszerowałem przez główną bramę za samochodem. – Znów milknie. – Nie wiem, czy pani albo mąż należycie do komitetu mieszkańców, ale może powinniście wspomnieć, że warto zmienić kod. Nad ramieniem tego mężczyzny widziałem, jakie cyfry wystukał.

– Przepraszam, nadal jednak nie rozumiem, co pan tu robi.

Przesuwa się w fotelu.

– Proszę mi wierzyć, nie niepokoiłbym pani, gdyby czas nie uciekał.

– Co ma pan na myśli?

Cień pada na jego twarz.

– Moja klientka podupada na zdrowiu. Jest zdeterminowana oczyścić imię brata, póki jeszcze może. – Urywa i widzę, że toczy jakąś wewnętrzną walkę. – Studiowałem z Helen – podejmuje, rezygnując z walki. – Tak naprawdę nie znałem Olivera, ponieważ był pięć lat młodszy od nas, ale już wtedy wiedziałem, ile dla niej znaczy. Kiedy powiedziała, że nie wierzy, że jej brat zamordował żonę, i poprosiła mnie o pomoc, nie mogłem jej odmówić.

Współczująco kiwam głową. Jest mi ogromnie przykro.

– Jak siostra Olivera przekonała pana, że to nie on zabił Ninę? – pytam. – Nikt nie chce myśleć, że osoba, którą kocha, jest zdolna do najgorszych rzeczy. Może po prostu nie chciała uwierzyć, że jej brat był w stanie popełnić zbrodnię.

– Z początku też tak myślałem. Przykro mi to mówić, ale… zgodziłem się zająć tą sprawą wyłącznie z czystej życzliwości, ponieważ z mojego doświadczenia wynika, że nosiła wszelkie znamiona typowego zabójstwa w afekcie. Wiele osób zeznało jednak, że Oliver Maxwell był najłagodniejszym, najmilszym z ludzi i że uwielbiał żonę. Cynicy wskazują jego samobójstwo i mówią, że odebrał sobie życie, ponieważ nie mógł sobie poradzić z tym, co zrobił. Ci, którzy go znali, rozumieją ten akt jako świadectwo jego pękniętego serca. Nie tylko nie mógł znieść życia bez niej, ale również życia ze świadomością, jak zmarła.

Zastanawiam się, w którym obozie są Eve, Tamsin i Maria. Znały Olivera, powiedziały mi, że był przemiły. A jednak wierzą, że zabił Ninę. Dlaczego?

– Chwileczkę, powiedział pan „zabójstwo w afekcie"? – Dopiero teraz to sobie uświadomiłam.

– Tak. – Po chwili dodaje: – Najwyraźniej Nina miała romans.

Patrzę na niego.

– Romans?

Pochyla się w fotelu. Jego blada, niemal przejrzysta skóra ostro kontrastuje z ciemnymi włosami.

– Tak – potwierdza.

– Ale... z kim?

– Tego próbuję się dowiedzieć.

– Dlaczego?

– Ponieważ uważam, że kochanek może być zabójcą.

Kręci mi się w głowie.

– Policjanci wiedzieli o romansie?

– Tak.

– W takim razie musieli się dowiedzieć, o kogo chodzi, i wyłączyli go z grona podejrzanych – zauważam.

– Całkiem możliwe.

– Jeśli Oliver dowiedział się o romansie Niny, to chyba miał motyw, żeby ją zabić.

– Tylko że zdaniem ludzi, którzy znali go najlepiej, nigdy nie wyrządziłby jej krzywdy.

– Nie jestem pewna, dlaczego pan uznał, że mogę panu pomóc. Niedawno się tu wprowadziłam, o czym pan dobrze wie.

– Właśnie dlatego proszę panią o pomoc – oznajmia z powagą. – Kiedy Helen poprosiła mnie o zajęcie się tą sprawą, próbowałem rozmawiać z mieszkańcami osiedla. Ale spotkałem się... no, może niezupełnie z wrogością, ale z murem milczenia. Dlatego szybko zniknąłem tamtego wieczoru. Kiedy spojrzałem przez kuchenne okno i zobaczyłem, że pani goście są osobami, z którymi próbowałem rozmawiać, doszedłem do przekonania, że lepiej odejść, zanim ktoś mnie rozpozna. – Milknie. – Pani nie znała Niny, jeszcze w zasadzie nikogo pani tu nie zna, co czyni panią osobą bezstronną. Wiem, że proszę o wiele, ale jeśli przypadkiem coś pani usłyszy... rozumie pani, podczas rozmowy z sąsiadami... może mi pani dać znać?

Wstaję.

– Przykro mi, ale nie mogę tego zrobić.

Uśmiecha się lekko.

– Oczywiście. – Podnosi się i wyciąga rękę. – Dziękuję za poświęcony mi czas. Do widzenia, pani Dawson.

Jego uścisk jest mocny, pewny. Czuję, że mogę mu zaufać, lecz jednocześnie jestem rozczarowana, że chciał, żebym zdradziła zaufanie ludzi, z którymi mam nadzieję się przyjaźnić. Biorąc pod uwagę okoliczności, to zrozumiałe, że chce zamknąć sprawę, zanim będzie za późno dla siostry Olivera. Sprawia wrażenie człowieka, który zrobiłby wiele dla przyjaciela – ale nie dawałby mu fałszywej nadziei ani nie brałby się za przegraną sprawę. Na początku powiedział, że zajął się nią, bo nie mógł odmówić siostrze Olivera. Teraz wyglądało na to, że prowadzi ją z przekonaniem.

Dlaczego zmienił zdanie?

SIEDEMNAŚCIE

Ledwie zaczęłam pracować, wypisał mi się marker. Wiem, że Leo ma markery w gabinecie, więc zmuszam się do pójścia na górę. Mieszkanie z duchem Niny nie jest łatwe. Zastygam z nogą na następnym stopniu. Mieszkanie z duchem Niny...

Po śmierci siostry zdarzało się, że czułam ją przy sobie, czułam jej obecność, zwłaszcza w środku nocy albo gdy byłam wyjątkowo zdołowana. Było tak, jakby dawała mi znać, że nie jestem sama. Wcześniej niekoniecznie wierzyłam w duchy, ale po wypadku, zaintrygowana, zaczęłam czytać o życiu po śmierci. Świadoma własnych doświadczeń, pogodziłam się z tym, że czasami nasza dusza żyje dalej, zwłaszcza gdy ktoś umiera przed swoim czasem. Czytałam między innymi o tym, że dusza zabitej osoby może czekać w pobliżu, dopóki sprawca nie zostanie oddany w ręce sprawiedliwości. Właśnie to uznałam za wyznacznik, ponieważ przestałam odczuwać obecność siostry w dniu, kiedy jej sprawa trafiła do sądu. Wprawdzie sama nie byłam zadowolona z wyniku, ale może ona była i dlatego odeszła. A jeśli duch Niny Maxwell żyje dalej tu, w tym domu, czekając na sprawiedliwość?

Gabinet na piętrze stanowi terytorium Leo i nadal jestem zaskoczona panującym w nim porządkiem. Na biurku leżą tylko dwa długopisy i drewniana linijka. Otwieram szuflady po obu stronach. Dolna po lewej jest pełna długopisów, ołówków i markerów. Wybieram żółty i gdy go wyjmuję, grzbiet mojej ręki muska coś przyklejonego do spodu wyższej szuflady. Zaciekawiona, odgarniam na bok długopisy i ołówki i odrywam taśmę klejącą. Pod nią jest coś metalowego. Znalezisko spada mi na dłoń i widzę kluczyk. Poznaję, że to kluczyk od metalowej kasetki – miałam taką jako nastolatka i odkładałam do niej zaoszczędzone pieniądze. Obracam go w palcach, przyglądam mu się. Skoro Leo zadał sobie trud, żeby go ukryć, to znaczy, że chce coś zachować w sekrecie przed całym światem, łącznie ze mną. Czy dlatego był taki nerwowy, gdy mu powiedziałam, że zabierałam ludzi na górę, żeby pokazać, jak została przebudowana?

Odwracam się ku stojącej w kącie szarej metalowej szafce, w której Leo przechowuje akta klientów. Pociągam za górną szufladę, ale się nie wysuwa. Pozostałe trzy też nie, wszystkie są centralnie zamknięte. Zaintrygowana, wracam do biurka i szukając innego klucza, przeciągam ręką po spodzie każdej szuflady, na wypadek gdyby tam go ukrył. Niczego nie znajduję, więc przetrząsam cały gabinet.

Opróżniam stojący na biurku pojemnik na długopisy, przesuwam czubkami palców po płytkim występie nad drzwiami i znajduję tylko kurz. Opadam na ręce i kolana, zaglądam pod biurko, mając nadzieję znaleźć klucz do szafki przyklejony gdzieś pod blatem. Stawiam fotel Leo do góry nogami, sprawdzam za komputerem, pod klawiaturą, a następnie powtarzam cały proces. Nie znajduję klucza. Sfrustrowana, przyklejam kluczyk tam, gdzie go znalazłam, i wracam do pracy.

*

Podczas przerwy na lunch przypominam sobie, że wczoraj, zanim zjawił się Thomas Grainger, szłam zobaczyć się z Lorną. Jest wczesne popołudnie, więc nie martwię się, że zaskoczę ją i Edwarda w środku lunchu. Ale nikt nie odpowiada na pukanie, a nie chcę się dobijać, bo może ucinają sobie drzemkę. Odwracam się, żeby pójść do domu, i widzę Willa stojącego na końcu podjazdu.

– Cześć, Alice! – woła. – Jak leci?

– Och, wiesz. Miałam nadzieję, że zobaczę się z Lorną, ale chyba jej nie ma.

– Zaproponowałbym ci, żebyś wpadła do Eve, ale jest u mamy. Wróci około piątej, jeśli szukasz towarzystwa.

– Dzięki, Will.

Macha do mnie ręką, a ja odwracam się ku drzwiom, bo słyszę szmer zamka. Drzwi się otwierają, z zapiętym łańcuchem.

Lorna zerka na mnie bojaźliwie przez szczelinę.

– To tylko ja – mówię. – Nie chciałam przeszkadzać.

– Nie zamierzałam otwierać, ale usłyszałam twój głos. – Patrzy przez chwilę, jakby decydowała, czy mnie wpuścić, czy nie. Zdaje się, że nie ma na to ochoty. Już mam przeprosić i powiedzieć, że przyjdę kiedy indziej, gdy zaczyna zdejmować łańcuch, powoli, jakby miała nadzieję, że znudzi mi się czekanie i odejdę.

– Jesteś pewna? – pytam z powątpiewaniem, gdy wreszcie otwiera drzwi.

– Tak, wejdź. Nie ma Edwarda, a ja zawsze jestem ostrożniejsza, kiedy jestem sama.

– To bardzo mądre. Jak się czuje?

– Znacznie lepiej, dziękuję. – Otwiera drzwi po prawej stronie i wchodzę za nią do przytulnego salonu.

– Jak tu ładnie! – Patrzę z podziwem na delikatne pastelowe odcienie. W powietrzu unosi się piękny zapach lawendy i tropię go do kryształowego wazonu, który stoi na niskim stoliku. Jak u nas, jej salon wychodzi na skwer i z okna widzę nasz podjazd.

Siadamy.

Lorna spogląda na mnie z nerwowym uśmiechem.

– Napijesz się herbaty?

– Nie, dziękuję. Chciałam tylko o coś zapytać.

– Nie o wpuszczenie tego mężczyzny na wasze przyjęcie? Sama nie wiem, co mnie wtedy naszło. Zwykle jestem taka ostrożna.

– Nie, nie o to chodzi – zapewniam ją, zasmucona, że to zdarzenie tak bardzo podkopało jej pewność siebie. Dziś nie jest równie energiczna jak wtedy, kiedy ją poznałam, i nie tak elegancko ubrana. Wprawdzie ma na szyi perły, ale jej strój – żółto-brązowa spódnica i niebieska wzorzysta bluzka – wydaje się dobrany w pośpiechu, a fryzura pozostawia wiele do życzenia.

– Dowiedziałaś się, kto to był? – pyta.

Waham się. Jeśli powiem prawdę, że mężczyzna jest prywatnym detektywem, Lorna będzie miała mniejsze wyrzuty sumienia w związku z tym, że go wpuściła. Z drugiej strony, musiałabym jej wyjaśnić, że Thomas Grainger zajmuje się sprawą śmierci Niny. Wtedy z pewnością zapyta dlaczego i będę musiała powiedzieć, że wierzy w niewinność Olivera. Nie chcę otwierać starych ran.

– Jeszcze nie – mówię, podjąwszy szybką decyzję. – Ale wcale się tym nie przejmuję i mam nadzieję, że ty też nie. Domyślam się, że byłaś zdenerwowana, zwłaszcza po tym, co spotkało Ninę – dodaję, w duchu zadowolona, że znalazłam idealny pretekst, żeby skierować rozmowę na jej temat.

Lorna unosi rękę do pereł.

– To było straszne. – Niemal szepcze. – Naprawdę straszne.

– Nie miałam o niczym pojęcia. Dowiedziałam się dopiero kilka dni temu.

Jest zdumiona.

– Och, Alice, to okropne! Ale nie rozumiem. Dlaczego nie wiedziałaś?

– Leo postanowił mi o tym nie mówić. Zamierzał powiedzieć, ale miał nadzieję, że gdy to zrobi, będę kochać ten dom równie mocno jak on i nie będę chciała go opuścić.

– A chcesz go opuścić?

– To takie trudne. Nie jestem pewna, co mam czuć do tego domu, ale lubię Circle, wszyscy są bardzo mili i wiem, że znajdę tu przyjaciół. Chciałam się wyprowadzić, ale Leo powiedział coś, co nie może mi wyjść z głowy. Powiedział, że dom zasługuje na nowe wspomnienia, szczęśliwe wspomnienia. – Milknę, próbując dojść do ładu ze swoimi uczuciami. – Jednak to nie takie proste. Leo i ja prawie nie rozmawiamy, bo nie mogę mu wybaczyć, że nie był ze mną szczery. Wszystko jest takie pokręcone.

– Rozumiem – mówi Lorna.

Uśmiecham się do niej z wdzięcznością. Otwieranie serca przed kimś, kogo życie doświadczyło równie mocno jak mnie, kto też stracił ukochaną osobę, sprawia mi ulgę.

– Nie mam nikogo poza Leo – rzucam impulsywnie. – Moi rodzice i siostra zginęli w wypadku samochodowym, kiedy miałam dziewiętnaście lat.

Lorna unosi rękę do serca.

– Straciłaś siostrę i rodziców? Biedactwo... Jak sobie poradziłaś? Stracić troje ukochanych... strach o tym myśleć.

– Gdyby nie dziadkowie, nie jestem pewna, czy dałabym sobie radę. Byli tacy silni... stracili jedynego syna, swoje jedyne dziecko... – Urywam, widząc, jak rozpacz przyciemnia jej twarz. – Przepraszam, Lorno, to nie było taktowne. Wiem, że ty też straciłaś syna.

Milczy, tylko skubie palcami materiał spódnicy. Nie cierpię się za to, że ją zasmuciłam.

– To musiało być dla ciebie bardzo bolesne.

– Było – mówi bardzo cicho. – Wszystkie straty są bolesne i ciężkie, ale się zdarzają.

Przez chwilę siedzimy w milczeniu. Może powinnam odejść, chcę jednak dowiedzieć się jak najwięcej.

– Zastanawiałam się... Opowiesz mi o Ninie? Może gdy poznam ją z opowieści, kiedy stanie się dla mnie realna, to mi ułatwi podjęcie decyzji.

Lorna błądzi wzrokiem po pokoju, jakby szukała drogi ucieczki. Po chwili kiwa głową i prostuje ramiona, akceptując moją prośbę.

– Była urocza. Podobnie zresztą jak Oliver. Był dla nas jak syn, pomagał nam w ogródku, przycinał żywopłot, kosił trawnik i tak dalej. Dlatego wciąż nie pojmuję, co się stało, dlaczego ich małżeństwo skończyło się tragedią. W jednej chwili byli najszczęśliwszą parą na świecie, a w następnej... cóż. Pewnego wieczoru usłyszeliśmy, jak się kłócą... to było straszne. Oliver wpadł we wściekłość, co uznaliśmy za dziwne, bo nigdy nie widziałam, żeby coś go zdenerwowało. Ale czasami spokojni ludzie wybuchają, naprawdę wybuchają. Nie wiedzieliśmy, czy do nich pójść, czy powiadomić policję. Tak się o nich martwiliśmy.

– I co zrobiliście? Zadzwoniliście na policję?

– Nie, bo wszystko się uspokoiło. Oliver wciąż był zły, ale już nie krzyczał.

– Słyszeliście, o co się kłócili?

Z dezaprobatą marszczy brwi i zdaję sobie sprawę, że – tak jak wcześniej z Tamsin – przekroczyłam jakąś niewidzialną linię.

– Przepraszam – rzucam. – Nie chciałam być wścibska.

Na twarzy Lorny maluje się wewnętrzna walka; najwyraźniej zastanawia się, ile może mi zdradzić. Ramiona jej opadają.

– Edward uważa, że nie powinnam o tym mówić, ale nikt nie mówi i przez to jest chyba jeszcze gorzej.

– Potrafię to zrozumieć – zapewniam ją łagodnym tonem. – Kiedy zmarła moja siostra, ludzie przestali o niej mówić, bo myśleli, że to rozstraja mi nerwy. Ale bardziej denerwowało mnie to, że nikt jej nie wspominał, jakby nigdy nie istniała.

– Nie wolno mi mówić o naszym synu ani mieć w domu jego zdjęć.

– To musi być ciężkie.

– Jest. – Łzy zasnuwają jej oczy, lecz przepędza je mruganiem. – Wracając do Niny i Olivera... – Uśmiecha sią drżącymi ustami. Milczy przez chwilę, zbierając myśli. – Następnego dnia po kłótni poszłam do Niny. Zaczekałam, aż Oliver wyjdzie do pracy. Była w strasznym stanie, bardzo zapłakana. I zażenowana, że słyszeliśmy awanturę. Powiedziała, że to jej wina, że miała romans i Oliver się o tym dowiedział.

– Powiedziała z kim? – Bojąc się, że jestem zbyt obcesowa, chcę przeprosić.

Lorna bierze jednak moje pytanie za dobrą monetę i mówi dalej:

– Nie, ale powiedziała, że zamierza z nim zerwać. A wieczorem, kilka godzin później, Oliver... Nadal nie mogę w to uwierzyć.

– Może to wcale nie Oliver – sugeruję ostrożnie. – Może to mężczyzna, z którym romansowała. Mówisz, że zamierzała mu powiedzieć, że to koniec. Nie rozumiem, dlaczego to nie on mógł być zabójcą?

Wyjmuje chusteczkę z rękawa.

– Ponieważ Oliver okłamał policję i to dowiodło jego winy – odpowiada, ocierając oczy. – Szkoda, że nie wiedziałam, co zamierza im powiedzieć, bo... wiem, nie powinnam tego mówić... bo wtedy bym skłamała, może niezupełnie skłamała, tylko powiedziała, że nic nie widziałam. Ale kiedy przyszli do nas tamtego wieczoru, nie miałam pojęcia, że

Nina została zamordowana, a oni nas o tym nie poinformowali. Pytali, czy coś widzieliśmy albo słyszeliśmy, i odpowiedziałam zgodnie z prawdą, że widziałam, jak Oliver wrócił krótko po dziewiątej i wszedł do domu. Wiedziałam, która godzina, bo jak zawsze o dziewiątej usiedliśmy, żeby obejrzeć wiadomości na kanale BBC... stare nawyki trudno wykorzenić, jak to się mówi. A poza tym wiadomości o dziesiątej są już dla nas za późno. Kiedy usłyszeliśmy samochód Olivera, wstałam i wyjrzałam przez okno. Zwykle tego nie robię, nie zimą, kiedy zasłony są już zaciągnięte, ale byliśmy niespokojni z powodu awantury z poprzedniego dnia. Czekałam chwilę z nadzieją, że nie zaczną znowu się kłócić. Niczego nie usłyszałam, więc wróciłam do oglądania wiadomości. – Lorna milknie na chwilę. – Musiało minąć jakieś pół godziny, bo wiadomości się kończyły, gdy usłyszeliśmy wjeżdżające na osiedle samochody. Wyjrzałam i zobaczyłam, że to policja. Pomyśleliśmy, że Oliver i Nina znów się pokłócili i któreś z nich, albo może sąsiad, wezwało pomoc. Szczerze mówiąc, kamień spadł mi z serca, że to już nie nasza sprawa, bo gdybyśmy usłyszeli kłótnię, jak poprzedniego wieczoru, chyba tym razem zadzwonilibyśmy na policję, a przynajmniej poszli do nich i spróbowali uspokoić sytuację. – Skręca chusteczkę w rękach. – Później policjanci zapukali do naszych drzwi i zadawali pytania. Dopiero następnego dnia rano dowiedzieliśmy się, że Nina została zamordowana.

– To musiało być strasznym szokiem – mówię łagodnie. Nie jestem pewna, czy Lorna, zatracona w rozpamiętywaniu przeszłości, mnie słyszy.

– Oliver powiedział policji, że nie wszedł do domu, że przez jakiś czas siedział na skwerze. Ale to nie była prawda.

– Czy mógł wejść do domu i zaraz potem wyjść, żeby tam posiedzieć? – sugeruję.

Lorna kręci głową.

– Gdyby tak zrobił, powiedziałby policji. Jeśli wiedziałabym, że powie, że siedział na skwerze, nie pisnęłabym słowa, że widziałam, jak wchodzi do domu. Ale nie miałam pojęcia, że skłamał. Czemu miałby przesiadywać na skwerze o dziewiątej wieczorem, kiedy było ciemno i zimno?

– Powiedziałaś policji o rozmowie z Niną, o tym, że miała romans?

– Tak, i okazali duże zainteresowanie, ponieważ to dawało Oliverowi motyw.

– Nie wzięli pod uwagę tego, że może zabił ją kochanek?

Patrzy na mnie ze smutkiem.

– Dlaczego mieliby to zrobić? Zabił ją Oliver.

Kiwam głową.

– Nie będę zajmować ci więcej czasu. Dziękuję za rozmowę.

– Myślisz, że dasz radę tu zostać? – pyta. – Po tym, jak dowiedziałaś się o morderstwie?

– Nie wiem. Moja siostra miała na imię Nina i trudno to wyjaśnić, ale jeśli się wyprowadzę, będzie tak, jakbym ją też opuszczała. Zdaję sobie sprawę, że to chore, ale jeszcze nie jestem gotowa się z nią pożegnać, niezupełnie.

– To zrozumiałe.

– Po prawie dwudziestu latach?

– Sądzę, że czas nie ma znaczenia, gdy chodzi o żal.

Łagodność w jej głosie sprawia, że nagle łzy cisną mi się do oczu. Kiwam głową, wdzięczna za zrozumienie.

– Dam ci znać, co zadecydowałam – obiecuję. – Wszyscy tutaj jesteście tacy mili, Eve i Will są nadzwyczajni, Maria i Tamsin też są cudowne. I kocham Leo, mimo wszystko.

– Tak… przyjemnie się z tobą rozmawiało, dziękuję, że przyszłaś – mówi Lorna. Pochyla się, żeby mnie pocałować, i słyszę w uchu jej szept.

Zaskoczona, odsuwam się.

– Słucham?

Unosi rękę do pereł na szyi.

– Powiedziałam tylko „Do widzenia". – Wydaje się podenerwowana. – Może nie powinnam cię obejmować, ale po tym, co od ciebie usłyszałam o rodzicach i siostrze… – Jej głos się wycisza.

– Nie, nic nie szkodzi, myślałam…

Lorna cofa się i otwiera drzwi.

– Do widzenia, Alice.

OSIEMNAŚCIE

Ogarnia mnie niepokój, gdy zamykam za sobą drzwi. Czy Lorna naprawdę szepnęła „Nie ufaj nikomu", kiedy się nachyliła, czy to sobie wyobraziłam?

To na pewno moje urojenia. No bo dlaczego miałaby szeptać, skoro byłyśmy w jej domu same? Powiedziała, że Edwarda nie ma. Próbuję sobie przypomnieć, co mówiłam, zanim szepnęła mi do ucha. Mówiłam o Willu i Eve, chyba wspomniałam też o Marii i Tamsin, a później o Leo. Nie mogła ostrzegać mnie przed Leo, przecież nawet go nie zna. Czyżby chodziło jej o Willa i Eve? Może słyszała, jak gawędziłam z Willem, zanim otworzyła drzwi. Chyba że miała na myśli Marię albo Tamsin. Albo w ogóle nikogo, ponieważ niczego nie szepnęła.

Idę do gabinetu Leo, żeby zobaczyć Edwarda idącego przez skwer, bo nie chce mi się wierzyć, że Lorna skłamała, że nie ma go w domu. W połowie schodów słyszę dzwonek do drzwi. Wracam, otwieram i widzę Tamsin z rękami w kieszeniach brązowej skórzanej kurtki.

– Cześć, Tamsin – rzucam zaskoczona. – Jak się masz? Wejdziesz?

Kręci głową.

– Nie, dzięki. Chciałam tylko powiedzieć, że nie powinnaś denerwować Lorny, poruszając temat morderstwa.

Czerwienię się.

– Tylko próbowałam dowiedzieć się trochę więcej o Ninie.

– Dlaczego?

– Hm...

– Dlaczego? Czy nie nasłuchałaś się o niej dość wczoraj przy lunchu? Czy Lorna może wiedzieć coś więcej niż my, przyjaciółki Niny?

– Ja... ja tylko próbowałam pomóc. Lorna powiedziała, że rozmowa o Ninie sprawiła jej przyjemność.

– Gówno prawda. – Wzdrygam się, słysząc wrogość w jej głosie. – Słuchaj, rozumiem, że byłaś zszokowana, gdy dowiedziałaś się o morderstwie. I nie mam pojęcia, dlaczego zadzwoniła do ciebie ta reporterka. Ale zrobisz więcej złego niż dobrego, wściubiając nos w sprawy, które cię nie dotyczą. Chyba nie chcesz zrażać do siebie ludzi, zwłaszcza jeśli postanowisz tu zostać. – Odwraca się do mnie plecami i odchodzi bez słowa pożegnania.

Twarz mi płonie z powodu tej nieusprawiedliwionej agresji. Biegnę na górę do gabinetu Leo i patrzę z okna, jak Tamsin idzie prosto do swojego domu. Może ubodła mnie prawda zawarta w jej słowach. Zdenerwowałam Lornę; strata Olivera musiała być dla niej równie wielkim ciosem jak śmierć rodzonego syna, a nawet w pewien sposób gorsza, bo można powiedzieć, że Lorna pociągnęła za spust. Gdy siedzę, splatając ręce na kolanach, czuję ciężar jej poczucia winy. Ale nie lubię, gdy ktoś mi grozi, a wizytę Tamsin odbieram jak groźbę. Poza tym skąd ona wiedziała, że pytałam Lornę o Ninę? Czy widziała, jak wychodzę z jej domu, i po prostu się domyśliła?

Wciąż ani śladu Edwarda. Wodzę wzrokiem po innych domach i widzę, że pod dziewiątką Tim stoi w oknie na piętrze, również patrząc na skwer. Chociaż robię to samo, czuję się nieswojo, widząc go tam. Mija pięć minut, piętnaście. Nagle moją uwagę przyciąga ruch po lewej – otwierają się drzwi garażu Lorny i Edwarda. Spoglądam w dół i widzę, jak Edward w zielonych ogrodowych butach idzie podjazdem w kierunku ich kosza na śmieci. Patrzę, jak łapie uchwyt i powoli ciągnie pojemnik do garażu. Więc jednak nie wyszedł, jak mówiła Lorna. Chyba że… powiedziała: „Nie ma Edwarda". Założyłam, że wyszedł, ale może miała na myśli to, że nie ma go z nią w domu, tylko jest w ogrodzie.

*

Leo wraca do domu i pyta, czy chcę coś zjeść. Wciąż poirytowana wizytą Tamsin i zmartwiona ostrzeżeniem Lorny – jeśli rzeczywiście to było ostrzeżenie – nie jestem głodna. Siedzę przy stole i wodzę za nim wzrokiem, gdy chodzi od kuchenki do lodówki i z powrotem. W milczeniu pytam: Kim ty naprawdę jesteś, Leo? Jak to się stało, że nie spodziewałam się, że kiedykolwiek mnie okłamiesz? I co ważniejsze: Dlaczego przykleiłeś klucz do spodu szuflady? Co takiego przede mną ukrywasz?

– Maria zaprosiła nas jutro na kolację – mówię, przerywając ciszę.

Odwraca się od kuchenki.

– Na pewno chcesz, żebym poszedł?

Mówi tak, jakby liczył, że zaprzeczę.

– Wyjdzie dziwnie, jeśli nie przyjdziemy razem.

– Jeśli wolisz iść beze mnie, zawsze możesz powiedzieć, że jestem chory.

Przez chwilę zastanawiam się, czy nie powiadomić Marii, że nie możemy przyjść. Przy Leo nie zachowuję się swobodnie i nie chcę, żeby niesnaski między nami zepsuły wszystkim wieczór. Co gorsza, na kolacji będzie Tamsin. Z drugiej strony, zależy mi na poznaniu innych par, a co więcej, wyświadczę Leo przysługę, jeśli odwołam wizytę. Decyduję, że pójdziemy. Jeśli nasze relacje będą trochę napięte, każdy zrozumie, pamiętając, że nie powiedział mi o morderstwie.

Biorę telefon.

– Zadzwonię do Marii i powiem, że będziemy.

*

– Świetnie – mówi Maria.

– Mam coś przynieść? – pytam.

– Nie, nie trzeba. Dziewiętnasta wam odpowiada?

– Idealnie.

Rozłączam się.

– O siódmej – informuję Leo.

– Super. – Stara się wlać w głos nieco entuzjazmu.

Nie próbuje rozmawiać przy kolacji, tylko czyta wiadomości w telefonie, z kieliszkiem czerwonego wina o bogatym smaku. Nie wiem, co czuć: urazę czy ulgę.

– Widziałam się dzisiaj z Lorną – zagaduję go.

– Co u niej?

– Wciąż jest podenerwowana, że wpuściła kogoś do Circle w tamten sobotni wieczór. Powiedziałam jej, że wcześniej nie wiedziałam o Ninie – dodaję, nie będąc w stanie powstrzymać się od przytyku.

Pociąga łyk wina.

– Aha.

– Rozmawiałyśmy o niej. Powiedziała mi, że Nina miała romans. Teraz myślę, że może zabił ją nie mąż, ale kochanek.

Kieliszek wysuwa mu się z ręki i upada na stół. Wino płynie po drewnie jak krew z rany. Przez chwilę oboje patrzymy, wyraźnie zahipnotyzowani. Leo zrywa się od stołu, bierze z szafki ścierkę do naczyń i zaczyna wycierać blat, gdy ja odsuwam kieliszek.

– Przepraszam – rzuca. – Wyśliznął mi się.

Ze ściągniętymi brwiami patrzę przez chwilę na rozlane wino, po czym stawiam kieliszek.

– Nic się nie stało.

– Plotkowanie o zmarłych nie jest dobrym pomysłem – mówi, klękając, żeby wytrzeć wino z podłogi. Patrzę na tył jego głowy, po raz pierwszy zauważając, że rzedną mu włosy. Błyska różowa skóra, gdy energicznie trze deski.

– Lorna nie plotkowała – prostuję. – Poprosiłam ją, żeby opowiedziała mi o Ninie.

Zwija ścierkę w kulkę i rzuca ją do zlewu. Przekręciwszy kurek, myje ręce.

– Dlaczego?

– Chcę coś wiedzieć o kobiecie, w której domu mieszkam.

– Tylko dlatego, że została zamordowana – komentuje. – Gdyby nie to, nie byłabyś ciekawa.

Piorunuję wzrokiem jego plecy.

– Leo, a jak ty zareagowałeś, kiedy Ben cię powiadomił, że w domu, który chcesz kupić, została zamordowana młoda kobieta? Nie byłeś zaciekawiony? Nie pytałeś o nią, nawet o to, kim była?

Bierze czystą ścierkę i odwraca się w moją stronę.

– Nie, chyba nie. – Starannie wyciera ręce. – O ile dobrze pamiętam, Ben sam podał jej nazwisko.

– I nie wygooglowałeś go, żeby sprawdzić, co się stało? Ani trochę cię to nie interesowało?

– Nie w tym rzecz. Rozpoznałem nazwisko i wiedziałem, co się stało. Pamiętałem tę sprawę. Każdy by ją pamiętał, mówili o niej we wszystkich mediach.

– Jednak bez wzmianki o tym, że Nina miała romans.

Odkłada ścierkę i wraca do stołu.

– Może nie miała. Może to tylko plotka.

– Nie. Przyznała się Lornie. – Chcę dolać mu wina, ale kręci głową.

– W takim razie dlatego mąż ją zamordował. Dowiedział się, że go zdradza, i zabił ją w ataku zazdrości.

– Możliwe. Chyba że zabił ją ten drugi.

Ściąga brwi. Wydaje się spięty, ale przecież nigdy nie bawiło go słuchanie plotek.

– Czemu to mówisz?

– Bo według Lorny, Nina zamierzała z nim zerwać. I ponieważ wszyscy mówią, że Oliver był najmilszym człowiekiem pod słońcem.

– Wszyscy? – Czepia się słowa.

– Tutejsi! Jego przyjaciele i sąsiedzi.

Leo podnosi prawie pusty kieliszek i wypija resztkę wina.

– Gdyby w tej sprawie było coś podejrzanego, z pewnością policja by to znalazła. – Odsuwa się od stołu. – Mam pracę. Do zobaczenia później.

Słucham, jak idzie na górę i do gabinetu. Chwilę później dochodzi stamtąd zgrzyt metalu i wiem, co to za dźwięk. Otworzył jedną z szuflad szafki na akta. Więc klucz był gdzieś na górze. Chyba że... Wchodzę do holu. Jego torby już nie ma przy drzwiach, a marynarka zniknęła ze słupka balustrady. Może nosi klucz przy sobie. Ale dlaczego? Przecież akta klientów nie mogą być aż tak poufne, prawda?

DZIEWIĘTNAŚCIE

Rano dochodzę do przekonania, że nie mogę tego zrobić. Nie mogę pójść do Marii. Nie chcę udawać, że między mną i Leo jest wszystko w porządku, i nie chcę widzieć Tamsin. Jeśli opowiedziała wszystkim, że niepokoję Lornę?

– Jadę do Harlestone na weekend – informuję Leo. – Wrócę w niedzielę wieczorem.

Patrzy na mnie zaskoczony.

– W porządku. Zatrzymasz się u Debbie?

– Tak. Muszę na trochę wyrwać się z Circle.

– A co z kolacją u Marii?

– Możesz iść sam, jeśli chcesz – mówię, wiedząc, że tego nie zrobi.

Dzwonię do Debbie.

– Co robisz w ten weekend?

– A co, przyjeżdżasz? Boże, tak się cieszę, nie masz pojęcia, jak za tobą tęskniłam! Leo też będzie? Zostaniecie? Jest mnóstwo miejsca!

Śmieję się, od razu mam lepsze samopoczucie. Debbie mieszka sama w dużym pięciopokojowym domu. Nie wyszła za mąż, chociaż miała w życiu kilku mężczyzn. Obecnie jest szczęśliwą singielką.

– Nie, jadę sama i tak, z przyjemnością zostanę u ciebie.

– Jeszcze lepiej! Nie, że nie lubię Leo, ale skoro on nie przyjeżdża, to będziemy mogły poplotkować i opowiesz mi wszystko o życiu w Londynie.

Brzmi to tak, jakbym mieszkała na drugim końcu świata. Ale jak ja, Debbie urodziła się i wychowała w Harlestone. Nigdy nawet nie była Londynie; woli swoje konie i szkółkę jeździecką.

– Mogę zjawić się jutro?

– Oczywiście. Samochodem?

– Tak, postaram się być w porze lunchu.

– Super!

Dzwonię do Marii i oddycham z ulgą, gdy zgłasza się poczta głosowa. Nagrywam się, przepraszając z całego serca, i dodaję, że muszę zrobić sobie przerwę, więc wyjeżdżam na parę dni. Dziesięć minut później dostaję SMS-a. Maria pisze, że rozumie, i kamień spada mi z serca.

*

Powrót do Harlestone łączy w sobie słodycz z goryczą. Gdy jadę przez wioskę, wysokie malwy, które prężą się niczym dumni strażnicy pod mokrymi od deszczu murami, i wyzierające znad ogrodzeń kopuły hortensji uświadamiają mi głębię mojej tęsknoty. Tyle się zmieniło podczas miesiąca mojej nieobecności. Pole żółtego rzepaku, przez które uwielbiałam chodzić do wiejskiego sklepu, zostało zaorane i zastanawiam się, kto pierwszy wydepcze nową ścieżkę przez ciężkie grudy ziemi.

Debbie wraca z przejażdżki na swoim strasznym koniu Lucyferze i natychmiast wyczuwa mój markotny nastrój. Gdy czyści buty jeździeckie nad gazetą, mówię jej, że Leo nie powiedział mi prawdy o zakupionym domu.

— Nie rozumiem — rzuca, z konsternacją marszcząc czoło. — Przemilczeć coś takiego? Nic dziwnego, że nieszczególnie chcesz wracać. Nawet ja czułabym się nieswojo, mieszkając w domu, w którym kogoś zamordowano, chociaż mam żelazne nerwy. — Po wyczyszczeniu butów podchodzi do zlewu, żeby umyć ręce.

— A teraz na domiar złego zaczęłam zrażać do siebie ludzi, próbując dowiedzieć się czegoś więcej o tym zabójstwie.

Debbie odwraca się, woda ścieka jej z łokci.

— Dlaczego? — pyta, sięgając po kraciasty ręcznik.

— Nie lubią, gdy zadaję za dużo pytań.

— Nie, chodzi mi o to, dlaczego chcesz wiedzieć więcej?

— Bo sprawa nie jest taka prosta, jak się wydaje. Krążą plotki, że doszło do pomyłki sądowej, że to nie mąż ją zabił.

— Policja wznowiła śledztwo? — Przegląda się w ściennym lustrze z sosnową ramą. Kask jeździecki spłaszczył jej zwykle niesforne włosy i teraz je poprawia, używając palców jak grzebienia.

— Nie sądzę, że w ogóle zostało zamknięte.

Unosi brwi.

— Ale dlaczego się w to zaangażowałaś? Wybacz, Alice, potrafię zrozumieć, że ludzie nie chcą o tym mówić. Powinnaś dać temu spokój, nie rozdrapuj starych ran.

— Nie mogę.

— Dlaczego?

Odwracam wzrok.

– Ona miała na imię Nina.

– Och, Alice... – Debbie podchodzi i siada obok mnie. Zarzuca rękę na moje ramiona i mnie przytula. – Musisz odpuścić.

Spuszczam głowę, zawstydzona. Debbie była świadkiem mojej obsesji na punkcie córki naszej przyjaciółki, tu, w Harlestone, urodzonej długo przed śmiercią mojej siostry. Dziewczynka miała na imię Nina. Zawsze ją lubiłam, ale po śmierci siostry dosłownie coś mnie opętało; rozpieszczałam ją i obsypywałam drogimi prezentami, aż w końcu jej mama delikatnie dała mi do zrozumienia, że powinnam przestać, bo zaczęłam przesadzać. To głupie, ale poczułam się zraniona i to zakończyło naszą przyjaźń.

– Próbuję – mówię cicho.

– Jeśli nawet doszło do pomyłki sądowej, nie masz prawa rozpytywać, a już na pewno nie opierając się na plotce.

– Nie chodzi tylko o plotkę. Odwiedził mnie prywatny detektyw. Zajmuje się tą sprawą w imieniu szwagierki Niny, Helen, która jest przekonana o niewinności brata.

– Oczywiście.

– Ale sąsiadka mi powiedziała, że Nina przyznała się jej do romansu. Więc może zabił ją kochanek?

– Policja go sprawdziła?

– Nie mam pojęcia. – Waham się. – Ten detektyw prosił, żebym miała oczy i uszy szeroko otwarte i dała mu znać, jeśli czegoś się dowiem.

Debbie otwiera usta.

– Poprosił cię o szpiegowanie sąsiadów?

– Odmówiłam – zapewniam ją szybko.

– Mam nadzieję. Jeśli zdecydujesz się zostać w Circle i chcesz zostać zaakceptowana, to nie radzę się wychylać. I naprawdę powinnaś skupić się na sobie i Leo, a nie na zabójstwie kogoś, kogo nawet nie znałaś – dodaje łagodnie.

Przez resztę weekendu spotykamy się z przyjaciółmi. Nasze plany na długi spacer psuje ulewa i zimne powietrze ze wschodu. Pogoda pasuje do mojego nastroju, gdy wracam w niedzielne popołudnie, ale gdy zbliżam się do Londynu, próbuję ułożyć sobie wszystko w głowie. Pobyt w Harlestone, z dala od Circle, pozwolił mi nabrać trochę dystansu. Jeśli mam z Leo przejść do porządku nad tym, co zrobił, to ja muszę wykonać pierwszy krok.

*

Parkuję na podjeździe i idę do domu. Myślałam, że Leo podejdzie do drzwi, gdy usłyszy, że przyjechałam, ale nigdzie go nie widzę. Znajduję go w kuchni; siedzi przy stole z kieliszkiem wina w ręce, z otwartą aplikacją w telefonie.

Odchrząkuję.

– Cześć – rzucam.

Podnosi wzrok.

– Cześć. Miło spędziłaś czas z Debbie?

– Tak, świetnie. A ty miałeś udany weekend?

Unosi ręce nad głowę, przeciąga się, potem splata dłonie na karku.

– Grałem z Paulem w tenisa, a przez resztę czasu oglądałem filmy na Netflixie.

Wydaje się beztroski i odprężony. Budzi się we mnie zazdrość, ale udaje mi się ją zdusić.

– Zrobić kolację? – pytam.

– Przez cały dzień coś podjadałem, więc nie jestem głodny. Ale nie krępuj się, jeśli coś chcesz.

Wraca do czytania wiadomości, nieświadomy, że na niego patrzę, że narasta we mnie frustracja. Już mam zapytać, czy napije się ze mną wina, ale nagle wpadam we wściekłość. Jak on śmie tu siedzieć, jakby nie miał żadnych zmartwień, chociaż tak strasznie zawalił?

– Idę do gabinetu – mówię.

– Nie chcesz kieliszka wina?

– Nie, dzięki.

– W porządku.

Kieruje spojrzenie na ekran, najwyraźniej ani trochę nieprzejęty. Przez chwilę patrzę na niego obojętnie.

– Możesz w tym tygodniu zostać w Birmingham.

Gwałtownie unosi głowę. Teraz mam jego całą uwagę.

– Słucham?

– Nie musisz co wieczór wracać do domu, możesz zostać w Birmingham.

– Ale… dokąd się wybierasz?

– Donikąd.

– Chcesz tu zostać sama?

– Tak.

Patrzy na mnie takim wzrokiem, jakby mnie nie znał.

– A w czwartek? Mam wrócić do domu?

– Dam ci znać w środę.

W gabinecie przypominam sobie wszystko, czego dowiedziałam się o zabójstwie Niny. Lorna i Edward słyszeli kłótnię jej i Olivera; nazajutrz Nina wyznała Lornie, że miała romans. Tamtego dnia wieczorem, według Lorny, Oliver przyjechał około dziewiątej i wszedł prosto do domu. Dwadzieścia minut później Nina już nie żyła. Oliver zeznał, że wrócił o dziewiątej, przez jakiś czas siedział na skwerze i dopiero potem wszedł do domu. I znalazł martwą Ninę. Jak było naprawdę? Lorna z całą stanowczością twierdziła, że widziała, co widziała. Więc dlaczego Oliver zeznał, że siedział na skwerze, chociaż najwidoczniej nie siedział? Czy spanikował i mówił, co mu ślina na język przyniosła? A może zaplanował to z wyprzedzeniem, mając nadzieję, że nikt nie powie, że nie było go na skwerze, bo o tej porze nikt nie będzie wyglądać przez okno?

DWADZIEŚCIA

Następnego dnia rano Leo nieśpiesznie szykuje się do pracy, dając mi czas na zmianę zdania w sprawie jego powrotu do domu. Jego kroki są cięższe niż zwykle, gdy chodzi na górze. Daje mi odczuć swoją obecność, pokazując, jaki pusty bez niego będzie dom.

Schodzi na dół i rzucona przez niego torba z głośnym łupnięciem ląduje na podłodze. Irytuje mnie to przesadne przypominanie, że wyjeżdża na kilka dni. Przecież właśnie tak miało wyglądać nasze życie, dopóki nie skończy kontraktu w Birmingham – wyjeżdża w poniedziałek rano i nie wraca do czwartku. Teraz odbiera to jako karę.

Po jego wyjściu długo leżę w łóżku, ogarnięta bezwładem, z którego nie potrafię się otrząsnąć. Martwi mnie niepewność naszej sytuacji. Kiedy miałam się tu przeprowadzić, przepełniała mnie nadzieja; trochę się bałam, jak przystosuję się do życia w Londynie, ale pragnęłam być z Leo, spędzać z nim więcej czasu. Teraz mam wrażenie, że nasz związek się rozpada. Nawet po śmierci rodziców i siostry nie czułam się taka samotna.

Potrzeba wypicia kawy wyciąga mnie z łóżka. Zabieram kubek do salonu i piję, stojąc przy oknie i patrząc na drzewa, które zaczynają gubić liście. Minęła dziewiąta, dziś późno siadam przy biurku. Moje spojrzenie przyciąga jakiś ruch. Eve w stroju do biegania wychodzi z domu. Już mam zapukać w szybę i pomachać do niej, gdy za nią pojawia się Tamsin. Szybko odsuwam się od okna, ale wciąż je widzę. Zamieniają kilka słów, potem Eve biegnie przez drogę na skwer, zostawiając Tamsin na podjeździe.

Muszę zjeść śniadanie. Idę do kuchni, wkładam kromki pieczywa do tostera i szukam miodu w lodówce. Podskakuję, słysząc dzwonek do drzwi; słoik wysuwa mi się z ręki i rozbija na podłodze przy moich bosych stopach. Patrzę na kawałki szkła przylepione do nogawek niebieskiej piżamy, zastanawiając się, od czego zacząć sprzątanie, gdy dzwonek dzwoni znowu. Ktokolwiek to jest, nie ma zamiaru odejść.

Ostrożnie omijam stłuczony słoik, idę do holu, otwieram drzwi i staję twarzą w twarz z jedyną osobą, bez której widoku mogłabym się obejść. Tamsin.

– Cześć, Alice. – Ze względu na pogodę ma białą puchową kurtkę i białe zamszowe botki. Wygląda idealnie.

– Wybacz – mówię, zdając sobie sprawę, że jestem w piżamie. – Nie czuję się dobrze, więc jeśli przyszłaś znów mnie atakować, to wolałabym, żebyś przełożyła to na kiedy indziej.

Przestępuje z nogi na nogę.

– Nie. Przyszłam cię przeprosić. Nie powinnam być taka agresywna. Miałam zły tydzień.

– W porządku. Ale jak mówiłam, wcale nie zdenerwowałam Lorny. Powiedziała, że rozmowa o Ninie przyniosła jej ulgę, bo nikt inny już o niej nie rozmawia.

Tamsin kiwa głową. Nagle staje mi przed oczami Lorna bawiąca się perłami. Odsuwam od siebie to wspomnienie.

– Może wpadłabyś w piątek na kawę? – mówi. – Rano, gdzieś o dziesiątej trzydzieści. Wiem, że pracujesz, ale jak myślisz? Będzie Eve – dodaje, jakby myślała, że odmówię, jeśli będziemy tylko my dwie.

Nie palę się do przerywania pracy, ale zawsze mogę przysiąść w porze lunchu.

– Dziękuję, z przyjemnością – odpowiadam.

Wygląda na zadowoloną i chyba jej ulżyło.

– Świetnie! W takim razie do zobaczenia. Mam nadzieję, że szybko ci się polepszy.

Patrzę za nią, gdy idzie podjazdem.

– Wyglądasz pięknie! – wołam.

Odwraca się i lekko macha ręką, ale ma smutek w oczach, jakby nie do końca mi wierzyła.

W kuchni z odnowioną energią sprzątam bałagan. Nagle stwierdzam, że duszę się w domu. Potrzebuję podmuchu zimnego powietrza. Pół godziny w ogrodzie dobrze mi zrobi. Mogę powyrywać chwasty. Lubię pielić; robię to na autopilocie, pozwalając umysłowi błądzić.

Wczorajszy deszcz ułatwia pielenie. Jestem w połowie lewej części ogrodu, gdy odkrywam dziurę w płocie. W ogrodzeniu między naszym domem a posesją Eve i Willa brakuje jednego panelu. To nie problem, bo luka jest częściowo zasłonięta przez gęste krzewy. Rozsuwam je i widzę, że gdybym chciała, mogłabym wejść do sąsiedniego ogrodu. Może Eve i Nina, zamiast chodzić od frontu, używały skrótu, gdy chciały się odwiedzić. Notuję sobie w pamięci, żeby spytać o to Eve, kiedy się zobaczymy.

Dzwoni komórka. Prostuję się, dając wytchnienie plecom. To Ginny.

– Cześć, Alice. Dzwonię, żeby zapytać, jak się masz. Przeszkadzam?

– Nie, zrobiłam sobie przerwę i jestem w ogrodzie. Przyjemnie pobyć na dworze. A co u ciebie? Miałaś udany weekend?

– Hm… szybko staję się golfową wdową, co zresztą mi odpowiada. Wczoraj Mark i Ben spędzili cały dzień na polu golfowym. Później Ben wpadł na drinka i pytał, co u ciebie.

– To miłe z jego strony.

Zapada cisza.

– Tak naprawdę dzwonię dlatego, że Leo dzwonił do mnie dziś rano.

– Leo?

– Tak. Powiedział, że nie chcesz, żeby w tygodniu wracał do domu, że kazałaś mu zostać w Birmingham. Chciał, żebym sprawdziła, czy dobrze czujesz się sama.

– Nic mi nie będzie – rzucam z większą pewnością, niż naprawdę czuję, bo obawiam się nocy.

– Chcesz, żebym przyjechała i została z tobą na noc?

– Jesteś kochana, ale naprawdę nie trzeba. Muszę to zrobić, Ginny, muszę się przekonać, czy mogę tu mieszkać. Jesteśmy tu tylko miesiąc, jeszcze nie chcę rezygnować.

– Leo chyba się boi, że możesz zrezygnować z niego.

Wzdycham.

– Szczerze mówiąc, już nie wiem, co do niego czuję. Wciąż nie mogę pogodzić się z tym, że mnie okłamał.

– Co myślisz o lunchu w tym tygodniu? Zrobię sobie dłuższą przerwę.

– Będzie miło. Kiedy?

– Albo jutro, albo w piątek.

– Wolę jutro. – Pamiętam o kawie u Tamsin w piątkowe przedpołudnie. – Powinnyśmy pójść do tej restauracji w Covent Garden, gdzie podają pyszne żabnice. To niedaleko od ciebie, prawda?

– Neptune? Mogę tam dojść w dziesięć minut. Zadzwonię i zrobię rezerwację na wpół do dwunastej.

– Świetnie, do zobaczenia.

*

Dwa zaproszenia plus pielenie ułatwiają mi powrót do pracy. Podoba mi się powieść, którą tłumaczę, i praca tak mnie wciąga, że dochodzi trzecia, kiedy w końcu robię sobie przerwę, żeby coś zjeść. Wyszło słońce, więc wpadam na pomysł, żeby odłożyć pracę na później i pójść na spacer do Finsbury Park. Zajmę się tłumaczeniem wieczorem. Leo nie wraca do domu, więc będę potrzebować czegoś, co pozwoli mi zapomnieć, że jestem w domu sama.

Pół godziny później jestem w drodze, zadowolona, że wyrywam się z dusznej, klaustrofobicznej atmosfery Circle. Dochodzę do wniosku, że z powodu bramy osiedle trochę przypomina więzienie. Gdyby nie brama, byłaby to po prostu kolejna londyńska ulica.

Park wygląda olśniewająco w nowych jesiennych kolorach. Spaceruję przez godzinę, starając się nie myśleć o niczym ważnym, a później siadam na ławce i patrzę na mijających mnie ludzi. Jedni dokądś się śpieszą, ale większość przechadza się leniwym krokiem, głównie mamy z małymi dziećmi albo starsze pary, niektóre trzymając się za ręce. Uśmiecham się, ale potem czuję ukłucie melancholii. Czy Leo i ja będziemy mieli potomstwo i zestarzejemy się razem? Czy to nie dziwne, że nigdy nie rozmawialiśmy o dzieciach? A może odkładaliśmy tę rozmowę do czasu, aż przywykniemy do naszego nowego życia w Londynie?

– Alice!

Unoszę głowę i widzę truchtającą Eve.

– Nie mów, że tak biegasz od samego rana? – mówię z udawanym przerażeniem. – Widziałam, jak wychodziłaś o dziewiątej.

Śmieje się i siada na ławce. Potrzebuje chwili na złapanie oddechu.

– Nie, biegałam z przyjaciółką, a później poszłyśmy do niej na lunch. Teraz jestem w drodze do domu, żeby usiąść do bloga. A ty? Jak ci minął weekend? Leo powiedział, że wyjechałaś.

– Tak. Wyskoczyłam do Harlestone na spotkanie z przyjaciółmi. Głupio mi, że w ostatniej chwili dałam znać, że nie będę na kolacji u Marii, ale potrzebowałam zmiany otoczenia.

– Nie martw się, ona rozumie.

– Poza tym miałam małe starcie z Tamsin, więc pomyślałam, że lepiej trzymać się od niej z daleka.

Eve krzywi nos.

– Tak, mówiła mi. Jeśli to ci pomoże, źle się z tym czuje.

166

– Wiem, dziś rano przyszła mnie przeprosić, co było miłe. Zaprosiła mnie na kawę w piątek.

– I dobrze. Mówiła, że to zrobi. Nie osądzaj jej zbyt surowo, Alice. Śmierć Niny była dla niej bolesnym ciosem.

– To musiało być koszmarne, stracić przyjaciółkę w taki sposób. – Obserwuję małego jamnika obwąchującego kopiec liści.

– Wszystko było dla niej tym trudniejsze, że… To nie była kłótnia ani nic takiego. Myślę, że kiedy zamieszkaliśmy po sąsiedzku, Tamsin poczuła się trochę odepchnięta.

– Pod jakim względem?

– O tym, że Tamsin i Nina były przyjaciółkami na dobre i na złe, dowiedziałam się dopiero po śmierci Niny, kiedy Tamsin do mnie przyszła. Była zrozpaczona, dopytywała się, czy może czymś zdenerwowała Ninę. Gdy zapytałam, o co jej chodzi, odparła, że jeszcze kilka miesięcy przed jej śmiercią były przyjaciółkami od serca, zawsze się odwiedzały, w weekendy razem przygotowywały kolacje i tak dalej. I nagle wszystko się zmieniło. Powiedziała, że często przechodziła obok domu Niny i przez okno widziała, jak gawędzimy, i zastanawiała się, dlaczego Nina jej nie zaprosiła. Wytłumaczyłam jej, że zwykle były to spontaniczne spotkania, rozumiesz, Nina widziała, jak wracam z biegania, i wołała: „Napijesz się kawy?!". Ale były też kolacje. Byliśmy z Willem u Niny i Olivera kilka razy, z Marią i Timem, ale Tamsin i Connora nigdy wtedy nie było. Dlatego nie miałam pojęcia, że się przyjaźniły. Niedawno zapytałam Marię, czy wiedziała, co zaszło między nimi. Odparła, że nie ma pojęcia. Kiedy Nina zrezygnowała z jogi, Tamsin podejrzewała, że zrobiła to dlatego, żeby się z nią nie widywać. – Po chwili milczenia Eve dodaje: – Naprawdę lubiłam Ninę, ale z czasem doszłam do wniosku, że była... hm... trochę wredna.

Powoli kiwam głową.

– Czy wszyscy wiedzieli o jej romansie?

– Kto ci o tym powiedział?

Słyszałam ostrość w jej głosie czy tylko to sobie wyobraziłam?

– Lorna.

Eve kręci głową.

– Nie. Dowiedzieliśmy się później. – Obraca głowę i patrzy na mnie. – Teraz rozumiesz, dlaczego pogodziliśmy się z tym, że zabił ją Oliver.

„Tak po prostu, bez żadnych wątpliwości?", mam ochotę spytać.

– Dlaczego nie dopuszczacie do siebie myśli, że zrobił to kochanek?

Eve pochyla się, żeby zawiązać sznurowadło.

– Jestem pewna, że policja się tym zajęła – mówi, prostując się. – I skoro uznali, że nie on jest winny, to jakie mieliśmy prawo to podważać?

„Przyjaciółmi Olivera – chcę powiedzieć. – Byliście przyjaciółmi Olivera".

– Powiedziałaś, że Tamsin była najbliższą przyjaciółką Niny. Wiedziała o jej romansie?

– Nie, nie wtedy. Nina nigdy z nią o tym nie rozmawiała.

– Pamiętam, jak przy lunchu w zeszłym tygodniu Tamsin wspomniała, że Nina naprawdę jej pomogła. Czy pomagała jej zawodowo?

– Nie, przyjaźniły się, więc Nina nie mogła być jej terapeutką. Tamsin ma depresję… chyba nie będzie miała mi za złe, że ci to powiedziałam. Myślę, że Nina doradziła jej, by brała naturalne leki, bo Tamsin nie chciała brać antydepresantów. Dlatego było dla niej podwójnie trudno, gdy Nina zaczęła się dystansować. Tamsin czuła się porzucona, nie tylko fizycznie.

– Nina pracowała w domu?

– Nie, miała gabinet jakieś dwadzieścia minut drogi stąd.

– A co z Connorem? Jaki on jest?

– Connor to Connor. Jest naprawdę w porządku, kiedy już się go pozna. Ale potrafi być dość niedelikatny, zwłaszcza wobec Tamsin.

Nie chcę być wścibska, ale jestem ciekawa. Na szczęście po łyku wody z butelki Eve mówi dalej sama z siebie:

– Na przykład po śmierci Niny Tamsin chciała się wyprowadzić. Wszyscy chcieliśmy, to była naturalna reakcja odruchowa. W sąsiedztwie doszło do brutalnego zabójstwa i byliśmy przerażeni. Ale Connor się uparł, że mają zostać, i nie chciał słyszeć o wyprowadzce. Gdyby próbował pójść na jakiś kompromis, jeśli powiedziałby, że tak, mogą o tym pomyśleć, skoro ona naprawdę tego chce, wtedy Tamsin nie załamałaby się tak kompletnie. W przeciwieństwie do niego Will zachował się fantastycznie: powiedział, że możemy wystawić dom na sprzedaż, choć mieszkaliśmy w nim dopiero od pięciu miesięcy. Lorna była w strasznym stanie. Chciała wyjechać do siostry w Dorset, przynajmniej na jakiś czas, i Will zaproponował, że zawiezie ją i Edwarda. Ale następnego dnia Edward trafił do szpitala z atakiem serca, którego doznał przez stres związany z morderstwem, więc nie byli w stanie wyjechać. Tak czy inaczej, zanim ktoś mógł coś zrobić, Oliver został aresztowany, a później się zabił. I wszyscy znów poczuli się bezpiecznie. Jedynymi osobami, które rzeczywiście się wyprowadziły, byli Tinsleyowie, którzy mieszkali pod trójką.

– Hm... – mruczę, wciąż myśląc o rozpadzie przyjaźni Tamsin i Niny. Nie chcę, by Eve wiedziała, że dała mi wiele do myślenia, dlatego szukam sposobu, żeby zmienić temat. – A właśnie! Dziś rano byłam w ogrodzie i znalazłam lukę w płocie między naszymi działkami.

– Rany, zapomniałam! Oliver pożyczał Willowi kosiarkę, bo była supernowoczesna, i zrobili przejście, żeby mógł ją przepychać tamtędy, a nie od frontu. Pewnie znajdziesz też przejście po drugiej stronie, bo Oliver kosił trawę Lornie i Edwardowi. Teraz robi to Geoff.

– Mieszka po sąsiedzku, prawda?

– Tak.

– Sam? Ktoś wspomniał, że jest po rozwodzie.

– Tak, już kilka lat. Nie znałam jego żony, ale Maria tak, bo były sąsiadkami. Poznała kogoś w pracy i tak skończyło się małżeństwo. – Eve wstaje i wyciąga ręce nad głowę, żeby rozluźnić mięśnie. – Wybacz, muszę lecieć. Mam poprosić Willa, żeby z powrotem założył panel?

– Nie, nie trzeba. Luka i tak zarosła. I nigdy nie wiadomo, może kiedyś się przyda – dodaję z uśmiechem.

– Leo wraca co wieczór, jak w ubiegłym tygodniu?

– Nie, powiedziałam mu, żeby tego nie robił. Za daleka droga, żeby pokonywać ją dwa razy dziennie.

– Nie chcesz spać u nas?

— Dzięki, nie. Jeśli mam tu zostać, muszę przywyknąć do tego, że jestem w domu sama.

— Gdybyś zmieniła zdanie, po prostu daj nam znać. Pobiegniesz ze mną?

— Nie, dzięki, naprawdę nie jestem fanką joggingu.

Śmieje się.

— Pa, Alice. Miło było z tobą pogadać. Do zobaczenia u Tamsin w piątek, jeśli nie wcześniej.

Patrzę na nią z zadumą, gdy biegnie. Jestem wdzięczna za wszystko, co mi powiedziała, ale spadł na mnie ogrom informacji w czasie jednego posiedzenia. Może to jej nie powinnam ufać. Z tego, czego zaczynam dowiadywać się o Ninie – o jej romansie, o odtrąceniu Tamsin – może jednak Eve nie była tak słodka, jak myślałam.

PRZESZŁOŚĆ

Mam nową pacjentkę, a także nowy gabinet na piętrze starej kamienicy. Słyszę, jak kobieta biegnie po schodach, jej stopy bębnią na drewnianych stopniach. Spóźniła się.

– Przepraszam – mówi zarumieniona. – Zgubiłam się. Dawno tu nie mieszkałam i jeszcze nie znam drogi.

– Nic nie szkodzi – zapewniam ją z uśmiechem. – Naprawdę nie powinna pani biegać. – Mówię poważnie; policzki ma zaczerwienione i wygląda na zgrzaną. Włosy ma w nieładzie, połowa jest podpięta, połowa spada w pasmach wokół jej twarzy.

Czekam, aż zdejmie czarny płaszcz i bardzo długi szalik, w tym samym kolorze. Jej sukienka też jest czarna, podobnie jak kozaki. Spostrzega, że patrzę, i śmieje się z zakłopotaniem.

– Próbuję się dopasować – wyjaśnia. – Zdaje się, że większość tutejszych kobiet nosi się na czarno.

Uśmiecham się niezobowiązująco i proszę, żeby usiadła wygodnie, chociaż może to trudne w kanciastym fotelu, który według mnie pasuje do gabinetu. Pytam, czy nie jest jej za chłodno; na dworze jest zimno, temperatura spadła prawie do zera.

– Nie, dziękuję – odpowiada.

Przenoszę spojrzenie na okno, dając jej czas na usadowienie się. Słyszę głosy ludzi wracających do domu po dniu pracy.

– Jak się pani czuje? – pytam, gdy już siedzi.

Przesuwa się w fotelu.

– Szczerze mówiąc, nie jestem zupełnie pewna, dlaczego tu przyszłam. To znaczy... naprawdę nie dzieje się nic złego. Po prostu muszę chyba z kimś porozmawiać.

– Po to tu jestem – mówię, żeby poczuła się swobodnie.

Kiwa głową.

– Nie mam pojęcia, od czego zacząć.

– Może najpierw ja zadam kilka pytań?

Kolejne skinienie.

– Tak, oczywiście.

Przysuwam notes.

– Zanim zaczniemy, chcę, żeby pani wiedziała, że wszystko, co pani powie w tym pokoju, jest poufne.

Śmieje się cicho.

– Dobrze. Nie żebym zamierzała powiedzieć coś nadzwyczajnego. Jak mówiłam, naprawdę nie wiem, dlaczego tu jestem. Mam idealne życie. Ale nie jestem szczęśliwa. Czuję się okropnie, gdy to mówię, lecz taka jest prawda.

W pokoju wibruje napięcie. Podnoszę pióro i zapisuję słowa – „idealne" i „nieszczęśliwa", po czym pochylam się w fotelu.

– Wie pani, w co wierzył Henry David Thoreau? „Szczęście jest jak motyl; im bardziej się za nim uganiasz, tym bardziej się wymyka. Ale jeśli skierujesz uwagę na inne rzeczy, przyfrunie i usiądzie miękko na twoim ramieniu".

Uśmiecha się, odpręża. To zawsze działa.

DWADZIEŚCIA JEDEN

Budzę się. Już mam otworzyć oczy, gdy jakiś pierwotny instynkt nakazuje mi udawać, że wciąż śpię. Wytężam umysł, próbując to rozpracować. I nagle znajduję odpowiedź: ktoś jest w moim pokoju.

Skok adrenaliny szaleńczo przyśpiesza mi tętno. Z sercem łomoczącym ze strachu gorączkowo powtarzam sobie, że to tylko moja wyobraźnia. Przypominam sobie, że gdy stało się to poprzednim razem, nikogo nie było w pokoju. Ale wiem ze straszną, koszmarną pewnością, że ktoś stoi w nogach mojego łóżka. Leżę w stanie bliskim paraliżu, nie mając odwagi oddychać, czekając na ciężar ciała na sobie, ręce zaciskające się na moim gardle. Napięcie jest nie do zniesienia; staram się przezwyciężyć strach, ale nie mogę.

– Odejdź! – wyrywa mi się. Zmuszam się, żeby usiąść, gotowa stawić czoło napastnikowi, kimkolwiek jest. W pokoju zalega ciemność, co jeszcze bardziej pogłębia moją panikę, bo przecież zostawiłam zapaloną lampkę. Po omacku szukam włącznika, przerażona, że ktoś złapie mnie za gołe ramię i wywlecze z łóżka. Zapalam światło i rozglądam się po pokoju, posapując ze strachu, gdy badam wzrokiem cienie w kątach. Nikogo tam nie ma. Czekam, nasłuchując odgłosów domu. Nic nie brzmi podejrzanie.

Z zimnym potem na czole opadam na poduszkę, próbując spowolnić bicie serca. W porządku, w porządku, nic się nie stało.

Ale ktoś tu był, wiem. Wyjmuję komórkę spod poduszki, wystukuję numer alarmowy, zmieniam zdanie i znajduję numer Leo. Muszę usłyszeć czyjś głos i gdy widzę, że jest dopiero druga, przygniata mnie świadomość, że mam przed sobą resztę nocy. Rozwidni się za pięć godzin, a ja nie będę w stanie zasnąć, nie teraz. Zmuszam się do zachowania spokoju. Nie zadzwonię do Leo. Nic mi się nie stało, nic mi się nie stanie. Ale dlaczego ktoś miałby włamywać się do domu i absolutnie nic nie robić? I jak się tu dostał?

Niechętnie wstaję z łóżka i odbywam tę samą wędrówkę po domu co tydzień temu, ale tym razem z mniejszą brawurą, bo Leo nie śpi na górze. W kuchni sprawdzam drzwi na taras. Nie ma wybitej szyby ani śladu włamania. Podchodzę do blatu i wyjmuję z szuflady nóż. Z czarnym trzonkiem i ząbkowanym ostrzem, używany do krojenia cytryn, będzie niebezpieczny tylko wtedy, gdy głęboko go w kogoś wbiję. Wiem, że nie będę w stanie tego zrobić. Mimo wszystko nóż dodaje mi odrobinę odwagi.

Okna w pokojach na dole są nienaruszone, wszystko wygląda normalnie. Drzwi frontowe są zamknięte od wewnątrz. Powoli idę po schodach, z każdym krokiem serce bije mi coraz szybciej. Próbuję nie myśleć o tym, że ktoś może wyskoczyć z pokoju gościnnego albo z gabinetu. Światła palą się już w całym domu, z wyjątkiem sypialni, w której jeszcze niedawno spałam z Leo. Tej, gdzie została zamordowana Nina. Otwieram drzwi, zapalam światło i zaglądam do środka. Jak inne pokoje, jest pusta. A jednak. Stoję nieruchomo, starając się rozpracować, co odbiega od normy. Czuję obecność, nie fizyczną, ale coś niewidzialnego, nienamacalnego. Coś, co wyczuwam, ale czego nie umiem nazwać. Zatrzaskuję drzwi i zbiegam na dół.

Jakoś udaje mi się przetrwać kilka następnych godzin. Dla zabicia czasu robię kilka kubków herbaty i piję w salonie, czując się bezpieczniejsza od frontu. Chcę wyjrzeć na ulicę, ale myśl, że kogoś tam zobaczę, stojącego i obserwującego dom, obserwującego mnie, jest bardziej przerażająca niż podejrzenie, że ktoś jest wewnątrz, dlatego nie rozsuwam zasłon. O piątej wpełzam do łóżka. Niebawem nastanie świt, ludzie zaczną się budzić, szykować do czekającego ich dnia. Teraz nikt nie przyjdzie.

*

Kiedy się budzę i myślę o nocy, nie chce mi się wierzyć, że w grę wchodziło coś więcej niż wytwór mojej wyobraźni. Może sama zgasiłam lampkę po zaśnięciu, nie zdając sobie z tego sprawy? Znów obchodzę dom, sprawdzając okna i drzwi, wypatrując najdrobniejszych śladów, że ktoś dostał się do środka. Nie znajduję niczego niezwykłego.

Uczucie ulgi szybko wyparowuje, gdy na blacie w kuchni dostrzegam włosy. W połączeniu z tymi, które dziś rano znalazłam w łazience, wskazują na to, czego bardzo się obawiam: znowu łysieję. Kilka miesięcy po śmierci rodziców i siostry moje włosy zauważalnie się przerzedziły i kiedy Debbie namówiła mnie na wizytę u lekarza, zdiagnozowano u mnie telogenowe wypadanie włosów spowodowane stresem. Po wypadku niewiele jadłam i mocno straciłam na wadze. Lekarz powiedział, że jeśli nie chcę nasilić tego stanu, muszę zacząć zdrowo się odżywiać, jeść zbilansowane posiłki. Włosy w końcu wróciły do normy, ale długo musiałam na to czekać i dla dziewiętnastolatki było to prawdziwą traumą.

W porównaniu z tamtym stresem ten związany z zamordowaniem Niny Maxwell i utratą zaufania do Leo wydaje się błahostką. Ale teraz jestem starsza, moje włosy siłą rzeczy są słabsze. Skręcam je w luźny węzeł, podpinam spinką. Jeśli nie będą spadać mi na ramiona, może nie będę ciągle o nich myśleć.

Zaglądam do lodówki, szukając czegoś na śniadanie, i w szufladzie na warzywa wraz z przejrzałym awokado znajduję butelkę drogiego szampana. Leo musiał włożyć ją tam przed wyjazdem. Nie jestem pewna, czy dla mnie – jak białą różę, którą zostawił w holu w ramach przeprosin – czy może przygotował szampana dla siebie, żeby mieć co sączyć po powrocie do domu.

Mam w telefonie wiadomość od niego: **Wszystko OK?** Odpowiadam: **Świetnie.**

Wracam do śniadania, ale niepokój o nasz związek odbiera mi apetyt. Cieszę się, że jestem umówiona z Ginny na lunch, bo rozpaczliwie pragnę z kimś porozmawiać.

Po kilku godzinach pracy wychodzę z domu. Edward jest w ogródku od ulicy, zajęty pielęgnowaniem róż. Przypominam sobie, co powiedziała Tamsin o denerwowaniu Lorny pytaniem o Ninę, i nagle czuję się niezręcznie.

– Cześć! – wołam, badając grunt.

Uśmiech Edwarda mnie uspokaja.

– Alice! Jak się masz?

Idę do niego podjazdem.

– Świetnie, dzięki. Mam nadzieję, że ty również?

– Tak, tak, nie mogę narzekać. Idziesz na zakupy?

– Nie, na spotkanie z przyjaciółką. Co u Lorny?

– Ma się bardzo dobrze. Miło, że do niej zajrzałaś. Czasami czuje się trochę samotna.

– Mam nadzieję, że jej nie zmartwiłam.

– Zmartwić? O czym ty mówisz?

– Wypytywałam ją o Ninę i Olivera.

– Spokojna głowa. Jeśli się zmartwiła, to tylko o ciebie. Powiedziała mi, że straciłaś rodziców i siostrę.

– Tak, to prawda.

– Tragiczne. Pijany kierowca?

– Nie, młody bez większego doświadczenia.

– To musiało być dla ciebie straszne. – Kręci głową.

– Tak, było. Ale to już przeszłość.

– Nic dobrego w roztrząsaniu przeszłości – burczy i po zaciętym wyrazie twarzy poznaję, że myśli o synu. Należy do pokolenia, które nie mówi o swoich emocjach.

– Pewnie masz rację.

– Pójdę już – mówi i odwraca się.

– Gdybyście potrzebowali zakupów albo innej pomocy, mam nadzieję, że dasz mi znać.

– Dziękuję, ale wszystko zamawiamy do domu. W zasadzie już nie wychodzimy.

Tylko że tamtego dnia miało go nie być.

Kiwam głową.

– Do widzenia. Przekaż Lornie, że wkrótce do niej zajrzę.

DWADZIEŚCIA DWA

Ginny jest już w Neptune, kiedy się zjawiam. Ma piękną czekoladową skórzaną spódnicę i żakiet. Jeszcze nie widziałam jej w tym stroju.

– Prezent urodzinowy od Marka – wyjaśnia, kiedy o tym wspominam.

– Na tym polega problem z pracą w domu – mówię. – Nie ma znaczenia, w co ubieram się rano. Chciałabym mieć coś takiego, ale nie znosiłabym tego przez lata.

Szybko wymieniamy się nowinkami, przeglądając menu, a po złożeniu zamówienia zaczynam się zwierzać.

– Trudno mi mu wybaczyć i zastanawiam się, czy przypadkiem nie dlatego, że nasz związek był skazany na porażkę, jeszcze zanim Leo mnie okłamał. – Obracam widelec na białym obrusie. – Kiedy widywaliśmy się tylko w weekendy, każde z nas pokazywało się z jak najlepszej strony, nie chcąc zepsuć spędzanego wspólnie czasu. W zasadzie się nie znaliśmy. Dopiero teraz wzajemnie odkrywamy nasze wady i słabości.

– Ale go kochasz – mówi Ginny.

– Tak, tylko że nie jestem pewna, czy moja miłość do niego jest dość silna, żeby przezwyciężyć wszystko, co jest złe. – Patrzę na nią z poczuciem winy. – Wiem, to brzmi okropnie.

– Nie okropnie, szczerze.

– Nie chcę rezygnować z naszego związku, więc muszę znaleźć rozwiązanie. W tej chwili jednak nie jestem w stanie. – Uśmiecham się do niej. – Pogadajmy o czymś innym.

Przerywa nam kelner, który przynosi zamówione potrawy.

– Pewnego dnia stało się coś dziwnego – odzywam się, gdy kończymy jeść. – Mówiłam ci, że Nina przyznała się Lornie, sąsiadce, do romansu? Kiedy wspomniałam o tym Leo, o mało nie wyskoczył ze skóry.

– Nawet ja byłam zaskoczona, kiedy mi powiedziałaś. – Ginny prostuje się na krześle i gładzi się po brzuchu. – Przepyszne.

– To było coś więcej niż zaskoczenie. Upuścił kieliszek, wino się rozlało i… sama nie wiem… wydawał się głęboko wstrząśnięty.

– Dziwne. – Śmieje się. – Chyba że to on z nią romansował.

– Co? – Wlepiam w nią oczy.

Ginny szybko pochyla się i sięga nad stołem do mojej ręki. Dwa srebrne kółka na jej nadgarstku zderzają się i dźwięczą.

– Alice, żartuję! Przecież Leo nawet nie znał Niny.

Za późno. Nie mogę przepędzić tej myśli z głowy.

– A jeśli tak? A jeśli ją znał?

– Przestań. – Potrząsa moją ręką. – Nie zaczynaj wyobrażać sobie czegoś, czego nie było. Skąd miałby ją znać?

– Nie wiem. Była terapeutką, może był jej pacjentem.

Ginny pojękuje.

– Żałuję, że się odezwałam. To był żart, Alice, serio. – Podnosi kartę dań. – Chcesz deser?

– Nie, dzięki, tylko kawę. – Zamykam moje menu i kładę je na stole. – Tamsin zaprosiła mnie do siebie na piątek.

– Tamsin? Twój arcywróg? Jak to się stało? Mów, chcę wiedzieć wszystko.

Rozpoczynam relację o moim konflikcie z Tamsin i jej późniejszych przeprosinach i gdy pół godziny później wychodzimy z restauracji, Ginny czuje ulgę, bo wydaje jej się, że zapomniałam jej słowa o romansie Leo z Niną. Ale nie zapomniałam, zagnieździły się na dobre w zakamarku mojego umysłu.

*

Z Covent Garden mam bezpośrednie połączenie do Finsbury Park. Przyjechałam tu linią Piccadilly, ale teraz podchodzę do mapy na ścianie na stacji Underground, żeby zobaczyć, dokąd jeszcze mogłabym dojechać. Zatrzymuję spojrzenie na Leicester Square – w dzielnicy teatrów – i Knightsbridge, gdzie, jak wiem, jest Harrods, a także Muzeum Historii Naturalnej, kolejne miejsce, które chcę odwiedzić. Śledzę wzrokiem niebieską linię przez Earl's Court do końca, zdumiona, że praktycznie spod domu mogę jechać na lotnisko Heathrow. Z pewnością dobrze jest mieszkać przy linii Piccadilly. I jeśli przesiądę się na Earl's Court, mogę jechać do Kew Gardens i – następną linią – do Wimbledonu. Leo i ja uwielbiamy oglądać mecze tenisa i zastanawiam się, czy trudno jest zdobyć bilety na mecz w Wimbledonie. Później myślę nad tym, czy nasz związek wytrwa do przyszłego lata.

Mam się odwrócić od mapy, gdy przypominam sobie, że w Wimbledonie jest biuro Thomasa Graingera. Wyjmuję z kieszeni komórkę i znajduję adres – William Street 26. Stoję przez chwilę. Z jednej strony chcę tam jechać i na wypadek, gdybym musiała do niego zadzwonić, sprawdzić, czy rzeczywiście jest tym, za kogo się podaje. Nie wiem, skąd ta myśl o dzwonieniu do niego – ale jeśli faktycznie doszło do pomyłki sądowej, a ja usłyszę coś, co może wskazać prawdziwego sprawcę, to czy powiadomienie detektywa nie będzie moim obowiązkiem? Jest coś niewłaściwego w tym, jak szybko wszyscy pogodzili się, że to Oliver zabił Ninę. Może kogoś chronią, kogoś z Circle, kto, jak podejrzewają, miał romans z Niną. Ale kogo?

Przechodzę przez bramkę i zamiast jechać na północ do Finsbury, jadę na południe do Earl's Court, a tam przesiadam się na linię District. Nigdy sama nie jechałam tak daleko metrem i kiedy wysiadam w Wimbledonie, jestem tak daleko poza strefą komfortu, że kusi mnie powrót do domu. Odnoszę wrażenie, że wszyscy poza mną wiedzą, dokąd idą.

Staję z boku chodnika i korzystając z Citymappera, lokalizuję William Street. To spory kawałek od stacji i im dłużej idę, tym bardziej się zastanawiam, co ja tu robię. William Street jest długa, z eleganckimi kamienicami, z których większość została przerobiona na biura. Zbliżam się do numeru 26; na ścianie wisi dyskretna złota tabliczka i muszę wejść na pierwsze dwa z czterech kamiennych stopni, żeby przeczytać napis: „Thomas Grainger, prywatny detektyw". Słyszę głosy za ciemnoniebieskimi drzwiami i kiedy stają się głośniejsze, uświadamiam sobie, że ktoś idzie korytarzem. Szybko zbiegam na chodnik i ukrywam się we wnęce drzwi dwa domy dalej. Słyszę, jak kobieta mówi „Do widzenia", i odpowiedź mężczyzny. Schylam głowę nad komórką, udając, że czegoś szukam, i modlę się, żeby drzwi przede mną nagle się nie otworzyły. Stoję plecami do ulicy i kiedy słyszę lekki stukot obcasów na chodniku, oddycham z ulgą. Powoli obracam głowę i sprawdzam, czy przed domem z numerem 26 nie stoi Thomas Grainger. Nie ma go, więc wracam na chodnik. Widzę kobietę w eleganckim beżowym płaszczu. I tak muszę skręcić w tamtą stronę, więc idę za nią do stacji metra, zastanawiając się, co skłoniło ją do wizyty u prywatnego detektywa. Pewnie większość klientów chce wiedzieć, co robią ich partnerzy. Może powinnam kazać mu sprawdzić Leo, myślę i zaraz potem gryzie mnie sumienie.

Wracam do domu i nawet wtedy, gdy wybieram numer Thomasa Graingera, zastanawiam się, co robię. Jaki jest sens, żeby do niego dzwonić, skoro nie mam absolutnie nic do powiedzenia? Ale jest za późno, słyszę jego głos.

– Tu Alice Dawson – mówię.

– Pani Dawson, dziękuję za telefon. – Nie może ukryć zaskoczenia, zrozumiałego po tym, jak powiedziałam, że nie będę mu pomagać.

To brzmi zbyt formalnie.

– Alice – mówię. – Może pan mówić mi Alice.

– A ja jestem Thomas.

– Przepraszam, nie do końca wiem, dlaczego jestem... to znaczy... dlaczego dzwonię. – Jestem zła na siebie, bo mój głos zdradza, że jestem zdenerwowana. – Nie mam żadnych wiadomości. Rozmawiałam z sąsiadką, ale nie powiedziała mi niczego, czego na pewno już byś nie wiedział. To ona widziała Olivera wracającego do domu w wieczór zabójstwa i...

– Mogę przyjechać do ciebie jutro – przerywa mi.

Moje serce gubi rytm.

– Ale naprawdę niewiele mam do powiedzenia. Jeśli chcesz, mogę to zrobić teraz.

– Wolę nie rozmawiać przez telefon. I tak będę w okolicy, więc to żaden kłopot. Druga po południu ci odpowiada?

– Tak, nie wiem jednak, czy…

– Dziękuję, Alice, do zobaczenia jutro.

Później próbuję skupić się na pracy, ale przez cały czas mnie korci, żeby sięgnąć po telefon, zadzwonić do Thomasa Graingera i powiedzieć, żeby nie zawracał sobie głowy przyjeżdżaniem. Nie usłyszy ode mnie niczego, czego już nie wie, zresztą w ogóle nie powinnam z nim rozmawiać. Chciałabym z kimś o tym pogadać, ale już wiem, co usłyszałabym od Debbie. Ginny też nie mogę prosić o radę, bo jeszcze nie powiedziałam Leo, że nasz nieproszony gość na przyjęciu jest detektywem. Jeśli powiem Ginny, wygada się Markowi, a on Leo. To ja muszę o tym powiadomić Leo. Jeszcze tego nie zrobiłam, bo wiem, że zadzwoni na policję. Thomas wpadnie w kłopoty, jeśli policjanci się dowiedzą, że zajmuje się sprawą zabójstwa Niny. Nie chcę, żeby do tego doszło.

*

Tłumaczę do późnego wieczora, odpracowując większą część popołudnia. Kiedy się ściemnia, wciąż z nerwami rozstrojonymi po ostatniej nocy czytam w salonie przy rozsuniętych zasłonach, od czasu do czasu sprawdzając, co robią inni mieszkańcy Circle. Widzę zapalone światła i świadomość, że jeszcze nie wszyscy poszli spać, dodaje mi otuchy.

Gdy zbliża się pierwsza, większość świateł gaśnie, a ja, stojąc na widoku w oknie, robię się coraz bardziej nerwowa. Może ktoś czai się w cieniach, ktoś, kto mnie widzi, mimo że ja go nie dostrzegam. Jedno z nielicznych świateł wciąż pali się w domu Tamsin i podoba mi się myśl, że ona też nie śpi.

Kiedy idę do łóżka, zostawiam zapaloną lampę na schodach, żeby dom nie był pogrążony w zupełnej ciemności. Nie jestem jednak w stanie się odprężyć i wiem, że oszukuję samą siebie, wmawiając sobie, że mogę się tu czuć swobodnie. Ginny była przerażona, kiedy jej powiedziałam, że ktoś był w domu w nocy. Namawiała mnie, żebym przeniosła się do niej i Marka, dopóki nie dogadam się z Leo. Powinnam przyjąć zaproszenie – i jutro to zrobię. Nie wiem, co będzie z naszym związkiem. Wiem tylko jedno: nie dam rady mieszkać w Circle.

DWADZIEŚCIA TRZY

Thomas zjawia się punktualnie o drugiej. Spodziewałam się, że zadzwoni przez domofon, więc jestem zaskoczona, widząc go przed drzwiami.

– Pomyślałem, że sprawdzę, czy kod został zmieniony. Nie został – mówi tytułem wyjaśnienia. Sprawia wrażenie zawiedzionego.

– Pomówię z kimś o tym. – Zamykam drzwi przed zimnym wiatrem i prowadzę go do salonu. Nie proponuję kawy, co może jest niegrzeczne, ale chcę pozbyć się go jak najszybciej. Przetrwałam noc cała i zdrowa, ale wciąż nie chcę tu być. Waham się tylko co do jednego: jechać do Ginny czy do Debbie w Harlestone.

– Niestety, nie mam wiele czasu – zaznacza, jakby czytał mi w myślach i chciał mnie uspokoić.

– Tak, oczywiście. – Czekam, aż usiądzie i położy na stoliku telefon. – Jak siostra Olivera?

– Jeśli chodzi o zdrowie, niezbyt dobrze. Ale świadomość, że możemy poczynić postępy w oczyszczeniu imienia Olivera, podnosi ją na duchu. Jest ci bardzo wdzięczna, Alice.

Marszczę czoło.

– Jak powiedziałam wczoraj przez telefon, raczej nie usłyszysz ode mnie czegoś, czego już byś nie wiedział. Nie chciałabym dawać tobie albo siostrze Olivera złudnej nadziei.

– Wierz mi, złudna nadzieja jest ostatnią rzeczą, jaką chciałbym dać Helen.

Szybko relacjonuję mu moją wizytę u Lorny.

– Czy Helen wiedziała, że Nina miała romans? – pytam.

– Nie, dopóki mój informator z policji nie powiedział mi o zeznaniu sąsiadów.

– Wiedziała, że w ich małżeństwie są problemy?

– Nie, ale napomknęła, że gdyby były, Oliver prawdopodobnie nie powiedziałby jej o tym.

– Moja sąsiadka stanowczo twierdziła, że widziała, jak Oliver wchodzi do domu. Ale jeśli wszedł i zaraz potem wyszedł? Może usłyszał, jak Nina przeprowadza ostatnią rozmowę z kochankiem, i postanowił dać im chwilę. A później, kiedy był na skwerze, ten mężczyzna ją zabił.

– Nie masz pojęcia, jak bardzo chciałbym, żeby tak wyglądała prawda. Ale czy w takim wypadku Oliver nie powiedziałby o tym policji? Utrzymywał, że w ogóle nie wszedł do domu, nawet gdy jego prawnik zasugerował, że może jednak to zrobił.

– Jak myślisz, co się stało?

– Wierzę Oliverowi, bo nie miał potrzeby kłamać. Ale wierzę również twojej sąsiadce, pani Beaumont. – Pochyla się i przeszywa mnie wzrokiem. – Pomyśl o tym przez chwilę. Sąsiadka widzi, jak Oliver podjeżdża pod dom i wysiada z samochodu. W tej samej chwili ktoś przemyka za autem i wchodzi do domu. Oliver go nie zauważa, bo idzie w stronę skweru.

Twoja sąsiadka kończy obserwację i dlatego nie widzi Olivera idącego na skwer. Nikt inny nie zgłosił, że go tam widział, więc... Oliver nie miał alibi i policja uznała, że kłamał.

Powoli kiwam głową, rozumiejąc, że zaprezentowany przez Thomasa przebieg wydarzeń jest mało prawdopodobny, ale nie niemożliwy. Podoba mi się to, że wierzy i Oliverowi, i Lornie.

— Wobec tego musimy się dowiedzieć, kto mógł zakraść się do domu. — Rumienię się, gdy zdaję sobie sprawę, że użyłam liczby mnogiej. — I z kim miała romans Nina.

— Otóż to.

— Nie rozumiem, dlaczego wszyscy tak szybko wydali wyrok na Olivera i dlaczego nikt nie dopuszcza możliwości, że mógł ją zabić ktoś inny. Myślisz, że kogoś chronią?

— Tak — przyznaje cicho. — Tak myślę.

— Kogoś stąd, z Circle?

— Dlaczego inaczej mieliby zwierać szeregi?

— To prawda, nie podoba im się to, że wypytuję o Ninę. Zwłaszcza Tamsin. Była najbliższą przyjaciółką Niny i naprawdę się zezłościła, że poszłam do Lorny. — Urywam, zdając sobie sprawę, że powiedziałam zbyt wiele.

— To zrozumiała reakcja, skoro była najbliższą przyjaciółką Niny. Czy Tamsin ma rude włosy?

— Tak, skąd wiesz?

— Stąd, że Nina często mówiła o niej Helen, tylko że Helen nie mogła sobie przypomnieć jej imienia i nie byłem pewien, która to z kręgu znajomych Niny. — Sprawdza coś w telefonie. — Była jeszcze inna, która chodziła z nimi na jogę.

— To Eve, moja sąsiadka zza płotu.

Thomas kiwa głową.

– Eve Jackman. Ma partnera?

– Tak, męża, Willa.

– Dowiedziałem się, że wprowadzili się tu jakieś pięć miesięcy przed śmiercią Niny.

– Zgadza się.

Unosi głowę.

– Jest jeszcze inna przyjaciółka, ktoś, kogo Nina znała znacznie dłużej.

– Maria. Wiesz, żona Tima, z tym że mówi na nią Mary, bo chodziła do szkoły prowadzonej przez zakonnice – mówię cierpko.

Thomas patrzy na mnie z lekkim uśmiechem.

– Ach, tak, ta Maria. Maria Conway i jej mąż Tim.

– Tak.

Przestaje stukać w ekran telefonu i wsuwa go do kieszeni.

– Dziękuję – mówi, wstając. – I jeszcze raz proszę, nie rób niczego wbrew sobie. Ostatnią rzeczą, jakiej chcę, jest wywieranie na ciebie nacisku, więc nie będę się z tobą kontaktować. Jeśli coś wyniknie i uznasz, że możesz mi o tym powiedzieć, masz numer mojej komórki.

Nie informuję go, że nie zamierzam długo tu przebywać.

– Przekaż Helen moje najserdeczniejsze pozdrowienia.

– Nie omieszkam, dziękuję.

Zamykam za nim drzwi i opieram się o nie, uświadamiając sobie, że myśl, że więcej go nie zobaczę, niepokoi mnie bardziej, niż powinna. Thomas ma w sobie coś, co działa na mnie uspokajająco. Jest solidnym człowiekiem, na którego można liczyć, gdy sytuacja się komplikuje. Zastanawiam się, czy jego związek z siostrą Olivera jest tylko przyjaźnią. Przerabiam w głowie to, co mu powiedziałam, bo chcę mieć pewność, że nie palnęłam czegoś, czego mogłabym żałować. Nie powtórzyłam mu tego, co wczoraj usłyszałam od Eve o rozpadzie przyjaźni między Niną i Tamsin, bo nie jestem pewna, dlaczego mi o tym powiedziała. Mając w pamięci ostrzeżenie Lorny, wolę zachować ostrożność. Chciałabym wiedzieć, czy rzeczywiście coś mi szepnęła. Po chwili dochodzę do wniosku, że przecież to nie ma znaczenia, bo i tak się wyprowadzam. Ale mam kilka osobistych spraw, które chciałabym załatwić, zanim stąd odejdę.

Dzwonię do Leo. Odbiera po pierwszym sygnale.

– Alice, dzięki, że dzwonisz. – Jego ulga wręcz wylewa się z komórki i przypominam sobie, że miałam go powiadomić, czy może jutro wrócić do domu. Będzie zadowolony, gdy mu powiem, że tak; i może mniej zadowolony, gdy usłyszy, że mnie tu nie będzie.

– Dlaczego podskoczyłeś, kiedy wspomniałam o romansie Niny? – pytam.

Niemal słyszę, jak jego umysł przestawia się z tego, co spodziewał się usłyszeć, na zupełnie inny temat.

– Bo dałaś do zrozumienia, że to kochanek może być winny jej śmierci.

– I?

– W sobotę grałem z Paulem w tenisa i powiedział mi, że Nina widywała się z kilkoma mężczyznami z Circle.

Unoszę brwi.

– To znaczy jako terapeutka? Nie sądzę, żeby spotykała się z nimi w tej roli, skoro byli przyjaciółmi albo sąsiadami.

– Nie, nie jako terapeutka. Pomagała im inaczej, Willowi w ćwiczeniu kwestii, Connorowi w ocenianiu whisky, tego typu rzeczy.

– Co nie znaczy, że z nimi romansowała.

– Wcale nie powiedziałem, że romansowała.

– A jak to się stało, że zaczęliście z Paulem o tym rozmawiać?

– Zapytałem go, jacy byli Nina i Oliver. Powiedział, że oboje byli naprawdę mili, zawsze chętni do pomocy. Oliver pomagał starszym mieszkańcom w ogródkach, reperował różne rzeczy i tak dalej. – Milknie. – Wielu sąsiadów było blisko z Niną, mężczyźni i kobiety, więc moim zdaniem nie powinnaś rozpowiadać o jej romansie i o tym, że może zamordował ją kochanek.

– Ale jeśli Oliver był niewinny, to nie sądzisz, że sprawca zasługuje na oddanie w ręce sprawiedliwości?

– Tak, oczywiście.

– Nawet jeśli okaże się kimś z Circle?

Następuje pauza i niemal widzę dwie głębokie zmarszczki pomiędzy jego brwiami.

– Czy ty czegoś mi nie mówisz? – pyta.

– Tylko tego, że nie wszyscy uważają Olivera za winnego.

– Co przez to rozumiesz?

Krążę po pokoju, zastanawiając się, czy powiedzieć mu o Thomasie, o tym, że jest detektywem i nie wierzy w winę Olivera. Ale jeśli dodam, że jest przyjacielem siostry Olivera, Leo powie, że działa we własnym interesie. Poza tym może spytać, jak go poznałam, a wtedy będę musiała wyjaśnić, że to on był naszym nieproszonym gościem. W takim wypadku wiarygodność Thomasa spadnie poniżej zera bez względu na to, czy jest detektywem, czy nie. A poza tym to już nie moja sprawa, przypominam sobie.

– Po prostu trudno mi pogodzić Olivera będącego ucieleśnieniem wszelkich cnót z brutalnym zabójcą – odpowiadam, zatrzymując się przy oknie. Maria i Tim idący z synami na skwer gawędzą z Geoffem przy furtce. Patrzę na nich przez chwilę. Czy Nina w jakiś sposób pomagała Timowi i Geoffowi, tak jak Willowi i Connorowi?

– Może tak. Ale nie rozumiem, dlaczego się angażujesz. – Leo przerywa mi ciąg myśli. – Chyba że z powodu siostry. Bo jeśli tak, to musisz odpuścić. To niezdrowe, Alice.

Rozłączam się, zanim ma szansę dodać coś więcej i przypomnieć mi, co powiedziała moja terapeutka – że nie odzyskam mojej siostry poprzez życie innych kobiet o imieniu Nina.

DWADZIEŚCIA CZTERY

Zostań!

Miękki, syczący szept budzi mnie w środku nocy. Zamiast strachem, ociągające się echo słowa przepełnia mnie lekkością.

– Nina – szepczę.

Silne wrażenie jej milczącej obecności działa niczym balsam na mój umysł.

Nie zostawię cię, obiecuję jej w duchu. Dotrę do prawdy. Jeśli nie zabił cię Oliver, dowiem się, kto to zrobił.

Spodziewam się, że odejdzie. Ale zostaje i z łatwością zapadam w sen.

*

Budzę się późno, rozkoszując się aurą spokoju otulającą moje ciało. Szukam powodu tego dobrego samopoczucia i przypominam sobie, jak w nocy wyczułam obecność Niny. Nie mam problemu z uwierzeniem, że był tu jej duch, że – jak moja siostra – jest uwięziona pomiędzy tym życiem i przyszłym, czekając na sprawiedliwość. Odrzucam kołdrę, napędzana przez nowy cel. Nigdzie się nie wybieram, mam obietnicę do spełnienia.

Słyszę sygnał komórki. Dostałam wiadomość od Leo.

Nie powiedziałaś mi, czy mam dzisiaj przyjechać. Posępnieję. Po chwili odpisuję: **Przepraszam, potrzebuję więcej czasu.** Nękana przez wyrzuty sumienia, że go tu nie chcę, niespokojnie czekam na odpowiedź. W końcu przychodzi: **Nie szkodzi, rozumiem. Jestem, gdybyś mnie potrzebowała xx.** Oczy zachodzą mi łzami. Było nam razem dobrze.

Przyłapuję się na myśleniu o Thomasie. Już obliczyłam, że ma jakieś czterdzieści cztery lata, i wciąż się zastanawiam nad jego związkiem z Helen. Widziałam tkliwość w jego oczach za każdym razem, gdy wypowiadał jej imię, i nie wyobrażam sobie, co czuje – obojętnie, czy jest jego przyjaciółką, czy kimś więcej – wiedząc, że jej czas się kończy. Leo myśli, że wzięłam sobie do serca sprawę zamordowania Niny Maxwell tylko dlatego, że moja siostra miała tak na imię, ale się myli. Gdyby mój mąż albo brat został niesłusznie oskarżony o zabójstwo, chciałabym dociec prawdy. I po względnie krótkim czasie spędzonym w Circle jestem przekonana, że to możliwe.

Dzwonię do Thomasa.

– Coś słyszałam – informuję go.

– Tak?

Słucha, gdy powtarzam to, co Leo powiedział o Ninie, o tym, jak pomagała ludziom w Circle, łącznie z mężami przyjaciółek.

– Dziękuję, że jesteś ze mną szczera – rzuca Thomas.

– Mówię to tylko dlatego, że stało się coś dziwnego. Kiedy po wypytywaniu o Ninę żegnałam się z Lorną, mogłabym przysiąc, że szepnęła mi do ucha: „Nie ufaj nikomu".

– Zapewne ma rację. Im głębiej wnikam w sprawę tego morderstwa, tym bardziej utwierdzam się w przekonaniu, że otacza je mnóstwo tajemnic.

– Tak, ale nie w tym rzecz. Lorna powiedziała, że jej męża nie ma, więc uznałam za dziwne, że szepcze. Tymczasem kiedy wróciłam do domu, zobaczyłam go wychodzącego z garażu. Dlatego uważam, że mogła skłamać. Chociaż mógł być w ogrodzie, bo miał ogrodowe obuwie.

– Jakie wrażenie sprawiała Lorna, kiedy z nią rozmawiałaś?

– Niezupełnie przestraszonej, ale zdecydowanie była niespokojna. Może martwiła się, że Edward, jeśli tam był, może nie być zadowolony, że ze mną rozmawia. Chyba że był tam ktoś inny, komu to się nie podobało. – Po chwili milczenia dodaję: – Przepraszam, muszę kończyć.

– Wszystko w porządku?

Rozłączam się. Właśnie coś sobie uświadomiłam i zamiera mi serce. Tamsin zjawiła się pod moimi drzwiami dwie minuty po tym, jak wyszłam od Lorny, i jasno dała mi do zrozumienia, że nie powinnam jej wypytywać. Wtedy myślałam, że widziała, jak stamtąd wychodzę, i odgadła, po co tam poszłam. A jeśli była tam przez cały czas? Może poszła do Lorny, żeby jej przykazać, że ma ze mną nie rozmawiać, a ja wybrałam akurat ten moment, żeby złożyć wizytę sąsiadce? Czy słuchała naszej rozmowy z drugiego pokoju i dlatego Lorna była taka nerwowa? To by wyjaśniało, skąd Tamsin wiedziała, o czym rozmawiałyśmy.

Wzdycham, czując się niepewnie w sytuacji, w jaką się wpakowałam. Z jednej strony chcę pomóc Helen poznać prawdę kryjącą się za zabiciem jej bratowej, z drugiej pragnę znaleźć tu przyjaciół, co staje się coraz trudniejsze.

*

Gdy nadchodzi wieczór, robię to samo co poprzedniego dnia: do późna pracuję w salonie. Moje myśli wędrują prosto do Niny i kiedy idę do łóżka, tylko ją mam w głowie. Już nie wierzę, że była wredna, jak zasugerowała Eve. Jeśli rzeczywiście odwróciła się od Tamsin, to musiała mieć ku temu powód. Może Tamsin zrobiła albo powiedziała coś, co wyprowadziło ją z równowagi. Czy tak było, Nino? – pytam w milczeniu, zastanawiając się, czy dzisiaj znowu poczuję jej obecność. Nie czuję, ale rano jestem równie wypoczęta jak wczoraj i wiem, że tu była. Czuwała nade mną, gdy spałam.

*

Eve dzwoni do drzwi.

– Wejdź – zapraszam ją, ucieszona. Nad jej ramieniem dostrzegam Tamsin, która szybko idzie przez skwer w kierunku swojego domu. Moje zadowolenie pryska jak bańka mydlana. Może wizyta Eve nie jest tak niewinna, jak z początku myślałam.

– Jak się masz? – pyta, wchodząc za mną do kuchni.

– Świetnie. A ty?

Wysuwa krzesło i siada.

– Dzięki, w porządku. Chciałam wpaść do ciebie we wtorek przed południem, ale zobaczyłam, że wychodzisz.

– Tak, wybrałam się na lunch.

Kiwa głową.

– Z przyjaciółką?

Śmieję się.

– Oczywiście. Z kim innym miałabym umówić się na lunch?

Przesuwa się na krześle.

– Nie wiem... może z reporterką?

Przesuwam krzesło i nieśpiesznie sadowię się naprzeciwko niej, żeby zyskać na czasie. Czy widziała Thomasa, gdy wczoraj do mnie przyszedł?

– Z reporterką? – powtarzam.

– Tak, z tą, która powiedziała ci o zamordowaniu Niny.

– Och. – Dostrzegam na stole włosy i ukradkiem zmiatam je na podłogę. Mój mózg wrzeszczy: „Ignoruj te słowa! ignoruj!", ponieważ im bardziej będę się stresować, tym więcej ich wypadnie, przeklęte błędne koło. – Nie, byłam na lunchu z Ginny, moją przyjaciółką.

– Odezwała się później do ciebie? Ta reporterka? – Widzi, że marszczę brwi. – Przepraszam, że o to spytałam.

– Jeśli Tamsin nie będzie uważać, zacznę myśleć, że ma coś do ukrycia – sugeruję delikatnie.

– To normalne, że się przejęła, Alice. Dopiero co zaczęłyśmy zostawiać tę sprawę za sobą i nie chcemy, żeby znowu ją wywlekano. – Wzdycha, gdy nic nie mówię. – Słuchaj, po śmierci Niny i przed aresztowaniem Olivera – starannie dobiera słowa – kiedy rozeszła się wieść o romansie Niny, chyba każda jej przyjaciółka zastanawiała się, czy to nie jej mąż był kochankiem. Nawet jeśli te wątpliwości trwały tylko przez moment, to całkiem nie zniknęły. Później, kiedy już przyjrzałyśmy się krytycznie swoim mężom, przerzuciłyśmy uwagę na mężów przyjaciółek i zachodziłyśmy w głowę, czy mógł to być któryś z nich. To było okropne. Wszystkie próbowałyśmy potajemnie rozpracować, czy ktoś z Circle miał romans z Niną.

– Dlaczego tak myślałyście? – pytam z nieszczerym zdumieniem.

Lekko wzrusza ramionami.

– Nina była bardzo popularna. Uwielbiała pomagać ludziom i nie szczędziła dla nikogo czasu. Bóg jeden wie, ile godzin spędziła z Willem, pomagając mu ćwiczyć kwestie. Sama kiedyś występowała w teatrze amatorskim i była taka ucieszona, gdy się dowiedziała, że Will jest aktorem. Nie jestem zazdrosna i nigdy nie miałam nic przeciwko temu, że Will się z nią widuje. Cieszyłam się, że mu pomaga, bo prawdę mówiąc, nużyło mnie słuchanie ciągle powtarzanych kwestii. Ale przyznam, że kiedy usłyszałam o jej romansie, miałam chwilę zwątpienia. I chociaż nigdy o tym nie rozmawiałyśmy, wydaje mi się, że Maria i Tamsin myślały to samo o swoich mężach.

– Dlaczego?

– Bo kiedy Tim zadecydował, że chce się specjalizować, Nina pomagała mu rozważać możliwości i dzięki niej wybrał psychoterapię. A Connor zawsze przynosił Ninie whisky na spróbowanie, bo była w Circle jedyną osobą, która naprawdę się na tym znała. Jej rodzice mieli destylarnię, zanim przeszli na emeryturę, i żartowała, że praktycznie wychowała się na gorzale. Łączyły ją z Connorem szkockie korzenie. – Pochyla się i patrzy na mnie z powagą. – Ale musisz zrozumieć, że nikt nie miał jej za złe, ani Oliver, ani żadna z nas, żon. Kochałyśmy Ninę i cieszyłyśmy się, że w czasie częstych wyjazdów Olivera ma czas na pomaganie naszym mężczyznom w ich różnych projektach. Zresztą nie tylko mężczyznom, raz w tygodniu prowadziła w domu zajęcia z jogi dla przyszłych matek... zaczęła, gdy Tamsin była w ciąży z Pearl. Poza tym raz w miesiącu organizowała spotkania klubu książki. Ludzie przewijali się przez jej dom. Kiedy był tam Will, a Connor akurat wpadał z whisky, dzwoniła do mnie i siedzieliśmy u niej we czwórkę, gadając godzinami.

– Nigdy nie podejrzewałaś, że ona może mieć romans? – pytam, zadowolona, że potwierdziła to, co już wiedziałam od Leo.

– Nigdy. Dlatego to było takim szokiem.

– Nie potrafię sobie wyobrazić, jak to musiało być, kiedy każdy podejrzewał każdego.

– To było straszne, zwłaszcza że naszą pierwszą myślą było to, że kochanek, kimkolwiek był, jest również jej mordercą. Przykro mówić, ale odetchnęliśmy z ulgą, gdy oskarżono Olivera. Byliśmy potwornie wstrząśnięci, ale też czuliśmy ulgę. Wiedzieliśmy, kto ją zabił, więc mogliśmy żyć dalej. Nie mieliśmy się czego obawiać. Jeśli Nina miała romans, to dla nas już nie miało znaczenia z kim, bo nie był podejrzany o zabójstwo. Po śmierci Niny tożsamość kochanka przestała być ważna. Liczyła się świadomość, że sprawca nie wróci i nikogo więcej nie zabije.

– Więc wciąż uważacie, że zamordował ją Oliver?

– Tak.

– Bo wygodnie jest w to wierzyć – mówię, chociaż łagodnym tonem. – A jeśli zabójca Niny nadal tu jest?

Eve sprawia wrażenie skrępowanej.

– Nie sądzę. – Podnosi komórkę i patrzy na ekran. – Wybacz, Alice, muszę lecieć – rzuca, wstając. – Mam umówioną fryzjerkę. Do zobaczenia jutro na kawie u Tamsin.

Jej ulga, że może się wyrwać, jest wręcz namacalna.

– Do zobaczenia.

Zamykam za nią drzwi, zastanawiając się nad tym, co mi powiedziała. Bardziej niż kiedykolwiek jestem przekonana, że sprawa zamordowania Niny wcale nie jest taka prosta, jak Eve chce, żebym myślała. Ktoś coś ukrywa.

Ale kto? I co?

DWADZIEŚCIA PIĘĆ

Następnego dnia spodziewam się, że pójdę do Tamsin razem z Eve, ale gdy spoglądam w okno, widzę, że wychodzi z domu i wyraźnie dokądś się śpieszy. Sprawdzam, która godzina; jest dziesiąta, a zostałyśmy zaproszone na wpół do jedenastej, więc pewnie idzie pobiegać. Tyle że nie ma stroju do biegania.

Pędzę na górę do gabinetu Leo i patrzę, jak Eve idzie przez skwer. Kiedy jest prawie przy końcu, zamiast iść dalej ku głównej bramie, skręca w lewo, prosto w stronę domu Tamsin. Uświadamiam sobie, że musiałam pomylić godzinę – niewątpliwie Tamsin powiedziała, że o dziesiątej, a nie o dziesiątej trzydzieści – więc zbiegam na dół, znajduję tenisówki i szybko wychodzę z domu. Dziwię się, że Eve po mnie nie wstąpiła. Może myślała, że już jestem u Tamsin.

Biegnę i docieram na miejsce kilka minut po niej. Jak niektórzy inni mieszkańcy, Tamsin i Connor mają zabudowaną werandę i gdy otwieram zewnętrzne drzwi, dochodzą mnie głosy z holu, zza wewnętrznych drzwi. Już mam zapukać, ale słyszę swoje imię.

– Alice naprawdę powiedziała, że ta reporterka więcej się z nią nie kontaktowała? – mówi Tamsin.

– Nie, niezupełnie.

– Zapytałaś ją, gdzie była we wtorek?

– Twierdzi, że na lunchu z przyjaciółką.

– Wierzysz jej?

– Tak, dlaczego miałabym nie wierzyć?

– Ale nie powiedziała, że reporterka już się nie odezwała?

– Nie. Właściwie wymigała się od odpowiedzi.

– Martwię się, Eve. A jeśli ona próbuje się czegoś dowiedzieć?

– Na przykład czego?

– Na przykład tego, kto naprawdę zabił Ninę.

Zamieram.

– Och, Tam, nie zaczynaj od początku, dobrze? – Słyszę coś jakby stłumione westchnienie Eve.

– Oliver nie zabił Niny – rzuca Tamsin.

Serce mi łomocze.

– Mówisz tak, jakbyś miała dowód. – Teraz głos Eve brzmi ostro. – Masz dowód, że Oliver jej nie zabił? Bo jeśli nie, może po prostu powinnaś pogodzić się z tym, że to zrobił.

– Miał zwyczaj wychodzić i siedzieć na skwerze.

– Kto?

– Oliver. – Tamsin wydaje się bliska płaczu. – Nina kiedyś mi o tym wspomniała. Opowiadała, że czasami po długim dniu pracy parkuje na podjeździe i przez jakiś czas siedzi na skwerze, żeby przewietrzyć sobie głowę. Czasami, gdy widziała, że tam idzie, dołączała do niego.

– Ale... powiedziałaś o tym policji? – W głosie Eve słychać strach.

Cofam się o krok, bojąc się tego, co mogę usłyszeć. Chcę
odejść... powinnam odejść i wrócić później, kiedy skończą
prywatną rozmowę, ale martwię się, że zaalarmują je moje
kroki na podjeździe. Teraz, stojąc dalej od drzwi, nie słyszę,
co mówią, a przynajmniej nie wyraźnie. Robię głośny wdech
i paraliżuje mnie strach, że zdradziłam swoją obecność.
Znów czuję przyśpieszone bicie serca. Czy Tamsin naprawdę mówi Eve, że Connor miał romans z Niną? Nie może tego
zrobić... ale najwyraźniej zrobiła, bo teraz Eve mówi jej, że
musi z nim porozmawiać. A potem coś o Willu; wyłapuję
słowa „widywał się z Niną" i „dziura w płocie" i kręci mi
się w głowie.

– Sądzę, że każdy jest zdolny popełnić morderstwo, jeśli
czuje się zagrożony – oświadcza Tamsin tak ostro, że wyraźnie
słyszę jej słowa.

Umyka mi odpowiedź Eve, ale zaraz potem pada moje imię.
Myśl, że zaraz zostanę przyłapana na podsłuchiwaniu, prawie
zatrzymuje mi serce. Ale wewnętrzne drzwi się nie otwierają,
a kroki cichną w głębi holu. Robi mi się słabo z ulgi i zaraz potem przypominam sobie, że przecież mam się z nimi spotkać.
Nie wiem, czy sobie poradzę, siedząc i popijając z nimi kawę.
Jestem wstrząśnięta tym, co usłyszałam, a w dodatku zżera
mnie wstyd, że podsłuchiwałam. Muszę jednak jakoś przez to
przebrnąć.

Odczekuję chwilę, wycieram spocone dłonie o dżinsy, robię głęboki wdech i pukam.

Drzwi otwiera Tamsin.

– Wybacz, że się spóźniłam – odzywam się, lekko posapując jak po biegu.

Obrzuca mnie takim spojrzeniem, jakby wiedziała, że od pięciu minut stoję na jej werandzie.

– Nie spóźniłaś się. Zaprosiłam cię na dziesiątą trzydzieści.

– Och, przepraszam. – Rumienię się. – Zobaczyłam, że Eve wychodzi z domu, i pomyślałam, że musiałam pomylić godzinę. Mam wrócić później?

Szerzej otwiera drzwi.

– Nie bądź głupia. Wchodź.

– Dzięki.

Powoli zdejmuję tenisówki, żeby zyskać na czasie, teraz jeszcze bardziej zaczerwieniona. Idę za Tamsin do kuchni. Jest pięknie minimalistyczna, same eleganckie linie, bez jednej zbędnej rzeczy. W porównaniu z moją kuchnią ze stertami książek kucharskich na blatach i zdjęciami na drzwiach lodówki, wygląda nieskazitelnie. I działa na mnie uspokajająco. Nagle nabieram pewności siebie. Dam radę.

– Cześć, Alice. – Eve macha do mnie ręką. – Witaj w superschludnym domu Tamsin.

– Jak tu pięknie... – Rozglądam się. – Jestem pełna podziwu, zważywszy, że masz dwójkę małych dzieci.

– Muszę dbać o porządek w domu. To jedyne, co mogę naprawdę kontrolować, i tylko tutaj rządzę. – Tamsin śmieje się cicho. – Jedyna część mojego życia, która należy do mnie.

Znowu wykrywam u niej nutę bezbronności. Uśmiecham się, gdy podchodzi z dzbankiem kawy.

– Chyba wszyscy czasami czujemy, że tracimy kontrolę. W każdym razie tak było ze mną, kiedy dowiedziałam się o morderstwie.

Tamsin sztywnieje i żałuję, że nie mogę cofnąć słów. Nie powinnam poruszać tego tematu, nie po tym, co słyszałam.

– Dlaczego? – pyta Eve, śpiesząc na ratunek.

– Wszystko, co uważałam za prawdę, okazało się nieprawdą. Dom nie był taki, jak myślałam, Leo nie był tym, za kogo go miałam. Widziałam, jak rozsypuje się przyszłość, którą zbudowałam sobie w głowie. Dużo się działo, a ja nad niczym nie miałam kontroli. Wiem, że to brzmi melodramatycznie, ale zupełnie straciłam wewnętrzną równowagę.

– A teraz? – pyta Tamsin. – Czujesz, że znowu masz kontrolę?

– Odzyskuję ją. Udało mi się zostać samej w domu, chociaż jeszcze nie mogę zmusić się do spania na górze. I wczoraj powiedziałam Leo, że potrzebuję jeszcze trochę czasu, więc na weekend zostaje w Birmingham.

Tamsin unosi brew.

– Zgodził się?

– Tak. Na razie.

Podsuwa mi talerz domowych ciastek owsianych.

– A nie wolałabyś się stąd wyprowadzić?

– To już nie wchodzi w rachubę. – Częstuję się ciastkiem.

– Dlaczego?

– Tam – powściąga ją delikatnie Eve.

Tamsin wzrusza ramionami.

– Wybacz. Nie jest tak, że nie chcę, żebyś tu została. Jestem ciekawa, to wszystko. Jeśli śpisz na dole, to znaczy, że nadal nie czujesz się w domu zupełnie swobodnie.

– Masz rację, jeszcze nie czuję się komfortowo. Ale pracuję nad tym.

Wymieniają spojrzenia.

– Jeśli znów odezwie się ta reporterka, będzie zaskoczona, kiedy usłyszy, że wciąż tu mieszkasz – mówi Eve.

Wypada to kulawo, ale wiem, że próbuje znaleźć odpowiedź na pytanie Tamsin. Postanawiam zamknąć sprawę raz na zawsze.

– Nie ma obawy, jeżeli znów ją usłyszę, powiem jej, że ma się ode mnie odczepić – oznajmiam.

– Nie odezwała się od dnia, kiedy powiedziała ci o morderstwie? – dopytuje się Tamsin.

– Nie.

Napięcie schodzi z niej jak powietrze z przekłutego balonu. Sięga po ciastko, odłamuje kawałek, wsuwa go do ust, potem bierze następny, jakby konała z głodu. Tamsin głodzi swoje emocje, natomiast ja moje karmię, z czego dopiero teraz zdaję sobie sprawę. Uświadamiam sobie, że często stałam przed otwartą lodówką, karmiąc mój niepokój, próbując go ułagodzić, zmusić do odejścia.

Na eleganckiej szarej komodzie stoi piękne rodzinne zdjęcie: Tamsin, Connor i ich dwie córeczki.

– Jesteście z Amber podobne jak dwie krople wody – zauważam, przyglądając się fotografii.

– A Pearl wrodziła się w Connora – mówi Eve.

– Tak – przyznaję. – Ma jego oczy. – Zwracam się do Tamsin: – Wtedy miałaś znacznie dłuższe włosy.

Sięga po następne ciastko.

– Były takie długie jak twoje, ale ścięłam je po śmierci Niny.

– Boże...

– Naprawdę nie jestem pewna, dlaczego to zrobiłam, wiem tylko tyle, że było to silniejsze ode mnie. Nina miała obcięte włosy, więc może instynkt mi podszepnął, że zabójca ma obsesję na punkcie długich i ścinając swoje, chronię się, na wypadek gdyby wrócił, żeby mnie zabić. A może kierowało mną podświadome pragnienie złożenia hołdu Ninie. Amber wypłakiwała sobie oczy, kiedy mnie zobaczyła, i musiałam jej obiecać, że znowu zapuszczę włosy. – Uśmiecha się z rezygnacją. – Nieprędko będą efekty.

– Ja też miałam długie – odzywa się Eve. – Wieki temu, kiedy miałam jakieś siedemnaście lat. Ścięłam je, bo chciałam wyglądać doroślej. Jestem za niska na długie włosy, wyglądałam jak lalka. I były ciemniejsze.

– Pofarbowałaś je na biało wtedy, kiedy je ścięłaś?

– Tak. Nie miałam takiego zamiaru, ale fryzjerka mnie namówiła. Will się wściekł. Z początku nienawidził moich krótkich włosów. Teraz je uwielbia.

– Ja chyba zetnę swoje na krótko – rzucam.

Tamsin unosi brwi.

– Dlaczego? Są piękne.

– Wypadają. Po śmierci rodziców i siostry traciłam je kępkami. To było straszne, naprawdę przygnębiające. I teraz znów się to dzieje.

208

– Dlatego je podpinasz?

– Tak.

– Tracisz włosy przy myciu? – pyta Eve. – Bo mogę polecić naprawdę dobry szampon.

– Nie, niezupełnie. To znaczy… nie zauważyłam, żeby wychodziły pod prysznicem albo nawet gdy później je czeszę, przynajmniej nie bardziej niż zwykle. Ale ciągle znajduję je w całym domu, zwłaszcza w kuchni, co jest najgorsze, bo przecież mogą dostać się do jedzenia. Przy krótkich nie będzie tego tak widać. Poza tym o krótkie włosy łatwiej zadbać.

– Nie wierz w cuda. Osiągnięcie tego… – Eve wskazuje swoją fryzurę – wymaga tony żelu i mnóstwa cierpliwości.

– Eve wspomniała, że byłaś modelką – zwracam się do Tamsin. – Wtedy poznałaś Connora?

– Tak. Poznaliśmy się na przyjęciu podczas Londyńskiego Tygodnia Mody. W ogóle nie byłam nim zainteresowana, był zbyt arogancki. Kiedy zapytał, jaki mężczyzna zrobiłby na mnie wrażenie, odparłam, że byłby to ktoś, kto zabierze mnie do teatru, posłucha ze mną muzyki klasycznej i spędzi godziny na czytaniu książki u mojego boku. Uznałam to za bezpieczny i kulturalny sposób, żeby go spławić, bo nie sądziłam, żeby interesowały go tego typu rzeczy. A on na to, że mam szczęście, i po kilku dniach przysłał mi bilet na *Burzę*. Naprawdę chciałam obejrzeć ten spektakl, więc z nim poszłam. Później były koncerty i weekendowe wyjazdy, podczas których spędzaliśmy deszczowe popołudnia skuleni z książką. Pasował do mnie tak idealnie, że nic nie mogło powstrzymać mnie przed zakochaniem się w nim. – Pociąga łyk kawy. – Gdybym mu nie powiedziała, czego oczekuję od mężczyzny, dałby mi spokój.

– To urocze, że macie wspólne zainteresowania – mówię, zaskoczona gwałtownością jej ostatniego zdania.

Kręci głową.

– Wcale nie. Zaraz po ślubie wyjścia do teatru, na koncerty muzyki klasycznej, książki... wszystko się skończyło. Jeśli chcę zobaczyć jakąś sztukę, mówi, żebym poszła z przyjaciółką. – Parska śmiechem. – Trudno pojąć, że mężczyzna, za którego się wyszło, nigdy tak naprawdę nie istniał.

– Rozumiem, o co ci chodzi. – Myślę o Leo. – Mimo że ja i Leo nie jesteśmy małżeństwem.

– Nie chciałaś wyjść za mąż? – pyta Eve.

– Ten temat nigdy się nie wyłonił. Poza tym Leo nie wierzy w małżeństwo. Mówi, że nie zna szczęśliwego.

– Ja i Will jesteśmy szczęśliwi.

– Och, zamknij się – rzucam jednocześnie z Tamsin i we trójkę wybuchamy śmiechem.

*

Idę z Eve przez skwer, a potem każda rusza w swoją stronę. W gabinecie siadam przy biurku. Miałam zamiar popracować, ale nie mogę przestać myśleć o tym, czego Tamsin dowiedziała się od Niny: Oliver czasami po powrocie z pracy siadywał na skwerze. Chciałabym wiedzieć, czy powtórzyła to policji. Żałuję, że nie słyszałam jej odpowiedzi na pytanie Eve. Ale przecież musiała to zrobić – przemilczenie tego byłoby przestępstwem. Później przypominam sobie, co mówiła o romansie Connora z Niną. Czy chcąc chronić męża, zataiła informacje, które mogły pomóc Oliverowi? Tylko że nie mogę być pewna, czy przyznała, że Connor miał romans z Niną.

No i ten komentarz Eve o luce w płocie pomiędzy naszymi domami. Czy dała do zrozumienia, że Will mógł niepostrzeżenie przechodzić między ich domem a Niny? I dlaczego Tamsin powiedziała, że każdy jest zdolny do morderstwa, jeśli czuje się zagrożony? Czyżby ktoś wiedział o romansie Connora albo Willa z Niną i groził, że to wyjawi? Czy Tamsin – albo Eve – czuła się zagrożona, ponieważ myślała, że mąż może zostawić ją dla Niny? Connor, Will, Tamsin, Eve – każde z nich mogło mieć motyw, żeby zabić Ninę.

Nagle czuję się zawstydzona tym, z jaką łatwością dopuszczam do siebie możliwość, że ktoś z naszych sąsiadów – bardzo dla mnie miłych – jest zdolny do zabójstwa. Z jękiem kładę głowę na biurku. Nawet nie znam dobrze Connora czy Tima, i to z własnej winy, bo nie poszłam w piątek do Marii. Po chwili namysłu unoszę głowę i sięgam po komórkę.

– Macie z Willem wolny wieczór, żeby wpaść na kolację? – pytam Eve.

– Tak – odpowiada z nieskrywanym zadowoleniem. – Więc Leo wraca?

– Nie, będę tylko ja. To wam nie przeszkadza, prawda?

– Oczywiście, że nie!

– Zamierzam zaprosić Tamsin i Connora, a także Tima i Marię. I może Paula z Carą – dodaję, przypominając sobie, że to Paul powiedział Leo, że Nina pomagała sąsiadom. – Jak sądzisz?

– Uważam, że to doskonały pomysł. Jesteś pewna, że nie będzie nas zbyt wiele?

– Nie, będzie świetnie. Przyrządzę coś prostego, może curry.

– My z Willem przyniesiemy tiramisu, według kolejnego z cudownych przepisów jego babci!

– Super, dzięki.

Maria i Tim mogą przyjść, Cara i Paul nie, a Tamsin musi porozmawiać z Connorem. Oddzwania, żeby potwierdzić, że Connor nie zaplanował niczego na ten wieczór.

– Wolałam sprawdzić, na wypadek gdyby zrobił mi niespodziankę i kupił bilety do teatru – żartuje.

– Idealnie – mówię ze śmiechem. – W takim razie do zobaczenia o siódmej.

DWADZIEŚCIA SZEŚĆ

W środku nocy znów czuję czyjąś obecność. To tylko Nina, przypominam sobie, żeby nie ogarnął mnie strach.

Myślę, że twój zabójca wciąż tu jest, mówię jej w duchu. I zamierzam go znaleźć. Ale przed oczami mam nie twarz Niny Maxwell. Widzę siostrę.

Pamiętam to po przebudzeniu i dręczy mnie straszna niepewność. Dlaczego to robię? Czy dlatego, że według mnie sprawca śmierci mojej siostry nie poniósł zasłużonej kary? Czy dlatego chcę, żeby w przypadku Niny Maxwell sprawiedliwości stało się zadość? Nie jestem nawet pewna, co właściwie robię. Czy można usprawiedliwić ukradkowe pomaganie w naprawieniu pomyłki sądowej... chociaż wcale nie musiało do niej dojść?

Listonosz wrzuca przez szczelinę w drzwiach list. Odręcznie adresowana koperta jest czymś tak niezwykłym, że przyglądam jej się przez jakiś czas, szukając wskazówek, kto jest nadawcą. Nie rozpoznaję pisma; jest lekko rozchwiane, więc może to list od starszej osoby. Przychodzi mi na myśl

Lorna, ale gdy otwieram kopertę i rozkładam kartkę, od razu rozumiem.

Droga Alice,

postanowiłam osobiście Ci podziękować, że zgodziłaś się wysłuchać tego, co Thomas miał do powiedzenia o Oliverze i Ninie. Wiem, że być może nie jesteś w stanie – albo nie chcesz – pomóc. Chciałabym jednak, żebyś wiedziała, że jestem Ci wdzięczna za chęć rozważenia możliwości, iż Oliver mógł być niewinny, podczas gdy ci, którzy dobrze go znali, skwapliwie go osądzili i wydali wyrok.

Proszę, wybacz mi, że na tym skończę, i przepraszam za fatalne pismo. Wiem, że Thomas wyjaśnił Ci moją sytuację i że zrozumiesz. Mam szczerą nadzieję, że pewnego dnia się spotkamy.

Serdecznie pozdrawiam

Helen

Zastanawiam się przez chwilę, jak zdobyła mój adres, i przypominam sobie, że przecież mieszkał tu jej brat. Ze wzruszeniem wsuwam list do koperty i moje wątpliwości co do pomagania Thomasowi nikną równie szybko, jak się pojawiły. Nie zamierzam mu mówić o swoich teoriach na temat Connora czy Willa ani kogokolwiek innego. Powtórzę mu tylko to, co słyszałam, niech sam wyciąga wnioski. Jeśli Oliver nie zabił

Niny i ktoś jeszcze zostanie zamordowany, nigdy sobie nie wybaczę, że nie postąpiłam właściwie ze strachu, że narażę się sąsiadom.

*

Już mam większość produktów potrzebnych do kolacji, bo wczoraj wieczorem zrobiłam zakupy w Stoke Newington. Zapomniałam o kolendrze, więc zarzucam kurtkę i ruszam do miejscowych sklepów.

Szybko przechodzę przez skwer i macham ręką do Tima i chłopców, gdy mijam plac zabaw. Silny wiatr, którego nie przewidziałam, wyciąga mi pasemka włosów z upięcia. Zapinam kurtkę pod szyję, żałując, że nie włożyłam czegoś cieplejszego. Niedługo później jestem w warzywniaku, gdzie do potrzebnej kolendry dodaję kiść ciemnofioletowych winogron, a także kilka gruszek, jabłek i pomarańczy. A skoro mam winogrona, w delikatesach po sąsiedzku kupuję sery. Dalej jest stoisko z kwiatami i pod wpływem impulsu wybieram bukiecik białych róż dla Lorny. Zaniosę je później; może dopisze mi szczęście i będzie w domu sama.

Muszę napić się kawy, więc idę do kawiarni, w której już bywałam. Gdy się zbliżam, widzę Tamsin siedzącą przy oknie, z parującym kubkiem na stoliku. Chcę odejść, ale czując na sobie mój wzrok, obraca głowę. Uśmiecham się z zakłopotaniem i unoszę rękę, jakbym tylko tamtędy przechodziła. Tamsin wstaje i między stolikami idzie do drzwi.

— Masz czas na kawę?! — przekrzykuje hałas ulicy.

— Czemu nie? — mówię, zadowolona, że zapytała.

Uwielbiam tę kawiarnię, z pełnym życia pomrukiem rozmów akcentowanych przez syk ekspresu, klekot naczyń i brzęk sztućców na talerzach. Jest tu ciepło i tłoczno, ale nie tak tłoczno, żebym nie słyszała, co mówią ludzie przy sąsiednim stoliku. Powietrze jest ciężkie od aromatu kawy i świeżo upieczonych ciast.

– Byłaś zajęta – zauważa Tamsin, biorąc ode mnie torby i wsuwając je pod drewniany stół. – To na dzisiaj?

– Część z tych rzeczy.

Z aprobatą kiwa głową, patrząc na róże.

– Lubię dziewczyny, które kupują sobie kwiaty. Gdybym sama tego nie robiła, nigdy bym żadnych nie miała.

– To nie dla mnie, dla Lorny. Wyglądała na trochę przybitą, kiedy ostatnio ją widziałam.

– Miło z twojej strony.

Kładzie torebkę na kolanach, chowa do niej komórkę, czerwone skórzane rękawiczki i białą czapkę z pomponem, po czym wyjmuje portmonetkę.

– Co dla ciebie zamówić?

– Och… dziękuję. Twoja czekolada wygląda smakowicie, więc poproszę to samo.

Wraca po kilku minutach z kubkiem w jednej ręce i dwoma talerzykami z ciastem w drugiej. Jedno zdecydowanie jest czekoladowe, a drugiego nie jestem pewna. Może kawowe?

– Orzechowe – mówi Tamsin, gdy pytam. – Twój wybór.

– Jejku, dziękuję, nie spodziewałam się ciasta. Oba wyglądają wspaniale… może zjemy po połowie każdego?

– Idealnie! – W jej radości jest coś niemal dziecięcego, gdy kroi ciasto.

– Świętujemy? – pytam. – Masz urodziny?

– Nie, ale czuję się tak, jakbym miała.

– Coś się stało?

Nie śpieszy się z odpowiedzią.

– Wczoraj wieczorem przeprowadziliśmy z Connorem długą rozmowę o czymś, co martwiło mnie od jakiegoś czasu, i okazało się, że niepotrzebnie się zadręczałam. Więc teraz jestem pozytywnie nastawiona do życia.

– To świetnie – rzucam lekkim tonem, ale po tym, co wczoraj podsłuchałam, jestem w stanie podwyższonej czujności. – Dobrze jest wszystko wyklarować, w przeciwnym razie nieporozumienia mogą narastać.

Powoli kiwa głową.

– Cieszę się, że cię zobaczyłam, bo gryzie mnie sumienie, że wczoraj źle mówiłam o Connorze, zwłaszcza że masz się z nim dzisiaj widzieć. Wcale nie jest zły, jest świetnym ojcem, ale bardzo się różnimy, z czego z początku nie zdawałam sobie sprawy.

– Przypuszczam, że wszyscy próbujemy przedstawiać się jako ideał osobie, na której chcemy zrobić wrażenie. – Myślę o tym, jak Connor na początku ich znajomości udawał, że lubi to co ona.

– Powiedział dokładnie to samo. Że zakochał się we mnie do szaleństwa i próbował być dla mnie mężczyzną idealnym. Po prostu nie wytrwał. – Podnosi widelczyk i odłamuje kawałek ciasta czekoladowego. – Chociaż chodzi nie tylko o to – kontynuuje, z widelczykiem w połowie drogi do ust. – Zawsze podejrzewam, że miał romans z Niną, ale nigdy nie ośmieliłam się o to zapytać. Bałam się tego, co od niego usłyszę. Teraz żałuję, że nie spytałam go wieki temu, bo wtedy oszczędziłabym sobie mnóstwa nerwów. – Wsuwa kęs do ust. – Przepyszne. Spróbuj.

– Więc nie miał romansu z Niną? – pytam, atakując mój kawałek.

– Nie. Ale chciał.

– Och. – Odkładam widelczyk. – Jak się z tym czujesz?

– Zaskakująco dobrze, bo wyjaśniło się to, co gryzło mnie od długiego czasu. – Obraca talerzyk i napoczyna ciasto orzechowe. – Kilka miesięcy przed śmiercią Nina zaczęła się ode mnie dystansować – wyznaje, potwierdzając to, co już wiem od Eve. – Myślałam, że zdenerwowałam ją prośbą o namiary na jej terapeutę. Pomagała mi w analizowaniu emocji jako przyjaciółka, nie terapeutka, a ja czułam, że potrzebuję profesjonalnej pomocy, jakiej nie mogła mi zapewnić. Martwiłam się, że obraziła się na mnie o to, zwłaszcza że nikogo mi nie poleciła.

– Chodziłam na terapię po śmierci siostry i rodziców i nie wiem, czy bez tego dałabym sobie radę. Ale… Nina też korzystała z terapii?

– Tak, robi to wielu terapeutów. Niektórzy dlatego, że odczuwają taką potrzebę. Inni są przekonani, że poddając się terapii, stają się lepszymi terapeutami. Myślę, że w przypadku Niny chodziło o jedno i drugie. – Dźga widelczykiem ciasto. – W każdym razie przestała się ze mną widywać nie przeze mnie, tylko przez Connora. Chodził do niej z whisky do spróbowania i wcale mi to nie przeszkadzało. Sama nie cierpię whisky, więc cieszyłam się, że ktoś podziela jego pasję. Tylko że pewnego wieczoru chciał ją pocałować. Odepchnęła go, ale kłopot z Connorem polega na tym, że nie zna czegoś takiego jak odmowa. Kiedy nie chciał odpuścić, zagroziła, że powie mi o wszystkim. Błagał, żeby tego nie robiła, i w końcu zgodziła się nic nie mówić. Ale nieodwracalnie stracił w jej oczach i powiedziała mu, że gardzi nim na samą myśl o tym, że chciał mnie zdradzić.

– Jak to przyjął?

Patrzy na mnie szacującym wzrokiem.

– Wiem, co myślisz. Zastanawiasz się, czy może wściekł się na nią za to, co powiedziała, i ją zabił.

– Nie, wcale nie. – Płoną mi policzki. Denerwuję się, bo pomimo sporej odległości między stolikami ktoś może przysłuchiwać się naszej rozmowie, ale przede wszystkim jestem zszokowana tym, że Tamsin powiedziała to tak rzeczowo. Co więcej, wciąż mam w głowie słowa Lorny i nie mogę zignorować możliwości, że to kolejna ustawiona rozmowa. – Uznałam za niesamowite to, że nie masz nic przeciwko temu, że chciał pocałować Ninę.

Odsuwa talerzyk na bok i prostuje się na krześle.

– Mam, oczywiście, że mam. Ale ulga wynikająca ze świadomości, że Nina odsunęła się ode mnie, bo czuła się niezręcznie, w pewien sposób ma większe znaczenie niż to, że Connor ją pocałował. – Wbija we mnie zielone oczy. – Potrafisz to zrozumieć, Alice?

Powoli kiwam głową. Potrafię, ponieważ odkrycie, że Leo mnie okłamuje i kłamie o mnie, dotknęło mnie równie mocno, jeśli nie bardziej niż myśl o morderstwie w naszej sypialni.

– I Connor wyznał ci to wszystko? – Staram się nie mówić sceptycznym tonem.

– Tak.

– To wspaniale, że się dogadaliście.

Z zadowoleniem kiwa głową.

– Postanowiliśmy zacząć od nowa, zostawić to za nami. – Patrzy na mój kawałek ciasta orzechowego. – Nie jesz?

Ze śmiechem podsuwam jej talerzyk.

– Śmiało – mówię. – I tak muszę już iść.

DWADZIEŚCIA SIEDEM

Gdy idę do domu, dzwoni Leo. Przekładam torby do jednej ręki, wtykam kwiaty pod pachę i wyjmuję komórkę z kieszeni, ale słyszę już tylko pocztę głosową. Odsłuchuję jego wiadomość: Mark i Ginny zaprosili go na weekend. Czuję ulgę, bo miałam wyrzuty sumienia, że przeze mnie będzie sam. Komórka znów dzwoni i uśmiecham się, widząc, że to Ginny.

Stawiam torby między nogami i odbieram.

– Tak, wiem, Leo spędza z wami weekend – mówię na wstępie, bo wiem, że powiadomienie mnie o tym byłoby dla niej niezręczne.

– Nie przeszkadza ci to, prawda? – pyta z niepokojem. – Mark powiedział, że powinniśmy go zaprosić.

– Tak, oczywiście, miło z waszej strony.

– Nie chcę, żebyś myślała, że stajemy po czyjejś stronie.

– Nie ma obawy. Sama powiedziałam, że może się u was zatrzymać, pamiętasz?

– A ty masz jakieś plany?

– Zaprosiłam na kolację Eve, Tamsin, Marię i ich facetów. Robię curry, nic wielkiego.

221

– Zapowiada się nieźle.

– Muszę kończyć, wracam ze sklepu i jest potwornie zimno. Pogadamy po weekendzie.

– Jasne! Zadzwonię w poniedziałek.

Ruszam w dalszą drogę, powtarzając sobie w głowie rozmowę z Tamsin. Teraz rozumiem jej ulgę na wieść, że Connor nie miał romansu z Niną, ponieważ musiała czuć się koszmarnie, kiedy to nad nią wisiało. Ale jeśli żeby chronić męża, nie poinformowała policji o zwyczaju Olivera siadania na skwerze, to czy nie powinny jej dręczyć wyrzuty sumienia? Nic na to nie wskazuje, więc może powiedziała, a policjanci to zlekceważyli. Albo jest tak, jak myślałam, i obie rozmowy – ta, którą wczoraj podsłuchałam, i ta niedawna z Tamsin – zostały sfabrykowane specjalnie z myślą o mnie.

Kiedy przecinam skwer, przypadkiem unoszę głowę i widzę mignięcie twarzy za oknem gabinetu. Spuszczam nos na kwintę. Leo pojawił się, żeby coś zabrać, zanim pojedzie do Ginny i Marka. Szkoda, że nie wspomniał na poczcie głosowej, że będzie w domu. Gdyby to zrobił, poszłabym na jeszcze jedną kawę i w ten sposób nie spotkałabym się z nim. Nie chcę, żeby na mnie naciskał, abym pozwoliła mu zostać w domu.

Kładę torby z zakupami w holu, spodziewając się, że ukaże się na szczycie schodów.

– Leo! – wołam.

Nie ma odpowiedzi, więc idę na górę i otwieram drzwi gabinetu. Jest pusty. Zaglądam do pokoju gościnnego, ponieważ jest od frontu domu i może pomyliłam okno. Przystaję w drzwiach naszej sypialni. Tu też go nie ma, ale w powietrzu jest coś – może zapach jego wody po goleniu – co mi mówi, że tu był. Drzwi łazienki są uchylone. Nerwowo idę w ich stronę.

– Leo, jesteś tam? Lepiej nie chowaj się za drzwiami, żeby mnie nastraszyć! – Staram się mówić żartobliwym tonem, ale wewnątrz trzęsę się na myśl, że wyskoczy.

Popycham drzwi i z trzaskiem uderzają o ścianę. Hałas niesie się po domu jak echo wystrzału. Głupie, lecz boję się jeszcze bardziej.

Pośpiesznie wracam do sypialni i zatrzymuję się na chwilę, gdy widzę, że nasze oprawione zdjęcie, zrobione w Harlestone, leży płasko na komodzie, tylną stroną do góry. Żałosne, myślę, zbiegając na dół; bębnienie moich stóp rodzi we mnie złość na jego głupią grę. Na pewno zszedł do kuchni, gdy tylko zobaczył, że idę przez skwer.

Najwyraźniej zdążył opuścić dom, bo nigdzie go nie ma. Nie mogę uwierzyć, że kiedy wchodziłam frontowymi drzwiami, wymknął się przez taras i przekradł wzdłuż boku domu, żeby się ze mną nie widzieć. A czy ty chciałaś widzieć jego? – pyta wewnętrzny głos. Gdybyś wiedziała, że się pojawi, czekałabyś w kawiarni, póki nie wyjdzie.

Odzywa się we mnie złość. Myśl, że Leo nie chce mnie widzieć bardziej niż ja jego, jest przygnębiająca.

*

O wpół do ósmej mam komplet gości. Tamsin i Connor przychodzą ostatni; mieli kłopot z zapędzeniem dziewczynek do łóżek, zanim zjawiła się opiekunka, wyjaśnia Tamsin, całując mnie w policzek.

– Dopóki nie wygarbowałem ich delikatnych skórek – dodaje Connor.

Nerwowo patrzę na jego gniewną minę.

Tamsin się uśmiecha.

– Nie przejmuj się, żartuje.

Connor odchodzi do Willa i Tima, a ja przyłapuję się na tym, że myślę o Lornie. Kiedy wcześniej poszłam do niej z kwiatami, drzwi otworzył Edward. Miałam nadzieję, że mnie zaprosi, ale trzymając mnie na progu, powiedział, że żona drzemie. Co oznacza, że wciąż nie jestem bliżej odpowiedzi na pytanie, co wtedy szepnęła... jeśli w ogóle coś szepnęła.

W SMS-ach do Tamsin i Marii zaznaczyłam, że Leo nie będzie, więc nie ma niezręcznych pytań. Eve i Maria są pogrążone w rozmowie; zostawiam Tamsin, żeby do nich dołączyła, a sama idę po drinki dla niej i Connora. Zwykle nie wyciągam pochopnych wniosków, ale coś w Connorze sprawia, że staję się czujna. Dziwię się, że on i Tamsin są parą. Ona jest piękna, delikatna, a on ma w sobie coś niemal zwierzęcego. Jest rosłym mężczyzną, same mięśnie bez odrobiny tłuszczu. Łatwo sobie wyobrazić, jak kogoś obezwładnia.

– Wyglądasz tak, jakbyś była kilometry stąd. – Connor spogląda mi w oczy i uświadamiam sobie, że widział, jak się w niego wpatruję.

Gorączkowo się zastanawiam, co odpowiedzieć.

– Zastanawiałam się, dlaczego nie poprosiłeś o whisky, skoro wokół niej kręci się twoja praca.

– Właśnie dlatego od niej stronię, kiedy jestem w towarzystwie. Uwielbiam whisky, ale wypijam jej zbyt wiele z powodów zawodowych. Leo lubi whisky?

– Nie bardzo. Woli gin z tonikiem.

Podaję mu piwo, o które prosił, i zanoszę jego żonie kieliszek wina.

– Dzięki – rzuca z wdzięcznością Tamsin.

– Pójdę przywitać się z Connorem – odzywa się Maria. – Inaczej pomyśli, że go ignoruję.

Tamsin czeka, aż Maria odejdzie.

– Mówiłam Eve, że rano na ciebie wpadłam i ucięłyśmy sobie pogawędkę – mówi.

Jej dobór słów mnie zastanawia. Jest tak, jakby chciała, bym wiedziała, że powiedziała Eve, że wiem o Connorze i Ninie.

– Mam nadzieję, że powiedziałaś jej również o dwóch kawałkach ciasta, które pochłonęłyśmy.

Uśmiecha się.

– To też.

Rozglądam się, szukając kieliszka, który odstawiłam w drodze do drzwi. Dostrzegam go na stole i idę po niego, ponieważ im więcej czasu spędzam z Eve i Tamsin, tym bardziej czuję się zdezorientowana. Wyczuwam jakiś podtekst, tylko że nie umiem go odczytać.

Wieczór upływa jednak przyjemnie. Connor i Will wzajemnie się uzupełniają. Will z werwą opowiada żarty i historyjki, a Connor nie szczędzi dowcipnych, ironicznych komentarzy i wydaje się zaskakująco wyluzowany. Tim jest cichszy i absolutnie kochany – pomaga mi znosić talerze i zgarnia z nich resztki, czując się w mojej kuchni jak u siebie; ich kuchnia musi być taka sama, bo nawet nie pyta, gdzie co leży. Niemożliwe, żeby któryś z nich zamordował Ninę, myślę i znowu jest mi wstyd, że uważałam to za możliwe. Connor podchwytuje moje spojrzenie; patrzy na mnie takim wzrokiem, jakby czytał mi w myślach i wiedział, że zaprosiłam ich na kolację nie tylko z sąsiedzkiej uprzejmości. Może właśnie dlatego trochę się go boję.

– Tamsin wspomniała, że dowiedziałaś się o Ninie od dziennikarki – mówi i toczone wokół nas rozmowy nagle cichną.

– To prawda. Wolałabym usłyszeć o tym od Leo, wtedy nie przeżyłabym takiego szoku, kiedy reporterka zapytała, jak to jest mieszkać w domu, w którym popełniono morderstwo.

– Dlaczego Leo ci nie powiedział?

Zauważam, że oczy Connora mają ten sam płowy kolor co włosy. Gdyby był zwierzęciem, to pewnie lwem.

– Wiedział, że jeśli to zrobi, nie będę chciała tu zamieszkać, a jemu naprawdę zależało na tym domu. W pewien sposób postąpił rozsądnie, bo kiedy się dowiedziałam, było już za późno, żeby się wyprowadzić.

– Dlaczego? – Jest zaciekawiony, nie agresywny.

– Ponieważ już czułam, że zainwestowałam tu część mojego życia. I nie lubię szybko się poddawać.

– Dobrze wiedzieć. – Unosi szklankę w toaście.

– Cieszymy się, że tu jesteście, prawda, Will? – odzywa się Eve.

– Oczywiście. Nie przychodzi mi na myśl nikt lepszy od was, kto mógłby zastąpić Ninę i Olivera.

Kolejne niezręczne sformułowanie, tym razem z ust Willa. A może tylko robię się przewrażliwiona?

– Nawiasem mówiąc, odkryłaś, kim był ten mężczyzna? – pyta Tim. – Ten podszywający się pode mnie nieproszony gość na parapetówce?

– W zasadzie nie podszywał się pod ciebie. Po prostu wykorzystał to, że wzięłam go za ciebie i wpuściłam do domu. Ale nie, nie zdołałam się dowiedzieć, kim był. Szczerze mówiąc, zupełnie o nim zapomniałam.

– Dziwne, że nikt go nie widział – odzywa się z zadumą Tamsin.

– Nie był tu chyba długo.

– Ale po co przyszedł?

Wypijam łyk wina, żeby ukoić nerwy.

– Wiem tyle samo co ty – odpowiadam.

Tamsin wymienia uśmiech z Eve, co nie za bardzo mi się podoba. Na szczęście Connor mówi jakiś dowcip i wszyscy się rozluźniają.

*

Nie wiem, czy to skutek obecności tylu ludzi w domu, ale później, gdy zamykam za nimi drzwi, cisza wydaje się cięższa niż zwykle. Kiedy ładuję zmywarkę, przypominam sobie ukradkową wizytę Leo, co wytrąca mnie z równowagi. Dlaczego przyszedł? Chciał zabrać z zamkniętej szafki na akta coś, czego nie powinnam widzieć? Czy dlatego wyszedł w takim pośpiechu?

Zwlekam z pójściem do łóżka, zła, że ta potajemna wizyta zakłóciła względny spokój umysłu, jaki udało mi się osiągnąć przez kilka ostatnich dni. Śnię o nim i o Ninie i gdy na wpół się budzę w środku nocy, wyczuwam, że w nogach łóżka stoi on, nie ona. Zasypiam i nagle siadam, gorączkowo próbując przypomnieć sobie coś, co wpadło mi do głowy, kiedy spałam – coś, co ma związek ze słowami Ginny o romansie Leo i Niny. Wtedy przypominam sobie, że kobieta, która przyjechała do Harlestone – podobno zaciekawiona życiem na wsi – miała długie blond włosy.

DWADZIEŚCIA OSIEM

Nie chcę zakłócać Leo weekendu z Ginny i Markiem, ale rozpaczliwie pragnę z nim porozmawiać o Ninie Maxwell. Rozum mi mówi, że nie mógł jej znać, natomiast serce zastanawia się, dlaczego tak bardzo chciał mieć ten dom. Myśl, że nie tylko ją znał, ale też miał z nią romans, nie chce wyjść mi z głowy i po plecach przebiega mi zimny dreszcz, gdy przypominam sobie, co powiedział Thomas o zabójcy wracającym na miejsce zbrodni. Szybko przepędzam tę myśl; Leo może ukrywał przede mną sprawę śmierci Niny Maxwell, ale przecież nie jest mordercą.

Poza tym nie chcę przeszkadzać mu w pracy, więc czekam do wieczora i wysyłam SMS-a.

Muszę z tobą pogadać. Kiedy ci odpowiada?

Teraz, odpisuje i mój telefon zaczyna dzwonić.

Jego skwapliwość jest niepokojąca. Nie jestem gotowa, chciałam najpierw uporządkować myśli.

— Jak się masz? — pyta.

— Świetnie. Miałeś udany weekend?

229

– Tak, dobrze było pobyć z Ginny i Markiem. A ty? Jak sobie radzisz sama w domu?

– Czuję się świetnie.

– To dobrze.

W jego głosie nie ma nic szczególnego, ale nie podoba mi się to, że być może w głębi duszy uważa, że trochę za szybko poradziłam sobie ze swoim przewrażliwieniem.

– Czasami zdarza się coś złego, a później przychodzi coś gorszego... jak to, że okłamuje cię ktoś, komu ufasz... i wtedy to pierwsze przestaje wydawać się takie złe – mówię.

Wzdycha.

– O czym chciałaś ze mną pogadać?

– O Ninie.

– O swojej siostrze?

Czy robi to celowo?

– Nie, o Ninie Maxwell. Znałeś ją?

– Nie. – Sprawia wrażenie zdziwionego.

– W porządku. A czy kiedyś ją spotkałeś?

– Czy to nie to samo?

– Ta kobieta, z którą wtedy rozmawiałeś w Harlestone, ta blondynka, która podobno pytała cię o życie na wsi... Czy to była Nina?

– Co?! Nie. Dlaczego pomyślałaś, że to była ona?

– Miałeś z nią romans?

– Z kim?

– Z Niną.

– Mówisz poważnie? – Teraz jest zły. – Na litość boską, Alice, skąd ci to przyszło do głowy? Naprawdę sądzisz, że miałem romans z Niną Maxwell? Nawet jej nie znałem!

– W takim razie kim była kobieta, która przyjechała do Harlestone? Tylko nie mów, że była kimś, kto chciał wiedzieć, jak to jest mieszkać na wsi.

– W porządku. – Na chwilę zapada cisza. – Była klientką – odzywa się w końcu Leo. – Jedną z tych, o których ci mówiłem, tych nękających.

– Dlaczego cię nękała?

– Nie mam zamiaru wyjaśniać moich spraw biznesowych przez telefon. – Jego głos staje się zimny. – W każdym razie cieszę się, że zadzwoniłaś. Potrzebuję czegoś z gabinetu, mogę wpaść?

– Dzisiaj?

– Tak, zaraz.

– Nie jesteś w Birmingham?

– Nie, dziś muszę być w Londynie.

– W porządku.

– To do zobaczenia za pół godziny.

Kończy połączenie, a ja stoję z komórką w ręce, analizując naszą rozmowę. Czuję, że jest coś nie w porządku z jego pytaniem, czy może przyjechać. Chciał, żeby zabrzmiało tak, jakby od początku miał to w planach, ale wypadło jak spontaniczna decyzja spowodowana wzmianką o Ninie. Poza tym, gdyby chciał przyjechać, zadzwoniłby, żeby mnie spytać, a nie czekał, aż ja się do niego odezwę. Nie mogę się pozbyć niepokoju. A jeśli jednak znał Ninę Maxwell?

*

Nie widziałam go tylko tydzień, ale wygląda jak ktoś, kogo znałam dawno temu. Odnoszę takie wrażenie nie dlatego, że nie golił się od kilku dni, ale z powodu mojego skrępowania.

Zdejmuje marynarkę i zostawia ją w holu, jakby spodziewał się zostać na dłużej. Czuję, że powinnam zaproponować mu drinka, ale naprawdę nie chcę tego robić.

– Cześć – mówi.

– Cześć.

Czeka i kiedy nie dodaję nic więcej, wzrusza ramionami.

– No to pójdę po to, czego potrzebuję.

– W porządku.

Wraca do holu i słyszę szelest marynarki. Cicho podchodzę do drzwi i patrzę, jak idzie na górę, po dwa stopnie naraz, z portfelem w ręce. Chwilę później słyszę znajomy zgrzyt wysuwanej szuflady w szafce z aktami. A więc trzyma klucz do szafki w portfelu.

W portfelu... Dlaczego nie w szufladzie biurka albo na szafce, gdzie miałby go pod ręką? Czy akta jego klientów naprawdę są takie ważne, że nie chce, by ktoś, łącznie ze mną, miał do nich dostęp? A może ukrywa tam coś, co otwiera kluczyk przyklejony taśmą do spodu szuflady?

Kilka minut później zbiega po schodach, chowa coś do kieszeni marynarki i wchodzi do kuchni z dwiema teczkami pod pachą.

– Zapomniałeś je zabrać, kiedy byłeś tu w sobotę? – pytam. Kładzie je na stole.

– O co ci chodzi?

– O akta. Nie zabrałeś ich, kiedy tu byłeś w sobotę?

– W sobotę byłem u Ginny i Marka.

– Tak, ale najpierw zajrzałeś tutaj, widziałam cię w gabinecie. Kiedy tylko zobaczyłeś, że idę przez skwer, wyszedłeś.

Kręci głową.

– To nie byłem ja.

– Widziałam cię!

– Alice, nie było mnie tu, przysięgam.

– A gdzie byłeś, kiedy do mnie dzwoniłeś?

– U Ginny i Marka, w pokoju gościnnym. – Unosi brwi. – Mówisz, że widziałaś kogoś w domu?

Wracam pamięcią do mignięcia twarzy w oknie. Nie chcę napędzać sobie strachu i wierzyć, że w domu ktoś był, podczas gdy widziałam tylko odblask wrześniowego słońca na szybie.

– Myślałam, że widziałam kogoś w twoim gabinecie, ale może tylko mi się zdawało.

– Sprawdziłaś dom?

– Tak, wszystko było w porządku. – Decyduję się nie wspominać mu o lekkim zapachu wody po goleniu w sypialni. Leo nie było tylko przez tydzień, więc nic dziwnego, że wszędzie są jego ślady. Może niechcący przewróciłam nasze zdjęcie, gdy odkurzałam, i nie zwróciłam na to uwagi. – Ale będę wdzięczna, jeśli sprawdzisz okna.

– Pewnie.

Zbiera się do wyjścia i czuję się podle, że nie zaproponowałam mu drinka.

– Wypijesz kieliszek wina? – pytam.

Cofa się.

– Chętnie.

Wyjmuję kieliszki z szafki, znajduję butelkę czerwonego wina, otwieram i nalewam.

– Dzięki. – Pociąga łyk. – Mam nadzieję, że żartowałaś, kiedy pytałaś mnie o romans z Niną Maxwell. Nie znałem jej, słowo.

– W porządku, wierzę ci.

Wysuwa krzesło i siada.

– Ta kobieta, która zjawiła się w Harlestone, była dziennikarką. Chciała przeprowadzić ze mną wywiad o mojej pracy do artykułu, który pisała. Odmówiłem jej dwa razy przez telefon, więc wpadła na pomysł, że zaczepi mnie osobiście.

– Nie byłoby łatwiej najść cię w twoim londyńskim mieszkaniu, zamiast jechać aż do Harlestone? Poza tym skąd wiedziała, że tam będziesz? Skąd miała mój adres?

Pociąga kolejny łyk wina.

– Nie mam pojęcia.

– Może to zabrzmi dziwnie, ale twoja praca nigdy nie wydawała mi się szczególnie ekscytująca, przynajmniej nie na tyle, żeby poświęcać jej kolumnę w gazecie.

– Pewne aspekty są ekscytujące. Obecnie zarządzanie ryzykiem to gorący temat.

Kiwam głową, bo może tak jest.

Pytam go o weekend z Ginny i Markiem, a on pyta mnie o kolację z sąsiadami. Niepotrzebnie mówię mu, że nie mogłam zasnąć z powodu twarzy, którą – jak mi się wydawało – widziałam w oknie.

– Nie powinnaś być tu sama, Alice.

– Nic mi nie jest.

Bawi się kieliszkiem.

– Chciałbym wrócić.

– Potrzebuję więcej czasu.

– Ile więcej? – Pochyla się i spogląda mi w oczy. – Kocham cię. Chcę być z tobą, a nie tkwić w obskurnym mieszkaniu w Birmingham.

– Nie musisz tkwić w obskurnym mieszkaniu.

234

– Nie o to chodzi.

– Mówisz tak, jakbyś chciał pokazać, jaki to jesteś nie-szczęśliwy.

– Bo jestem!

Nie komentuję tego, a on wzdycha.

– Okna na górze też mam sprawdzić? – pyta.

– Tak, proszę.

Dopija wino.

– Zajmę się najpierw nimi.

Idę za nim do holu i moje ramię muska jego marynarkę, gdy staję u stóp schodów. Po chwili podejmuję decyzję, choć nie do końca jestem do niej przekonana.

– Zaczekam tu na wypadek, gdybyś czegoś potrzebował – mówię. – Śrubokrętu albo czegoś.

– Dobrze.

Czekam, aż zniknie w pokoju gościnnym, i jeszcze kilka minut.

– Wszystko w porządku?! – wołam, już z ręką w kieszeni marynarki.

– Na razie tak. Sprawdzę jeszcze tylko naszą sypialnię.

W sypialni są trzy okna, plus jedno w łazience, co powin-no zapewnić mi dość czasu. Wyjmuję portfel, otwieram i szyb-ko wertuję. Z początku myślę, że klucza tam nie ma, ale jest, wsunięty w jedną z dwóch najmniejszych przegródek z przodu, zwykle rezerwowanych dla znaczków. Wsuwam go do kieszeni.

– I co, w porządku?! – pytam, wsuwając portfel na miejsce.

– W porządku.

Moje serce gubi rytm – głos dochodzi z bliska. Spoglądam w górę i widzę Leo na szczycie schodów. Czy spostrzegł moją rękę w zanadrzu swojej marynarki? Gdy rusza na dół, szybko cofam się o krok.

– A właśnie… – zaczynam, szukając czegoś, co oderwie jego uwagę od miny winowajcy, jaka niewątpliwie maluje się na mojej twarzy – wiedziałeś, że w płocie jest przejście między nami i domem Willa? Oliver pożyczał mu kosiarkę i tamtędy ją przeprowadzali. Podobno z drugiej strony też jest, bo Oliver kosił Edwardowi trawę.

– Nie, nie miałem pojęcia. Ale to dobry pomysł. – Zastanawia się chwilę, po czym pyta: – Jak sądzisz, powinienem zaproponować Edwardowi strzyżenie trawnika?

– Eve powiedziała, że Geoff się tym zajmuje.

Leo idzie sprawdzić okna na dole, a ja się zamartwiam, że może przed wyjściem będzie chciał jeszcze raz otworzyć szafkę z aktami. Jeśli nie znajdzie klucza, domyśli się, że to ja go zabrałam.

– O której masz pociąg do Birmingham? – pytam, nie mogąc się doczekać, kiedy w końcu wyjdzie.

– Rano muszę być w Londynie, więc przenocuję u Ginny i Marka.

– Pewnie czekają na ciebie z kolacją.

Uśmiecha się.

– No dobrze, już wychodzę.

– Przepraszam. – Czuję się winna. – Nie chcę być na ciebie zła. Ale jestem.

Czekam, aż zamknie za sobą drzwi, po czym wyjmuję komórkę i dzwonię do Ginny.

– Pamiętasz, jak zadzwoniłaś do mnie w sobotę, żeby powiedzieć, że Leo będzie u was przez weekend? Gdzie wtedy był?

– Hm… chyba na górze, w pokoju gościnnym. Powiedział, że nagrał ci wiadomość, że będzie z nami. Wtedy zdałam sobie sprawę, że cię nie uprzedziłam, że go zaprosiliśmy, i nie chciałam, żebyś myślała, że stajemy po czyjejś stronie. Wszystko w porządku? Nie przeszkadza ci, że wciąż tu jest? Ale dziś musiał być w Londynie… i jutro też.

– Nie, nic nie szkodzi, to miło, że go gościcie.

– Na pewno nie masz nic przeciwko?

– Na pewno. Po prostu w sobotę nie było mnie w domu i kiedy wróciłam, byłam pewna, że go widziałam. Ale zaprzeczył, powiedział, że był u was.

– To prawda. Zjawił się w piątek wieczorem i nie wychodził przez cały weekend. W sobotę Mark zaproponował mu golfa z Benem, ale Leo miał pracę i przesiedział cały dzień w pokoju.

– Dzięki, Ginny. Niedługo umówimy się na lunch.

– Zadzwoń do mnie i daj znać kiedy.

– Dobrze.

Kończę rozmowę. Czuję się źle w związku z tym, że nie wierzyłam Leo, gdy twierdził, że nie był w domu. Wyjmuję z kieszeni klucz, ten skradziony z jego portfela, i wrzucam go do glinianego dzbanuszka, który stoi na moim biurku. Nie użyję go, nie mogę. Nie jestem taka.

DWADZIEŚCIA DZIEWIĘĆ

Biegnę po schodach na górę. Muszę otworzyć szafkę, ale słyszę, że na dole ktoś chodzi po cichu. W gabinecie wyjmuję klucz z kieszeni, drżącymi palcami wsuwam go do zamka. Nie chce się przekręcić, coś jest nie w porządku. Wyjmuję go, próbuję jeszcze raz. Klucz ani drgnie. Szarpię go i wtedy się przekręca. Z przyspieszonym urywanym oddechem ostrożnie wysuwam szufladę. Z dołu wciąż dochodzi odgłos cichych kroków. Pierwsze trzy szuflady są pełne akt klientów. Wysuwam dolną; wydaje się pusta, ale kucam i sięgam w cienie w głębi. Jest… metalowa kasetka.

Słyszę kroki na podeście. Zaciskam rękę na kasetce, wyjmuję ją i stawiam na podłodze. Drzwi pokoju gościnnego poskrzypują, gdy ktoś je uchyla i zagląda do środka. Nie śmiem oddychać, wsuwając w zamek maleńki klucz. Muszę się śpieszyć, on prawie tu jest. Przekręcam kluczyk; drzwi za mną powoli się otwierają. Kulę się, próbując zniknąć. Podnoszę wieczko i w głębi mojej piersi rodzi się czyste przerażenie. Zanim mam szansę wyrazić je wrzaskiem, ktoś zaciska dłoń na moich ustach.

Budzę się i chwytam małe hausty powietrza. Wyciągam drżącą rękę i zapalam lampę, przypominając sobie, że gdy rzucałam się i miotałam w szponach koszmaru, na jakimś innym poziomie świadomości wiedziałam, że Nina mnie obserwuje. Chciałam zawołać, prosić, żeby ocaliła mnie przed tym, co nadchodzi. Ale nie byłam w stanie.

Odrzucam kołdrę i chwiejnie wstaję z łóżka. Już nie jestem pewna, czy mogę być sama w domu. Pokusa, żeby zadzwonić do Leo i poprosić, żeby wrócił, jest tak silna, że nie rozstaję się z komórką i zabieram ją do kuchni. Muszę się napić czegoś kojącego, więc nalewam mleko do kubka i wyjmuję czekoladę w proszku. Gdy uspokaja mnie znajome mruczenie krótkofalówki, próbuję sobie przypomnieć, co zawierała metalowa kasetka z koszmaru. Ale nic z tego, nie pamiętam ani jej zawartości, ani twarzy mężczyzny, który zdusił mój wrzask.

*

Udało mi się powstrzymać od zadzwonienia do Leo, ale dopiero o piątej jestem gotowa wrócić do łóżka. Śpię do późna i przez resztę dnia jestem niespokojna i wstrząśnięta po koszmarze sennym. Włosy znalezione w kuchni i łazience jeszcze bardziej mnie rozstrajają. Wciąż je tracę.

Ktoś dzwoni do drzwi. Idę otworzyć. To Eve, w drodze na poranne bieganie.

– Chciałam ci podziękować za sobotni wieczór – mówi. – Will i ja doskonale się bawiliśmy.

– Ja również – zapewniam, z uśmiechem patrząc, jak przeskakuje z nogi na nogę, już w trybie rozgrzewki. – Przyjemnie było spotkać się z Timem i Connorem. Wejdziesz?

– Nie, dzięki, muszę pobiegać. – Po chwili dodaje: – Nie jestem wścibska ani nic w tym stylu, ale w Circle trudno nie widzieć pewnych rzeczy. Leo wrócił?

– Nie, tylko wstąpił po jakieś papiery.

– Co u niego?

Krzywię się.

– Udaje mu się wzbudzać we mnie poczucie winy za to, że nieuczciwie go potraktowałam.

– Nie nieuczciwie. Powinien być z tobą szczery w kwestii domu.

– Wiem. Ale gdyby był, nie byłoby mnie tutaj. Nie poznałabym ciebie, nie poznałabym nikogo z was. Nie sądzisz, że to dziwne, jak działa los?

Przestaje podskakiwać i patrzy na mnie z zaciekawieniem.

– Myślisz, że zamieszkanie tutaj było twoim przeznaczeniem?

– Tak. Wierzę, że los prowadzi nas tam, gdzie mamy być.

– To znaczy, że ma jakiś cel?

– Tak, chociaż nie jestem pewna jaki.

– Więc nie próbujesz odkryć prawdy stojącej za zamordowaniem Niny? – Patrzy na mnie niewinnym wzrokiem.

– Skoro wszyscy wierzą, że zabił ją Oliver, to chyba nie ma żadnej prawdy do szukania? – mówię ze zdziwieniem.

– Tylko że ty niezupełnie wierzysz w winę Olivera.

Tamsin też nie, chcę jej powiedzieć, ale nie mogę, bo przecież się nie przyznam, że podsłuchałam ich rozmowę.

– Tego nie rozumiem, Alice. Dlaczego myślisz, że to nie on? Przecież go nie znałaś.

– Masz rację, wiem o nim tylko to, co mi powiedziałyście, i trudno mi pogodzić namalowany przez was obraz człowieka z brutalnością zbrodni. Ale nie próbuję rozwiązywać żadnych tajemnic. Po pierwsze, to nie moja rola, a po drugie, jeśli wszystkim odpowiada wersja, zgodnie z którą Oliver zabił Ninę, to nie ma czego rozwiązywać.

Przerywa nam Will, który właśnie wychodzi z domu.

– Jeszcze tu jesteś?! – woła, z rozbawieniem patrząc na żonę. – Myślałem, że masz desperacką potrzebę biegania.

– Bo mam. – Eve się odwraca. – Cześć, Alice!

Biegnie, żeby spotkać się z mężem na końcu podjazdu. Zamieniają kilka słów, Eve całuje go w usta, po czym znika na skwerze. Will macha mi ręką i oddala się spacerowym krokiem. Patrzę za nim, po raz kolejny dochodząc do wniosku, że im więcej czasu spędzam z ludźmi, którzy znali Olivera i Ninę, tym bardziej czuję, że coś jest nie w porządku. Eve powiedziała, że wczoraj widziała Leo, bo w Circle trudno jest nie zauważyć pewnych rzeczy. Nina przez kilka miesięcy przed śmiercią podobno miała romans, a jednak nikt, absolutnie nikt, nie widział, żeby ktoś przychodził do jej domu częściej, niż powinien. Co oznacza, że albo spotykała się z kochankiem poza Circle, albo facet wślizgiwał się do jej domu niepostrzeżenie – a to wskazuje prosto na Willa. Mógł odwiedzać ją do woli, przechodząc przez dziurę w płocie. Wprawdzie Eve pracuje w domu, ale codziennie rano biega co najmniej przez godzinę, a każdy czwartek spędza u mamy. Jeśli Will chciał, to miał mnóstwo okazji, żeby podczas nieobecności żony spotykać się z Niną.

*

Nie minęło dużo czasu, a pogodziłam się z tym, że jednak jestem osobą, która wściubia nos w sprawy swojego partnera. Myśl o kluczu do szafki z aktami świerzbi, nie odpuszcza nawet na chwilę. Próbowałam się jej pozbyć, zagłębiając się w pracy, ale w środę, kiedy robię sobie przerwę na lunch, dłużej nie mogę jej ignorować.

Wyjmuję klucz z glinianego dzbanuszka i idę na górę do gabinetu Leo. Nie odklejam mniejszego klucza spod szuflady. Wyciąganie go byłoby bez sensu, bo przecież w szafce może nie być niczego poza aktami. Zwalniam blokadę; pierwsze trzy szuflady zawierają schludne rzędy podwieszonych teczek. Schylam się, żeby otworzyć tę dolną, i robi mi się głupio, gdy widzę, że są w niej akta – mniej niż w trzech wyższych szufladach, bo są zepchnięte do tyłu i jest przed nimi miejsce na nowe.

Płonę ze wstydu. Siadam na podłodze. Jestem zażenowana, ponieważ wiem, że w głębi duszy naprawdę chciałam coś znaleźć. Potrzebuję czegoś więcej, jeśli bowiem rzeczywiście mam zamiar zerwać z Leo, to obawiam się, że zatajanie prawdy i kłamanie o mnie nie zostanie zaakceptowane jako wystarczająco dobry powód nie tylko przez niego, ale też przez inne osoby, na których mi zależy, jak Ginny, Mark i Debbie. Może w ich oczach te kłamstwa nie są takie wielkie. Leo nadal jest dla mnie ważny, ale muszę pamiętać, że zawiódł moje zaufanie. Kiedyś w trakcie rozmowy o mojej przyjaciółce powiedziałam mu, że jeżeli nie potrafiłabym mu zaufać, to nie mogłabym z nim być. Wiedział, a jednak zaryzykował.

Dolna szuflada wciąż jest otwarta. Zniechęcona, mocno ją popycham i coś wysuwa się spod teczek. Widzę to przez moment, zanim szuflada się zatrzaskuje. Kucam z sercem w gardle, wysuwam ją i sięgam pod wiszące teczki. Czuję pod palcami coś twardego. Przesuwam to ku sobie, spodziewając się, że zobaczę książkę, może terminarz. Wyciągam metalową kasetkę.

Wlepiam w nią oczy. Poza kolorem – myślałam, że będzie czerwona – jest taka sama jak ta, którą miałam jako nastolatka. Zaraz potem przypominam sobie, że w moim koszmarze kasetka też była czarna i że zawartość skłoniła mnie do wrzasku – wrzasku uciszonego przez dłoń na moich ustach. Podnoszę się i nerwowo spoglądam na drzwi. Słyszę głosy z ulicy, rozmowę rodziców, śmiech dziecka. To mnie uspokaja; jest środek dnia, wokół są ludzie, nic złego się nie stanie, jeśli otworzę kasetkę, nie w biały dzień.

Odklejam kluczyk spod szuflady w biurku, mówiąc sobie, że może i tak nie będzie pasować do zamka. Kiedy wyjmowałam kasetkę z szafki, zdumiała mnie jej lekkość. Teraz ostrożnie nią potrząsam i coś uderza w bok, może niewielka książka, dziennik albo czasopismo. Serce mi łomocze. Nina Maxwell nie chce wyjść mi z głowy.

Stawiam kasetkę na biurku i wsuwam kluczyk. Pasuje. Obracam go i podnoszę wieko.

Z początku myślę, że to dziennik. Ale nie, to paszport, jeden z tych starych niebieskich, które już nie są ważne. Czuję przypływ adrenaliny. Czy to paszport Niny? Tylko dlaczego Leo miałby mieć jej paszport? Drżącymi palcami podnoszę go ostrożnie, otwieram na stronie ze zdjęciem i wstrzymuję oddech. Zdjęcie pochodzi sprzed dwudziestu lat, a jednak natychmiast rozpoznaję Leo. A potem widzę nazwisko i znów znany mi świat rozpada się na kawałki. W paszporcie figuruje nazwisko Carter, nie Curtis.

Na oślep szukam fotela za plecami i siadam. Jak przez mgłę słyszę dzwonek do drzwi. Dlaczego Leo mi nie powiedział, że nazywa się Carter? Wtedy sobie przypominam, że o mało nie zemdlał w dniu, kiedy zarzuciłam mu kłamstwo i zapytałam, kim on jest, mając na myśli to, że zawiódł moje zaufanie. Musiał pomyśleć, że odkryłam jego prawdziwą tożsamość.

Dzwonek znów dzwoni. Wpadam w panikę, pewna, że Leo zauważył brak klucza w portfelu i domyślił się, że to ja go zabrałam. Skaczę na równe nogi. Jak się wytłumaczę, dlaczego go wzięłam? I zaraz napływa nowa myśl: skoro ma paszport na inne nazwisko, to musi mieć coś do ukrycia, coś znacznie gorszego niż moja kradzież klucza z jego portfela.

TRZYDZIEŚCI

Biorę paszport i idę na dół. Zbiera mi się na mdłości, boję się czekającej mnie konfrontacji. Otwieram drzwi i cofam się o krok. To nie Leo, tylko Thomas.

– Och. – Powinnam wiedzieć, że to nie Leo, bo przecież ma klucze. Tylko co tutaj robi Thomas? Czy się umówiliśmy?

– Alice, przepraszam, że przeszkadzam, ale czy mogę wejść?

Wydaje się równie podenerwowany jak ja.

– Hm... Tak... chyba tak. – Otwieram szerzej drzwi. Wiem, że zareagowałam mało uprzejmie, lecz wciąż mam mętlik w głowie z powodu odkrycia paszportu Leo.

Thomas wchodzi do holu i zamykam za nim drzwi.

– Mogę spytać... dostałaś list od Helen, siostry Olivera?

Trudno mi się skupić.

– Tak. Tak, dostałam.

– Tak mi przykro. Widziałem się z nią w ubiegłym tygodniu i powiedziała, że chce do ciebie napisać. Chciałem się upewnić, czy nie masz nic przeciwko, ale dziś rano dowiedziałem się, że już napisała list i poprosiła opiekunkę, żeby go wysłała. – Patrzy na mnie niespokojnie. – Mam nadzieję, że na ciebie nie naciskała?

– Nie, ani trochę. To był bardzo miły list. Napisanie go musiało kosztować ją wiele wysiłku.

Kiwa głową.

– Jest taka słaba, że ledwie może utrzymać pióro. Nie uniosłaby książki, a uwielbia czytać. Dzięki Bogu za audiobooki. – Lekko marszczy brwi. – Wszystko w porządku? Wyglądasz na wstrząśniętą.

– Dobre pytanie. W zasadzie nie wiem. – Nawet mnie mój głos wydaje się zduszony. – Właśnie odkryłam coś bardzo dziwnego.

– Coś, w czym mogę pomóc?

– Nie, dzięki, nie trzeba. – Wyciągam rękę, żeby otworzyć dla niego drzwi, i zastygam. Przecież jest detektywem. – Szczerze mówiąc, masz chwilę?

– Tak, oczywiście.

– Muszę napić się kawy. Napijesz się ze mną?

– Z przyjemnością.

Idzie za mną do kuchni.

– Siadaj. Jaką lubisz?

– Czarną, bez cukru.

Siada. Wciąż trzymam paszport Leo. Kładę go na stole i idę zrobić kawę. Poruszam się ociężale, mam kłopot z wrzuceniem kapsułki do ekspresu. Wreszcie zanoszę kubek do stołu i idę po swój.

Thomas czeka, aż zajmę miejsce naprzeciwko niego, po czym ruchem głowy wskazuje paszport.

Podnoszę dokument.

– To Leo, mojego partnera. Powiedział mi, że nie ma paszportu, a ja właśnie znalazłam go w szufladzie.

– Może chodziło mu o to, że nie ma aktualnego paszportu. Te nie są używane od lat.

– Nie w tym rzecz. Nazwisko jest inne.

Unosi brwi.

– Więc... Jesteś pewna, że należy do niego?

– To jego zdjęcie. I nazwisko, które nie pasuje. – Podnoszę paszport i otwieram. – Nazywa się Curtis, a tu jest napisane Carter.

– Mogę zobaczyć?

Podaję mu paszport. Przygląda mu się przez chwilę, później patrzy na mnie.

– Zawsze możesz porównać z aktem urodzenia.

– Nie wiedziałabym, gdzie go szukać.

– Hm... A co z kartami kredytowymi? Są na nazwisko Curtis?

– Tak, chyba tak... to znaczy nigdy nie zwróciłam uwagi.

– A jego poczta?

– Nie wiem. W zasadzie nie widziałam żadnych listów. – Spoglądam na niego, zmartwienie marszczy mi czoło. – Czy to nie dziwne? Nie mieszkaliśmy razem, zanim się tu nie wprowadziliśmy. Miał mieszkanie w Londynie i tam przychodziła jego poczta. A odkąd jesteśmy tutaj... Minął zaledwie miesiąc, ale przecież powinien dostawać jakieś listy, prawda?

– Tak sądzę.

Unoszę kubek do ust, próbując odepchnąć piętrzącą się czarną chmurę grozy. Ręka drży mi tak bardzo, że rozlewam kawę.

– Wybacz – mamroczę; oczy szczypią mnie od łez.

Thomas wyjmuje kubek z mojej dłoni, podchodzi do zlewu i wraca ze ścierką.

– Zrobić ci drugą kawę? – pyta, zajęty wycieraniem. – A może wolisz wodę?

– Wodę, proszę.

Wraca do zlewu i słyszę szum bieżącej wody, później szmer otwieranych i zamykanych drzwi szafek, gdy szuka szklanki. Jego ruchy są nieśpieszne, co daje mi czas na odzyskanie panowania nad sobą.

Przynosi wodę.

– Dziękuję – mówię z wdzięcznością, biorąc szklankę. Nasze dłonie się muskają. Odsuwam się, zmieszana, bo czuję się tak, jakby przebiegł mnie prąd, gdy moja ręka zetknęła się z jego skórą.

– Jeśli mogę coś zrobić, żeby pomóc... – odzywa się, siadając.

Z drżeniem wciągam powietrze.

– Myślę, że Leo mógł znać Ninę.

Nie wydaje się wstrząśnięty, tylko patrzy na mnie w skupieniu. Przelatuje mi przez głowę myśl, że może od początku wiedział o ich znajomości. Może dlatego przyszedł na nasze przyjęcie, może chciał zobaczyć z bliska człowieka, który, jak wierzy, jest winny jej śmierci. Czy odwiedzał mnie z nadzieją, że coś mi się wymsknie? Przeczucie nadciągającej katastrofy przyśpiesza mi bicie serca do tego stopnia, że zaczyna mi się kręcić w głowie.

– Dlaczego tak myślisz? – pyta. Jego spokojny głos trochę zmniejsza moje przerażenie.

Mówię mu o blondynce, która zjawiła się w Harlestone.

– I myślisz, że to była Nina?

– Nie wiem. Nie widziałam jej twarzy, zwróciłam tylko uwagę na to, że jest blondynką.

– Zapytałaś go o nią?

– Tak. Z początku twierdził, że to klientka, która go nękała...

– Jest prawnikiem?

– Nie, konsultantem. Od oceny ryzyka.

Unosi ciemną brew.

– I nękają go klienci?

– Tak mówił. Ale później powiedział, że to była dziennikarka, która chciała przeprowadzić z nim wywiad.

– Pamiętasz, kiedy to było?

– Niedługo po tym, jak się poznaliśmy, pod koniec stycznia... może na początku lutego ubiegłego roku. – Milknę, przypominając sobie, że Nina została zamordowana pod koniec lutego.

Thomas kiwa głową.

– Gdzie pracuje Leo? – Teraz zachowuje się jak pełnokrwisty detektyw.

– W Midlands. Ale wcześniej pracował w Londynie.

– Wiesz, czy chodził do terapeuty?

– Nie sądzę. Ale widywałam się z nim tylko w weekendy, w ciągu tygodnia był w swoim mieszkaniu, więc może tak.

Unosi głowę i troska, jaką widzę w jego oczach, budzi we mnie strach. Nie mogę temu zaradzić; boję się o Leo, boję się o siebie, znowu czuję się bliska łez.

– Może po prostu to była jasnowłosa dziennikarka – mówi.

– Wiem… jestem tego pewna. Chodzi po prostu o to, że Leo przed kupnem domu wiedział, że Nina została tu zamordowana, a jednak nie pisnął ani słowa.

Tym razem nie udaje mu się ukryć zaskoczenia.

– To musiało być…

– …druzgocące – kończę za niego.

– Wyjaśnił, dlaczego to przemilczał?

– Powiedział, że zdawał sobie sprawę, że nie zgodziłabym się tu zamieszkać, gdybym wiedziała o morderstwie, a naprawdę zależało mu na tym domu.

– Dlaczego akurat na tym?

– Z oczywistego powodu: był tańszy niż inne, które oglądaliśmy. Wykombinował, że nie będę musiała sprzedawać mojego domu w East Sussex, żeby wesprzeć go finansowo. Poza tym przyznał, że chciał mieć ten dom, bo jest na zamkniętym osiedlu. Właśnie wtedy powiedział mi, że nękają go klienci, o czym nigdy wcześniej nie wspominał. – Unoszę wzrok i patrzę na Thomasa. – Zapytałam go, czy znał Ninę Maxwell. Zaprzeczył i uwierzyłam mu. Ale to było, zanim znalazłam jego paszport.

– Mam się przyjrzeć Leo Carterowi i spróbować czegoś się dowiedzieć?

Może widzi panikę w moich oczach. Chcę dotrzeć do prawdy, ale wolałabym nie angażować prywatnego detektywa, żeby przyjrzał się człowiekowi, z którym miałam nadzieję spędzić resztę życia.

– Nie jako detektyw – zaznacza. – Jako przyjaciel. Tu i teraz. Mogę go wygooglować, zobaczyć, czy coś wyskoczy.

– Tak? Mógłbyś?

Wyjmuje telefon.

– Pewnie nic nie będzie – mówi uspokajającym tonem.

– A jeśli tak?

– Wtedy będziesz musiała z nim porozmawiać. – Uśmiecha się, żeby złagodzić napięcie. – Może po prostu nie podobało mu się nazwisko Carter.

Patrzę, prawie nie oddychając, gdy porusza palcami po ekranie telefonu. Patrzę na niego, nie na ekran, wypatrując jakiegoś znaku, że coś znalazł. Twarz ma nieruchomą, profesjonalną. Wiem, że jego palce przewijają, potem się zatrzymują. Sięga po paszport, otwiera go na stronie ze zdjęciem. Przenosi spojrzenie z ekranu na zdjęcie i z powrotem i przez chwilę czyta.

Boję się spytać.

– Znalazłeś coś?

Unosi wzrok.

– Sądzę, że powinnaś to przeczytać – mówi cicho, przekazując mi komórkę.

Z mocno bijącym sercem patrzę na ekran i widzę zdjęcie podobne do tego w paszporcie Leo, z wiadomością, że Leo Carter w 2005 trafił na dwa lata do więzienia. Za oszustwo.

Moje serce zwalnia. Leo był w więzieniu? To tak dalekie od tego, co myślałam, że mam kłopot ze skupieniem się na treści artykułu, który mówi o tym, że był specjalistą do spraw zgodności z przepisami w firmie zarządzającej aktywami. Krew ścina mi się w żyłach.

– Nie rozumiem – szepczę.

Thomas odchrząkuje.

– Jako prywatny detektyw wiem, że zmiana nazwiska w celu ukrycia kryminalnej przeszłości jest dość powszechna. – Przerywa na chwilę, po czym pyta: – Nie wspomniał ci o tym?

– Nie.

– Musisz z nim pomówić.

Kiwam głową.

– Wiem.

– W takim razie już pójdę. – Podnosi się. – Proszę, nie wstawaj, sam wyjdę. – Idzie do drzwi i przystaje. – Gdybyś czegoś potrzebowała, czegokolwiek, masz mój numer.

TRZYDZIEŚCI JEDEN

Cisza otula mnie jak koc. Siedzę bez ruchu, próbując uporać się z emocjami, które atakują mnie bezlitośnie, jedna po drugiej – niedowierzanie, zdumienie, strach i gniew. Zimno w końcu wygania mnie do gabinetu po bluzę. Nie mogę jej znaleźć, więc zarzucam szlafrok i zawiązuję go ciasno.

Nie zadzwoniłam do Leo, nie mogłam się zmusić. Nie jest to rozmowa na telefon, a on do jutrzejszego wieczora będzie w Birmingham. Chcę z kimś porozmawiać. Normalnie zadzwoniłabym do Ginny, bo jest najbliżej i mogłaby do mnie przyjechać. Ale jest zbyt blisko z Leo, więc dzwonię do Debbie.

– Tak mi przykro, Ali – mówi, oszołomiona tym, co ode mnie usłyszała. – Musisz być zdruzgotana, zwłaszcza że do tego dochodzi to, że nie powiedział ci o morderstwie w waszym domu.

– Jestem. – Ocieram łzy, których nie zdołałam powstrzymać. – Czuję się taka zagubiona. Powiedziałam mu wszystko o sobie, wszyściutko. Niczego nie ukrywałam, byłam na sto procent szczera. Więc jest mi tym bardziej trudno.

– Wiem. Może przyjedziesz na kilka dni, żeby oderwać się od wszystkiego?

– Chętnie, ale najpierw muszę z nim porozmawiać. Wraca do Londynu jutro wieczorem. Zamierzałam poprosić, żeby zatrzymał się u Ginny i Marka jak w zeszłym tygodniu, ale każę mu tu przyjechać. Pomyśli, że mu wybaczam to, że nie powiedział mi o Ninie Maxwell.

– Chcesz, żebym do ciebie przyjechała?

– Miło, że proponujesz, ale muszę pomówić z nim sama.

– Daj mi znać, jak idzie, i gdybyś czegoś potrzebowała, po prostu krzyknij.

– Dzięki, Debbie.

Jakiś czas później dzwonię do Leo.

– Alice? – W jego głosie znów brzmi nadzieja, że poproszę, by wrócił.

– W piątek pracujesz w Londynie?

– Tak.

– W takim razie możesz jutro wrócić do domu.

– Poważnie? Świetnie. Wybierzemy się na kolację?

– Nie, nie trzeba. Do zobaczenia jutro.

– Tak... dzięki, Alice.

*

Rano stwierdzam, że nie dam rady skupić się na tłumaczeniu. Aż się trzęsę na myśl o tym, że wieczorem zobaczę Leo. Przysyła mi SMS-a, gdy dojeżdża do Euston, i nagle ogarnia mnie przerażenie. Nie mam pojęcia, jak zareaguje, kiedy usłyszy, że wiem, kim naprawdę jest. Nie sądzę, że zrobi mi krzywdę, ale kto wie, do czego jest zdolny, skoro już był zdolny do tylu rzeczy?

Przyciskam czoło do szyby i dzwonię do Ginny. Dziś ani razu nie wyszłam z domu. Na skwerze dziki wiatr w szale miota opadłymi liśćmi. Pod najbliższym drzewem małe dziecko z rozpostartymi rączkami próbuje je łapać; liście wirują wokół niego jak przerośnięte konfetti. Ojciec filmuje scenę komórką. To Tim, z najmłodszym synem.

– Cześć, Alice – mówi radośnie Ginny. – Jak się masz?

– Leo zjawi się lada chwila – odpowiadam, wciąż patrząc na chłopca.

– Wiem, mówił mi, że może wrócić.

– Tylko na rozmowę.

– Och...

– Głupio mi prosić, ale czy mogłabyś przyjechać? Być może będę potrzebować wsparcia.

– Wszystko w porządku?

Odwracam się od okna.

– Nie, niezupełnie, ale wyjaśnię, jak już tu będziesz. Nie musisz się śpieszyć. Chcę mieć trochę czasu na rozmowę z Leo w cztery oczy.

– Mam nadzieję, że to nie to, o czym myślę – mówi ze smutkiem. – Kocham was oboje.

Chcę jej powiedzieć, że jest gorzej, niż sobie wyobraża.

*

Choć się go spodziewam, podskakuję, gdy słyszę dźwięk otwieranego zamka. Z holu dobiegają zwyczajne odgłosy; szelest zdejmowanej kurtki Barbour, potem marynarki, brzęk monet, gdy rzuca ją na słupek balustrady.

– Alice?

– Tu jestem!

Wchodzi do kuchni. Ma na sobie sweter, którego wcześniej nie widziałam. Ściął włosy, a zarost, który miał pięć dni temu, jest gęstszy – to już prawie broda. Odmładza go. Czyni z niego obcego człowieka.

– Jak się masz? – pyta.

– Niezbyt dobrze.

Siedzę przy kuchennym stole, jak ostatnim razem, kiedy rozmawiałam z nim o zabójstwie Niny Maxwell. Paszport leży na moich kolanach, niewidoczny.

Rozlega się zgrzyt, gdy Leo wysuwa krzesło, żeby usiąść naprzeciwko mnie.

– Coś się stało?

W głowie kłębią mi się pytania. O tyle rzeczy chcę go zapytać.

– Chcesz mi coś powiedzieć? – Daję mu szansę, żeby się przyznał, bo może jeszcze jest dla nas jakaś nadzieja.

– Poza tym, że jest mi przykro, że nie powiedziałem ci o morderstwie?

– Tak, poza tym.

– Nie, nic nie przychodzi mi na myśl. – Pociera podbródek. – To znaczy... chciałbym wiedzieć, jak długo będziesz miała mi za złe, ponieważ trudno tak dalej żyć. – Pochyla się z błaganiem w oczach. – Kocham cię, Alice. Nie możemy zostawić tego za sobą? Popełniłem błąd. Przepraszam. Nie może się na tym skończyć?

– Chcę cię o coś spytać i tym razem chciałabym usłyszeć prawdę. Masz paszport?

Prostuje się z udawanym zdziwieniem na twarzy.

– Wiesz, że nie mam. Przecież ci mówiłem.

Nie mogę na niego patrzeć, nie mogę uwierzyć, że niszczy nasz związek.

– A akt urodzenia? Masz?

– Tak, oczywiście.

– Mogę zobaczyć?

– Nie mam go tutaj.

– A gdzie?

– Jest w sejfie, w banku – odpowiada po dłuższej chwili.

– W sejfie? Nie wiedziałam, że masz sejf.

Nic nie mówi, patrzy na mnie w milczeniu.

– Może zaczniesz od powiedzenia mi, kim jesteś?

– O co ci chodzi?

Przesadza z tym udawaniem, że nie wie, o czym mowa. Zmęczona jego kłamstwami, biorę paszport z kolan i kładę na stole.

– Znalazłam to w twojej szafce na akta.

Zachodzi w nim dramatyczna zmiana. Błądzi wzrokiem po kuchni, jakby szukał kryjówki. Zdaje sobie sprawę, że nie ma dokąd uciec, bo siedzę na wprost niego, więc zatrzymuje na mnie spojrzenie. Panika, jaką widzę w jego oczach, burzy mi krew w żyłach. Przez jedną przerażającą chwilę myślę, że rzuci się na mnie przez stół.

Milczenie, kiedy na siebie patrzymy, staje się nie do zniesienia. Moje serce bije tak szybko, że zaczyna brakować mi tchu. Za mną krople wody spadają do zlewu. Skupiam się na kapaniu, liczę każdą kroplę. Kiedy dochodzę do dziesięciu, z trudem przełykam ślinę i zmuszam się do mówienia.

– Naprawdę nazywasz się Carter?

Po jego oczach widzę, że ma świadomość, że został przyparty do muru. Kładzie łokcie na stole i chowa twarz w dłoniach.

– Leo.

Rozpacz sprawia, że mnie nie słyszy.

– Leo – powtarzam, podnosząc głos.

Unosi głowę. Jego poznaczona smugami łez twarz jest popielata.

– Na pewno mnie nienawidzisz.

Nie mogę znieść jego bólu. Odsuwam krzesło, podchodzę do zlewu i dokręcam kurek, żeby woda nie kapała.

– Nie mogłabym cię znienawidzić – mówię do jego odbicia w szybie.

Pociera twarz.

– Nie powinienem cię okłamywać, wiem. Ale nie mogłem wyznać ci prawdy, za bardzo się bałem, że jeśli to zrobię, nie będziesz chciała ze mną być.

Odwracam się w jego stronę.

– Jaka jest prawda?

Wzdycha ciężko.

– Kiedy byłem młody i głupi, pracowałem w firmie zarządzającej aktywami. Dałem się wkręcić paru facetom, z którymi pracowałem, i spędziłem kilka miesięcy w więzieniu za oszustwo.

– Ile miesięcy?

– Cztery albo pięć.

Wpatruję się w jego twarz.

– Może trochę więcej – prostuje.

– Sprawdziłam cię, Leo. Sprawdziłam Leo Cartera. Spędziłeś w więzieniu dwa lata.

Kręci głową.

– Nie. Wyszedłem wcześniej za dobre sprawowanie.

Nie odzywam się.

– Ale masz rację, siedziałem dłużej niż rok... nie jestem pewien...

Podchodzę do stołu, zła na niego, że nadal nie rozumie.

– Nie ma znaczenia, jak długo siedziałeś, dwa miesiące czy dwa lata. Ważne jest to, że nadal mnie okłamujesz.

Trudno mi patrzeć na jego zrozpaczoną twarz.

– Powiem ci wszystko, obiecuję. Ta kobieta... ta, która przyjechała do Harlestone... nie kłamałem, była dziennikarką. Chciała napisać, jaka to ironia, że ktoś, kto kiedyś został skazany za oszustwo, obecnie doradza klientom w kwestiach zarządzania ryzykiem. Nie przestawała mnie nachodzić i za każdym razem odmawiałem, bo nie chciałem, żebyś się dowiedziała, co zrobiłem. – Z oczu znowu spływają mu łzy. – Nie rozumiesz, Alice? Przemieniłem wyrządzone zło w coś pozytywnego. Odpokutowałem swoje winy.

– Wspaniale, Leo, ale to nie zmienia faktu, że w głębi serca jesteś nieuczciwy. – Milknę, szukając słów, żeby mu powiedzieć, że odbieram to jak największą zdradę. – Nie mieści mi się w głowie, dlaczego nie zdradziłeś mi prawdy, podczas gdy ja powiedziałam ci o sobie absolutnie wszystko.

– Ale ja byłem w więzieniu!

– Właśnie. Zapłaciłeś za to, co zrobiłeś. – Odwracam się, słysząc podjeżdżający samochód.

– Dokąd idziesz?

– Otworzyć drzwi. Przyjechała Ginny.

– Ginny?

– Tak, poprosiłam ją o to.

– Przecież jeszcze niczego nie przedyskutowaliśmy.

– Nie ma o czym dyskutować.

– Alice, proszę!

– Przykro mi, Leo. To koniec.

Idę otworzyć drzwi. Za plecami słyszę jego szloch i nienawidzę siebie za to, że nie jestem w stanie go pocieszyć.

– Leo wciąż tu jest? – pyta niespokojnie Ginny, wchodząc do holu.

– Tak.

– Co się stało?

– Niech on ci powie – mówię, sięgając po płaszcz. – To jego bajka, nie moja. – Przytulam ją. – Zadzwonię później.

Na skwerze opadam na ławkę i pozwalam, żeby przejmujący wiatr porywał łzy z moich oczu.

TRZYDZIEŚCI DWA

Dzwoni Ginny.

– Gdzie jesteś? – pyta.

– Siedzę na skwerze.

– Idę do ciebie.

Zjawia się kilka minut później; wygląda na równie wstrząśniętą jak ja.

– Nie mogę w to uwierzyć – mówi. – Nie mogę uwierzyć, że Leo siedział w więzieniu.

Wpycham ręce głębiej w kieszenie, dopiero teraz zdając sobie sprawę, jak zmarzłam.

– Dlatego nigdy nie powiedział, że ma paszport. Musiał zmienić nazwisko oficjalnie, bo kupił dom jako Leo Curtis.

– Tak mi przykro, Alice. To musi być dla ciebie straszne.

– Co z nim?

– Zdenerwowany, załamany.

– Dlaczego czuję się winna?

– Bo wciąż ci na nim zależy.

– Może tak. Ale nie mogę mu wybaczyć.

– Z powodu przestępstwa, które popełnił? Wiesz, oszustwo jest okropne, ale to nie zbrodnia.

– Masz rację. Ale nie w tym rzecz.

– Chodzi ci o więzienie?

Powoli kiwam głową. Żałuję, że nie mogę jej wyjaśnić, dlaczego to takie ważne. Po prostu nie mogę.

– Co zamierzasz zrobić? – pyta.

– Pewnie wrócę do Harlestone. Zapytam Debbie, czy mogę pomieszkać u niej, dopóki nie wygaśnie umowa z najemcami mojego domu. – Łzy zasnuwają mi oczy. – Sześć tygodni, Ginny. Wytrzymaliśmy z Leo sześć tygodni.

Obejmuje mnie.

– Może zatrzymasz się na jakiś czas u nas?

– Miło, że proponujesz, ale zapytam Leo, czy pozwoli mi mieszkać w domu przez dwa tygodnie.

– Tylko... co z nim? Od poniedziałku będzie pracować w Londynie.

– Dlaczego? Skończył pracę w Birmingham?

– Tak.

– Och – szepczę, przygnębiona. – Jak myślisz, może zatrzymać się u was na trochę?

– Pewnie. Ale dlaczego chcesz zostać w tym domu dwa tygodnie? Czy spakowanie się zajmie ci tyle czasu?

– Nie, potrzebuję jednak trochę czasu do namysłu.

– Nie możesz namyślać się u nas? Mogłabyś zostać, jak długo chcesz, przecież wiesz o tym.

Kręcę głową.

– Chcę być tutaj.

Patrzy na mnie z zaciekawieniem.

– Nie mów, że chodzi o to morderstwo?

– Skąd ten pomysł?

– Leo mówi, że masz na tym punkcie lekką obsesję.

– Nie, nie chodzi o morderstwo. – Nienawidzę okłamywać Ginny. – Chcę się odpowiednio ze wszystkimi pożegnać. Poza tym nie sądzę, żeby prośba o dwa tygodnie była zbyt wygórowana, biorąc pod uwagę to, co zrobił.

– Masz rację. – Bierze mnie pod rękę. – Chodź do domu. Zamarzniesz tu.

Opuszczamy skwer i idziemy do domu.

– Myślisz, że Leo zostanie w Circle? – pytam.

– Chyba ma taki zamiar.

Nie wiem dlaczego, ale nie wydaje mi się to uczciwe.

Ginny przytula mnie i zostawia przed domem.

– Gdybyś czegoś potrzebowała, wiesz, gdzie mnie szukać.

*

Leo czeka na mnie w kuchni, oparty o blat. Wchodzę i opieram się o zlew, żeby stać naprzeciwko niego.

– Żałuję, że nie ma większego słowa niż „przepraszam" – mówi. – Ale nie ma.

– Mnie też jest przykro.

– Z jakiego powodu?

– Że się nie udało.

Kiwa głową.

– W porządku. Zawsze wiedziałem, że tak będzie, kiedy się dowiesz.

Prostuję się.

– Nie byłoby tak, gdybyś od początku był ze mną szczery! – krzyczę, zła, że nadal nie rozumie. – Jeśli powiedziałbyś mi o wyroku, kiedy się poznaliśmy, wszystko mogłoby potoczyć się inaczej.

– Nie byłem przygotowany na podjęcie tego ryzyka. – Uśmiecha się krzywo. – Nigdy nie umiałem przyznawać się do błędów, zawsze wolałem się wyłgać. Przynajmniej tak mi powiedziała moja terapeutka.

– Chodziłeś do terapeutki?

– Tak. Ale już nie chodzę. Rodzice znaleźli ją dla mnie, kiedy wyszedłem z więzienia.

Coś mi tu zgrzyta.

– Mówiłeś, że odciąłeś się od rodziców.

Wzdycha.

– Jak mógłbym cię im przedstawić, skoro używam innego nazwiska? Szybko byś się zorientowała, że to państwo Carterowie, a nie Curtisowie.

Nie wiem, dlaczego nie jestem zaskoczona.

– Nie mów. Są kochającymi rodzicami, miałeś całkiem zwyczajne dzieciństwo.

Chowa głowę w ramiona.

– Mniej więcej.

– I nie wiedzą o mnie.

– Przepraszam.

Patrzę na niego z obrzydzeniem.

– Źle, że kłamiesz o sobie. Ale że kłamiesz o innych… Powinieneś podjąć terapię, Leo, bo wciąż potrzebujesz pomocy. – Milknę na chwilę. – Zamierzasz tu zostać, w Circle?

Bierze szklankę z szafki, a ja odsuwam się od zlewu, żeby mógł podejść do kranu.

– Tak. Mówiłem ci, lubię ten dom, mimo jego historii – odpowiada, stojąc plecami do mnie.

– Zastanawiałam się... wiem, że to twój dom, ale czy pozwoliłbyś mi tu zostać jeszcze przez dwa tygodnie? Chciałabym mieć trochę czasu, żeby pogodzić się z myślą o powrocie do Harlestone.

Pijąc wodę, odwraca się twarzą w moją stronę.

– Myślałem, że bardzo cię ucieszy to, że tam wracasz.

– Nie, niezupełnie. Szczerze mówiąc, odbieram to jako porażkę.

– Od poniedziałku będę pracować w Londynie. Ale nie martw się, nie będę wchodzić ci w drogę.

– Chciałabym spędzić dwa tygodnie sama. Ginny mówiła, że możesz zatrzymać się u nich.

Czuję na sobie jego spojrzenie.

– Po co ci te dwa tygodnie?

– Mówiłam ci, muszę przywyknąć do myśli, że wracam do Harlestone.

Słyszę brzęk, gdy odstawia szklankę do zlewu.

– Więc nie dlatego, że wciąż próbujesz rozwiązać sprawę zabójstwa, która już została rozwiązana?

– Niczego nie próbuję rozwiązać. Ale, jak już mówiłam, nie wierzę, że to Oliver zabił Ninę.

– Skąd ta pewność, że tego nie zrobił? – pyta z konsternacją.

Szukam jakiejś sensownej odpowiedzi.

– Czytałam artykuł. Siostra Olivera zawsze utrzymywała, że był niewinny.

– To chyba oczywiste, że będzie dowodzić niewinności brata! Mówisz mi, że z powodu artykułu w jakiejś gazecie postanowiłaś wyruszyć na jednoosobową krucjatę, żeby oczyścić imię Olivera? Daj sobie spokój, Alice.

– Więc myślisz, że to w porządku, że zbrodnia ujdzie zabójcy na sucho?

Z irytacją unosi ręce.

– Nigdzie nie zajdziesz, chodząc w tę i we w tę. Możesz mieć te swoje dwa tygodnie, ale później chcę odzyskać mój dom.

– Dziękuję – mówię, ale Leo już wyszedł.

PRZESZŁOŚĆ

Spóźnia się. Znowu.

– Jak się masz? – pyta, gdy w końcu zajmuje miejsce.

Uśmiecham się.

– Nie do mnie powinno należeć pierwsze pytanie?

– Terapeutom też wolno mieć gorsze dni, prawda?

Miło słyszeć, że żartuje. To znak, że jest rozluźniona. Czy to oznacza, że w końcu powie mi to, co od dawna chcę usłyszeć?

– Nie, nie sądzę – mówię.

Śmieje się.

– Zaczynamy? – Przysuwam notes. – Mamy za sobą kilka sesji poświęconych zgłębianiu przyczyny twojego poczucia, że jesteś nieszczęśliwa. Opowiedziałaś mi o dzieciństwie, o wieku dorastania, o swojej pracy. Nasza wspólna konkluzja była taka, że masz za sobą w większości pozytywne doświadczenia. Sądzę, że teraz musimy skupić się na tym, kiedy zaczęłaś myśleć, że nie czujesz się szczęśliwa.

Jej czoło przecina drobna zmarszczka.

– Jeśli pamiętasz, na ostatniej sesji pojawiła się myśl, że możliwym źródłem twojego braku zadowolenia jest małżeństwo – przypominam.

– Rzecz w tym, że wcale tak nie uważam.

– Słucham?

– Nie jestem nieszczęśliwa.

Obracam głowę ku oknu, dając jej czas na przemyślenie tego, co właśnie powiedziała. Przez szczeliny w żaluzjach widzę jasno oświetlony trawnik ciągnący się po drugiej stronie ulicy.

– Jak mogłabym być nieszczęśliwa? – podejmuje. – Jestem żoną najcudowniejszego mężczyzny, który zrobiłby dla mnie wszystko, który daje mi wszystko, czego chcę. Głównie to mi się w nim podobało... i to, że różnił się od mężczyzn z moich stron rodzinnych. Jest prawdziwym dżentelmenem. – Śmieje się nerwowo. – Wiem, to brzmi staroświecko, ale taka jest prawda.

Z powrotem kieruję na nią uwagę i uśmiecham się.

– Nie ma nic złego w staroświeckości.

– Myślę, że dręczyło mnie poczucie winy. Czułam się winna, ponieważ mam tak wiele. I dlatego czułam się nieszczęśliwa, a nie z powodu Pierre'a. Kocham go. – Po chwili milczenia pyta: – Znasz ten cytat Henry'ego Davida Thoreau o wymykającym się szczęściu?

– Tak?

– Myślisz, że taka jest prawda?

– Myślę, że ten cytat jest wart starannej analizy.

– W takim razie może muszę skierować uwagę na inne rzeczy.

– To prawdopodobnie dobry pomysł.

– Problem w tym, że nie jestem pewna, od czego zacząć. – Patrzy na mnie. – Chciałabym nie bać się wszystkiego.

Odkładam pióro i zamykam notes.

— Pamiętasz z naszej pierwszej sesji rozmowę o terapii relaksacyjnej?

— Tak. To brzmiało ekscytująco.

Wstaję.

— Może zaczniemy?

TRZYDZIEŚCI TRZY

Debbie dzwoni następnego dnia rano.

– Jak się masz?

Z nią nie muszę udawać.

– Żałośnie. Między mną i Leo koniec.

– Tak mi przykro, Ali.

– Najgorsze jest to, że nikt nie zrozumie, dlaczego go zostawiłam. Nawet Ginny twierdzi, że oszustwo nie jest zbrodnią. Wszyscy będą myśleć, że go zostawiłam, bo siedział w więzieniu. I taka jest prawda. Ale nie tak, jak się wydaje.

– Leo rozumie?

– Nie jestem pewna. Po wszystkim, co mu powiedziałam, nie sądzę, żeby rozumiał. Ale ty tak, prawda, Debbie? Wiesz, dlaczego teraz nie mogę z nim żyć.

– Tak – odpowiada cicho. – Ale wiesz, jeśli chcesz, żeby ludzie cię zrozumieli, możesz im wszystko wytłumaczyć. Możesz wyjaśnić, dlaczego czujesz to, co czujesz.

– Nie mogę – mówię z napięciem w głosie. – Pomyślą, że nie potrafię wybaczać.

– Zadecydowałaś, co zrobisz?

– Leo pozwolił mi tu mieszkać przez dwa tygodnie, ale nie jestem pewna, co dalej. Mogę na trochę zatrzymać się u ciebie? Mój dom odzyskam dopiero w lutym, więc będę musiała coś wymyślić.

– Możesz zostać u mnie, jak długo chcesz, wiesz o tym. Tu raczej nie będziemy wchodzić sobie w drogę. Możesz zająć dwa pokoje na tyłach, w jednym urządzić gabinet i w zamian za to będziesz codziennie jeździć ze mną na Bonnie. Jak ci się to podoba?

Nagłe łzy zasnuwają mi oczy.

– Sielanka – mamroczę.

– Będzie dobrze.

– Mam nadzieję.

– Co dzisiaj robisz?

– Nie wiem. Nie jestem pewna, od czego zacząć. Czuję się trochę rozbita.

– W takim razie może zrób sobie wolne? Nie wątpię, że w Londynie można robić wiele rzeczy. Nie będziesz tam długo, więc mogłabyś pozwiedzać.

– Wiesz, to doskonały pomysł – mówię, czując się odrobinę lepiej.

Rozmawiamy jeszcze jakiś czas. Debbie sugeruje, żebym zabrała z domu tylko niezbędne rzeczy i umówiła się z Leo, że zostawię moje meble – biurko, toaletkę, która należała do mojej matki, etażerkę i komodę siostry, fotel taty – dopóki nie będę mogła ich zabrać do swojego domu.

– Jeśli się nie zgodzi, możesz przechować je w stodole – proponuje.

– Na pewno będzie dobrze. Nie chcę rozstawać się z Leo w niezgodzie. Będę chciała wiedzieć, co u niego, jak sobie radzi. – Zastanawiam się przez chwilę. – Wiesz, powiedziałam, że zostanę tu dwa tygodnie, ale gdybym postanowiła wyjechać wcześniej, będzie w porządku?

– Możesz zjawić się jutro, jeśli o mnie chodzi – zapewnia mnie radośnie. – A nawet dzisiaj.

– Dzięki, Debbie. Co ja bym bez ciebie zrobiła?

Kończymy rozmowę i decyduję się zrobić to, co zasugerowała. Sporządzam listę miejsc, które chcę zobaczyć przed powrotem do Harlestone, i zaczynam od Muzeum Wiktorii i Alberta. Samo siedzenie w metrze w otoczeniu ludzi zajętych codziennymi sprawami po raz kolejny mi uświadamia, jak klaustrofobiczne może być mieszkanie w Circle dla osób takich jak ja, które nie muszą wyjeżdżać stamtąd do pracy. Ci pracujący poza osiedlem z pewnością uważają je za przystań spokoju i przywilejów, za oazę w środku zatłoczonego, tętniącego życiem miasta.

Staram się nie myśleć o Leo, nie myśleć o niczym z wyjątkiem przyjemnie spędzonego dnia. W drodze powrotnej do domu wpadam na Eve.

– Cześć, Alice! – woła. Wskazuje moje torby. – Gdzie byłaś?

– Zrobiłam sobie wolne i wybrałam się do Muzeum Wiktorii i Alberta. Jest niesamowite. Później pokręciłam się po sklepach w South Kensington i kupiłam sobie parę rzeczy, a jeszcze później usiadłam w kawiarni i patrzyłam, jak pędzi świat.

– Miły dzień.

– W weekend zamierzam jeszcze trochę pozwiedzać. Jutro Tate Britain i jeśli znajdę czas, popłynę łódką do Tate Modern. Na niedzielę mam zarezerwowany bilet do pałacu Kensington, a po zwiedzaniu planuję spacer po Hyde Parku.

– Mają tam cudowną herbaciarnię, w Oranżerii. Koniecznie musisz tam zajrzeć.

– Dobry pomysł… A może wybierzesz się ze mną? – proponuję, bo przemyka mi przez głowę, że nie wiadomo, kiedy znów się zobaczymy. – Ja stawiam, w ramach rewanżu za to, że jesteś cudowną sąsiadką. – Nie chcę jej mówić, że wyprowadzam się z Circle, ponieważ zapytałaby dlaczego, a ja jeszcze nie mam gotowej odpowiedzi.

– Z przyjemnością, zwłaszcza że Will ma próby przez cały weekend.

– Super! Spotkamy się tam o piętnastej?

– Sądzę, że będzie potrzebna rezerwacja. Mam się tym zająć?

– Tak, dzięki.

*

Następnego dnia wieczorem dzwoni Thomas.

– Mam nadzieję, że nie masz nic przeciwko temu, że zawracam ci głowę w weekend. Byłem ciekaw, jak się masz.

– Dobrze, dzięki – odpowiadam, wzruszona, że zadzwonił. – Hm… niezupełnie świetnie, wciąż nie mogę się pogodzić z tym, że Leo nie był tym, za kogo się podawał. Próbuję oderwać od tego myśli, zwiedzając Londyn.

– Doskonały pomysł. Gdzie byłaś?

Mówię mu o wycieczkach do Muzeum Wiktorii i Alberta i do dwóch muzeów Tate.

– Jutro wybieram się do pałacu Kensington i na spacer po Hyde Parku. A ty? Zadowolony z weekendu?

– Tak, mam u siebie syna. Louis w weekendy jest na przemian albo ze mną, albo z moją byłą. Dzisiaj zabrałem go do Harry Potter World, co wymęczyło mnie znacznie bardziej niż jego.

Śmieję się.

– Mam nadzieję, że jutro będziesz miał spokojniejszy dzień.

– Ja też. Prawdopodobnie skończy się na kopaniu piłki w parku.

– To też będzie wymagać energii. Naprawdę cieszę się, że zadzwoniłeś, bo mam pytanie. Kiedy ostatnio do mnie przyjechałeś... chciałeś tylko zapytać, czy dostałam list od Helen? Przecież mogłeś po prostu zadzwonić.

– Masz rację, mogłem. Ale kiedy rozmawialiśmy tydzień wcześniej, rozłączyłaś się dość gwałtownie i nie wiedziałem, czy to ja cię zdenerwowałem, czy może coś, o czym mówiliśmy. Wciąż nie dawało mi to spokoju, więc kiedy Helen powiedziała o liście, uznałem to za dobry pretekst, żeby zajrzeć i sprawdzić, czy wszystko w porządku.

– To nie przez ciebie – zapewniam go. – I nie pamiętam, o czym rozmawialiśmy, ale na pewno nie zdenerwowało mnie nic, co powiedziałeś.

– Rozmawialiśmy o twojej sąsiadce i zastanawialiśmy się, czy komuś może się nie podobać twoje wypytywanie o Ninę.

– Ach, tak. – Przypominam sobie myśl, że Tamsin mogła przysłuchiwać się mojej rozmowie z Lorną. – Nadal nie wiem, co o tym sądzić. Chodziło mi o Tamsin, co do której miałam pewne podejrzenia, ale... hm... już się rozwiały. Jestem jednak pewna, że w Circle są tajemnice.

– Nie wątpię.

Myśl o Tamsin przypomina mi o czymś, o co zamierzałam spytać Thomasa.

– Słuchaj, Tamsin niedawno o czymś wspomniała. Po śmierci Niny ścięła włosy i zastanawiała się, czy nie kierował nią podświadomy niepokój, że jeśli zabójca ma obsesję na punkcie długich włosów, to może zasadzić się i na nią. Jak myślisz, to możliwe? To znaczy, czy zabójca ma obsesję?

– Niewykluczone. A może rozumie to tylko symbolicznie. Na przestrzeni dziejów ścinanie kobietom włosów było częstą karą za rozwiązłość, sposobem na pohańbienie. Podczas drugiej wojny światowej we Francji taki los spotkał wiele kobiet, które sypiały z Niemcami. Uważano je za kolaborantki.

– Więc jeśli morderca uważał, że Nina zachowuje się niemoralnie, ponieważ ma romans, to czy nie wskazuje to na Olivera?

– Albo kogoś, kto chciał mieć z nią romans i był zazdrosny, że romansuje z innym. Albo kogoś, kto potępiał jej romansowanie. – Thomas milknie na chwilę. – Wybacz, Alice, Louis czeka, żebym przeczytał mu bajkę na dobranoc. Muszę kończyć.

– Oczywiście.

Rozłączam się i uśmiecham, bo wyobrażam sobie, jak czyta bajkę synowi. Louis. Ładne imię.

TRZYDZIEŚCI CZTERY

Pada, więc zamiast pójść na spacer po Hyde Parku, zmierzam do Biblioteki Brytyjskiej, która zdumiewa mnie swoim ogromem. Mijając rzędy komputerów, przypominam sobie wczorajszą rozmowę z Thomasem, siadam więc przed jednym z nich i wpisuję „fetyszyzm włosów". Czytam kilka artykułów, a później pod wpływem impulsu wpisuję „fetyszyzm włosów zabójstwa". Pojawia się kilka linków do artykułów, które ukazały się we francuskich gazetach. Przeglądając je szybko, zdaję sobie sprawę, że wszystkie dotyczą tego samego zabójstwa, do którego doszło w Paryżu. Nieźle znam francuski i gdy czytam pierwszy artykuł, krew stygnie mi w żyłach. Zabójca przed uduszeniem ofiary, trzydziestojednoletniej Marion Cartaux, obciął jej włosy.

Przyglądam się jej zdjęciu. Jak Nina, była długowłosą blondynką. Spoglądam na datę zabójstwa – 11 grudnia 2017, mniej więcej piętnaście miesięcy przed śmiercią Niny.

Przeczytanie wszystkiego, co mogę znaleźć, nie zajmuje mi dużo czasu. Chcę pokopać głębiej, ale sprawdzam, która godzina, i zdaję sobie sprawę, że już jestem spóźniona na spotkanie z Eve.

Pędzę do Oranżerii.

– Przepraszam za spóźnienie – rzucam, chowając pod stołem mokrą parasolkę. Obejmuję Eve na powitanie. – Poszłam do Biblioteki Brytyjskiej i straciłam rachubę czasu, oglądając te wszystkie piękne pierwsze wydania.

– Kiedy zobaczyłam, że pada, pomyślałam, że może zmieniłaś plany.

– Pięknie tu – mówię, rozglądając się. – Cieszę się, że udało ci się zarezerwować stolik przy oknie.

– Mało brakowało, a nie udałoby mi się. Najwyraźniej trzeba rezerwować ze stuletnim wyprzedzeniem. Ktoś zrezygnował, więc dopisało mi szczęście.

Zamawiamy herbatę i gdy czekamy, Eve mówi, że nie mogła zasnąć i chciała do mnie zadzwonić, żeby pogadać, bo widziała u mnie zapalone światła.

– Szczerze mówiąc, dzisiejszej nocy dobrze mi się spało, chociaż wcześniej kilka razy myślałam, że ktoś jest w domu. Wiem, to tylko moja wyobraźnia – wyjaśniam, bo nie mam zamiaru przyznawać się, że wierzę w duchy. – Zawsze jednak zostawiam zapalone światło na schodach. – Ściąga brwi, więc dodaję z miną winowajcy: – Tak, nie powinnam marnować prądu, ale w ten sposób czuję się bezpieczniej.

Kręci głową.

– Nie dlatego się krzywię. Nina też parę razy myślała, że ktoś był u niej w domu. Zdarzało się to zawsze wtedy, kiedy nie było Olivera, więc spisywała to na karb przewrażliwienia. Mimo to się bała.

Serce mi łomocze.

– Kiedy to było?

– Kilka miesięcy przed jej śmiercią.

– Powiedziałaś o tym policji?

– Nie, ponieważ przypomniało mi się dopiero teraz, kiedy o tym wspomniałaś. I skoro działo się to w czasie nieobecności Olivera, myślałam to samo co ona: że czuje się bezbronna, bo jest w domu sama. Jeśli nie ma Willa, też jestem bardziej wyczulona na hałasy w domu. Wydaje mi się, że każde skrzypnięcie to kroki na schodach.

Prostuję się, żeby kelner mógł postawić na stole piętrową paterę z miniaturowymi kanapkami, babeczkami i innymi ciastami oraz dwa dzbanki herbaty.

– Co dokładnie powiedziała Nina? – pytam.

– Tylko tyle, że budziła się nagle z myślą, że ktoś jest w pokoju. Później to wrażenie znikało.

Sięgam po dzbanek i napełniam filiżankę Eve, nie chcąc, żeby widziała, jak podziałały na mnie jej słowa. Jeśli Nina doświadczała tego samego co ja, może czas przestać sobie wmawiać, że wyczuwam jej ducha, i zmierzyć się ze straszną możliwością, że ktoś naprawdę wchodzi w nocy do domu.

*

Nie mówię o tym Eve, ale po powrocie do domu otwieram laptop i znajduję mały hotel niedaleko Circle. Rezerwuję pokój na cztery noce, po czym idę na górę do sypialni, w której sypiałam z Leo, i pakuję do dużej płóciennej torby niezbędne rzeczy – piżamy, bieliznę, przybory toaletowe. Nie lubię się poddawać, lecz po rozmowie z Eve nie mogę spać w tym domu. Ale jeśli ktoś się tu dostaje, to którędy? I dlaczego wraca, ryzykując, że zostanie przyłapany? Jak udaje mu się wyjść niepostrzeżenie, bez zostawiania po sobie najmniejszych śladów? Ktokolwiek to jest, musi mieć klucze. A o ile wiem, mamy je tylko ja i Leo.

Otwieram szafę, żeby sięgnąć po dżinsy i koszulki, i wzdycham z irytacją. Moje buty znowu są poprzewracane i nagle przytłaczają mnie wspomnienia, jak bawiłam się z siostrą w chowanego w domu w Harlestone. Było tam mnóstwo kryjówek, ale Nina zawsze wybierała jedną z szaf, wiedząc, że będę się bała do niej zajrzeć, żeby mnie nie nastraszyła. Czasami brałam tatę do pomocy i podkradaliśmy się po cichu do szafy, w której, jak sądziłam, ukrywała się siostra. Kiedy otwierałam drzwi, tata ryczał i rzucał się między rzeczy jak tygrys, strasząc Ninę bardziej, niż ona wystraszyłaby mnie. Nieraz wybieraliśmy niewłaściwą szafę i kończyło się to zbiorowym atakiem śmiechu.

Mruganiem przepędzam łzy wywołane szczęśliwymi wspomnieniami. Tęsknię za siostrą, tęsknię za rodzicami, tęsknię za wszystkim, co nas ominęło. A później, gdy stoję przed szafą, coś wpada mi do głowy. Ktoś w pewnym momencie się w niej ukrywał.

Oszołomiona, opadam na łóżko. To na pewno Leo. Tamtego dnia, kiedy myślałam, że widziałam go w oknie gabinetu, poczułam w sypialni zapach jego wody po goleniu. Myślałam, że schował się za drzwiami łazienki, ale musiał być w szafie. Powiedział, że go tu nie było, i Ginny potwierdziła, że kiedy do mnie zadzwonił, siedział na górze w ich pokoju gościnnym. Ginny nie okłamałaby mnie, więc na pewno się wykradł, gdy nie patrzyła, podczas gdy Mark grał w golfa z Benem. Dlaczego nie chciał, żebym wiedziała, że tu był? Nie potrafię tego pojąć. To dziwaczne, żeby dorosły mężczyzna chował się w szafie. Czy w ogóle by się tam zmieścił? Jest bardzo głęboka, ze sporą odległością między drzwiami i drążkiem na wieszaki, więc to całkiem możliwe.

Wchodzę do szafy, obracam się twarzą do sypialni i zamykam drzwi. Mieszczę się bez problemu i Leo też by się zmieścił, gdyby zrobił sobie miejsce na nogi. Co ważniejsze, jeśliby teraz ktoś wszedł do sypialni, widziałabym go przez szczeliny między listewkami w drzwiach. Ale mnie ten ktoś by nie zobaczył.

Wychodzę z szafy, przerażona myślą, że Leo się w niej ukrywał. Chcę opuścić sypialnię, opuścić ten dom. Sięgam do półki nad drążkiem, gdzie leżą starannie złożone swetry. Ten, który chcę wziąć – granatowy, pasujący do dżinsów – leży na samym spodzie. Wsuwam pod niego rękę, żeby ściągnąć go z półki bez naruszania pozostałych, i moje palce muskają coś miękkiego jak futro. Z krzykiem odruchowo cofam rękę, trzęsąc się na myśl o tym, czego dotknęłam – może to zdechła mysz albo wielki pająk. Czekam, aż serce mi się uspokoi. Mam zamiar podnieść wszystkie swetry, żeby zobaczyć, co jest pod nimi. Nie chcę ich wysuwać, żeby to coś nie spadło mi na głowę. Półka jest za wysoko, więc przynoszę krzesło z kąta pokoju i stawiam je przed szafą. Wchodzę na nie i przygotowując się wewnętrznie, ostrożnie podnoszę swetry.

Krzyczę, tracę równowagę i padam na oparcie krzesła. Swetry wylatują mi z rąk i ląduję na podłodze. Bolą mnie łokieć, lewa noga i tył głowy. Po dłuższej chwili zmuszam się, żeby wstać, podpierając się o przewrócone krzesło i ignorując igły bólu przeszywające ramię. Do oczu napływają mi łzy przerażenia. Chcę wierzyć, że wyobraziłam sobie długie jasne włosy ukryte pod swetrami, ale wiem, że jest inaczej. Mam w głowie kłębowisko myśli: to nie mogą być włosy Niny Maxwell, niemożliwe. Leo jej nie znał, nie zabił jej, nie mógłby, nie chciałby... Tylko dlaczego chciał kupić akurat ten dom? Dochodzę do przerażającego wniosku: znał Ninę, zabił ją tutaj, ściął jej włosy i zachował je jako trofeum. A teraz wrócił na miejsce zbrodni.

Strach, że to włosy Niny, jest większy niż ból. Sięgam po komórkę, żeby zadzwonić na policję, i natychmiast uświadamiam sobie, że wyjdę na wariatkę. Może jestem wariatką, może to moja chora wyobraźnia, może widziałam coś innego. Drżąc, powoli zbliżam się do szafy i wyciągam szyję, żeby zajrzeć na półkę. Wciąż tam jest – długi jasny koński ogon, z obu stron przewiązany czerwoną wstążką.

Tylko że Leo nie zabił Niny. I gdy analizuję, dlaczego nie może być mordercą Niny, wciąż wpatruję się we włosy i nagle mój umysł rejestruje, że coś jest z nimi nie tak. Przysuwam się, żeby spojrzeć z bliska; są nienaturalnie lśniące, wyglądają zbyt idealnie. Nie chcę ich dotykać, ale muszę wiedzieć, więc w końcu wyciągam rękę i ostrożnie przeciągam po nich palcem. I oddycham z ulgą. Są syntetyczne.

Padam na łóżko. Dlaczego Leo ukrył w szafie pęk syntetycznych włosów, które każdy – każdy, kto wie, co spotkało Ninę Maxwell w tym domu – wziąłby za jej włosy? Czy włożył je tutaj, żeby mnie nastraszyć? Czy widział, jak tamtego dnia zabrałam klucz z jego portfela, i postanowił się odegrać?

Ogarnia mnie zimny gniew. Mam ochotę zadzwonić na policję i zgłosić, że znalazłam w szafie włosy zamordowanej kobiety, że mają aresztować mojego partnera. Ale najpierw przyjadą sprawdzić i wtedy zobaczą, że są sztuczne. Może powinnam zadzwonić do Leo i udać, że powiadomiłam policję, trochę go nastraszyć. Ale wyśmieje moją naiwność, powie mi, że to tylko żart. Jestem przerażona tym, jak mało go znam, przerażona, że upadł tak nisko. Wściekła, piszę do niego SMS-a. **Do twojej wiadomości: te włosy są żałosne!** Odpowiada prawie od razu: **Zrobiłem to nie po to, żeby ci się podobało.**

Podnoszę granatowy sweter, ale inne zostawiam na podłodze, bo chcę jak najszybciej wyjść domu. Boli mnie ramię; idę do swojego gabinetu i ściągam koszulkę, żeby je obejrzeć. Poniżej łokcia, gdzie uderzyłam się o krzesło, jest spora opuchlizna. Idę o zakład, że na nodze pojawi się wielki siniak. Mam też guza na potylicy.

Muszę się napić wody, więc idę do kuchni. Znów widzę swoje włosy na blacie i to przelewa czarę goryczy w tym i tak już parszywym dniu. Chcę zgarnąć je do kosza i zamieram. W świetle jarzeniówki przymocowanej do spodniej strony szafki nad blatem są jasne, zdecydowanie jaśniejsze niż moje. Ostrożnie podnoszę jeden i próbuję palcami wyczuć jego strukturę. Nie jest prawdziwy.

Biegnę z nim na górę do sypialni i wyjmuję z półki koński ogon. Trudno mi ogarnąć ten nowy zwrot w grze Leo. Nigdy mu nie powiedziałam, że po śmierci rodziców i siostry wychodziły mi włosy, więc nie miałby pojęcia, jak bardzo zdenerwuje mnie znajdowanie ich. Musiał mieć jakiś inny motyw. Czy chciał, żebym myślała, że to włosy Niny? Czy w nocy ukradkiem chodził po domu, rozrzucając włosy, żebym je później znalazła? Niemożliwe. Za pierwszym razem, w sobotę po parapetówce, to on kogoś usłyszał, nie ja. Chyba że tylko udawał, żebym w przyszłości winiła nocnego intruza za hałasy w domu.

Ale dlaczego miałby to robić? Odpowiedź napływa prawie natychmiast. Zrobił to po to, żebym – gdy dowiem się o Ninie i nie będę chciała z nim być z powodu jego kłamstwa – była zbyt przerażona, żeby tu zostać. Wtedy miałby dom wyłącznie dla siebie.

Tylko że wyszło zupełnie inaczej. On się wyprowadził, a ja zostałam. Dlatego przeniósł swoją grę na wyższy poziom i zaczął skradać się nocą po domu z nadzieją, że w ten sposób zmusi mnie do wyprowadzki. Przypominam sobie, że przecież większość czasu spędzał w Birmingham, nie w Londynie. Ale nie wiem, czy rzeczywiście tam nocował. Mógł być tutaj, w hotelu, i rano dojeżdżać do Birmingham, jak wcześniej. Próbuję pogodzić Leo, którego znam, z człowiekiem skradającym się nocą po domu, żeby nastraszyć swoją partnerkę i zmusić ją do wyprowadzki, ale nie mogę. Jestem śmieszna. Gdyby Leo chciał, żebym się wyprowadziła, po prostu powiedziałby mi o tym. W końcu to jego dom.

TRZYDZIEŚCI PIĘĆ

Hotel jest uroczy, pokój pięknie urządzony w subtelnych odcieniach szarości, z szarą marmurową łazienką i białymi puszystymi ręcznikami. Ogarnia mnie ulga. Po raz pierwszy od tygodni czuję się bezpiecznie.

Nie chcąc, żeby Ginny i Eve martwiły się o mnie, wysyłam im wiadomość, że nie będzie mnie przez kilka dni i że w czwartek wrócę do domu. Proszę Ginny, żeby nie mówiła o tym Leo, a ona obiecuje, że tego nie zrobi. Jeśli Leo dowie się, że mieszkam w hotelu, może wprowadzić się do domu.

Rzucam się na łóżku przez całą noc i rankiem czuję się tak pusta, że marzę o tym, żeby hibernować tu do czwartku rano. Miałam zamiar pracować, ale nie chcę myśleć o niczym, ani o tłumaczeniu, ani o rodzicach i siostrze, ani o Leo i jego kłamstwach, ani o zamordowaniu Niny Maxwell. Chcę leżeć w ciemności z zaciągniętymi zasłonami i odciąć się od wszystkiego.

Przez następne dwa dni śpię, słucham podcastów, biorę długie kąpiele, zamawiam jedzenie do pokoju i mówię ślicznej dziewczynie, która je przynosi, że kiepsko się czuję. W pewnym momencie przyłapuję się na myśleniu o Thomasie. Przypominam sobie, że nie powiedziałam mu o morderstwie we Francji. Dzwonię do niego.

– Obie miały ścięte włosy – mówię, gdy już skończyłam opowiadać o sprawie Marion Cartaux. – Myślisz, że te zabójstwa mogą być powiązane?

– Możliwe. Chociaż jest bardziej prawdopodobne, że zostały popełnione przez dwie różne osoby z tym samym fetyszem. To irytujące, że nikt z mojego zespołu... łącznie ze mną, skoro o tym mowa... nie pomyślał, żeby szukać tropów za granicą. Byłabyś doskonałym detektywem, Alice.

– Dziękuję – rzucam zadowolona.

– Każę ludziom pokopać i odezwę się do ciebie. – Wyczuwam, że się waha. – Może mógłbym zajrzeć jutro po południu i podzielić się z tobą tym, co znalazłem? Albo w piątek, jeśli wolisz.

– Jutro bardziej mi odpowiada.

– O drugiej?

– Doskonale.

Rozłączam się. Mogłam wybrać piątek, bo wtedy już byłabym w domu, ale nie chcę tak długo czekać.

*

Następnego dnia przed południem idę do domu. Gryzie mnie sumienie, bo nie mogę się doczekać spotkania z Thomasem, a przecież dopiero co zerwałam z Leo. Ale w tym momencie Thomas jest jedną z niewielu osób, którym mogę ufać.

Jest rześki październikowy dzień i poza gromadką rodziców i dzieci na placu zabaw skwer jest prawie pusty. Zerkam na dom Tamsin, zastanawiając się, jakie ma plany na przedpołudnie, i dostrzegam kogoś w oknie na piętrze. Nie mogę rozpoznać, czy to ona, czy Connor, ale unoszę rękę na powitanie, wiedząc, że ten ktoś mnie widzi.

– Alice!

Odwracam się. Biegnie za mną Will w kolorowym szaliku na szyi.

– Cześć, Will – rzucam radośnie, mając nadzieję, że nie widział, jak wychodziłam z hotelu. Powinnam wybrać jakiś inny, położony dalej od Circle. – Byłeś na zakupach?

– Nie, tylko na spacerze. Czytam nowy skrypt nowej roli i musiałem zrobić sobie przerwę. Już wróciłaś? Eve mówiła, że wyjechałaś.

Zbyt późno przypominam sobie, że miało mnie nie być do jutra.

– Tak, wróciłam.

Z roztargnieniem kiwa głową.

– Eve naprawdę dobrze się bawiła w Oranżerii.

– Ja również. Nie wiem jak ona, ale ja za dużo zjadłam.

– Aha, słuchaj… Eve mówiła, że parę razy myślałaś, że ktoś był nocą w domu?

– To tylko rozbudzona wyobraźnia. – Zastanawiam się, dlaczego o tym wspomina.

Mierzy mnie uważnym spojrzeniem.

– Nie chcę cię martwić, ale chyba Eve ci powiedziała, że Nina myślała to samo.

– Tak, mówiła.

– W takim razie… Na pewno chcesz tam mieszkać sama? Jeśli Leo jeszcze nie wraca, możesz pomieszkać u nas.

– Dzięki, ale naprawdę nic mi nie jest.

Patrzy na mnie swoimi niebieskimi oczami.

– Przepraszam, Alice, ale nie rozumiem, dlaczego chcesz ryzykować... po tym, co spotkało Ninę.

– Przecież zabił ją Oliver, więc co może mi grozić?

– A jeśli to nie on?

Zatrzymuję się.

– Co powiedziałeś?

Wbija ręce w kieszenie.

– Tylko tyle, że nigdy nie pasowała mi teoria, że to on ją zabił. Nie znałem go dobrze, byliśmy sąsiadami tylko przez pięć miesięcy, ale znałem go na tyle, że byłem zszokowany równie mocno jak wszyscy inni, kiedy został oskarżony o zamordowanie żony. Gdy usłyszałem, że samobójstwo dowodzi jego winy... nie mogłem w to uwierzyć. Nie wychylałem się ze swoją opinią, bo przecież inni znali go lepiej niż ja, i w końcu doszedłem do przekonania, że musiał mieć w sobie coś, czego nie zauważyłem. Później zjawiłaś się ty i zaczęłaś dopytywać, i teraz sam już nie wiem. A jeśli prawdziwy zabójca nadal mieszka wśród nas, ukrywając się na widoku?

Wydaje się taki szczery, tak absolutnie szczery. Ale jakiś głos w głębi mojej głowy szepcze, że jest aktorem, niesłychanie dobrym aktorem. Skoro Eve powtórzyła mu naszą rozmowę w Oranżerii, to czy powiedziała mu również o tym, co mówiłam w ubiegłym tygodniu: że już nie mam żadnych podejrzeń co do mieszkańców Circle? Czy Will zastawia na mnie pułapkę?

– Naprawdę przepraszam, jeśli to przeze mnie zacząłeś wątpić w oficjalną wersję – mówię, ruszając z miejsca, bo chcę jak najszybciej zakończyć tę rozmowę. – Z początku nie znałam wszystkich faktów, ale teraz naprawdę wierzę, że to Oliver zabił Ninę z powodu jej romansu. Nie wiem, dlaczego miałam co do tego wątpliwości, skoro policja uznała, że nie trzeba kontynuować dochodzenia. – Śmieję się z zakłopotaniem, bo ja też umiem grać. – Czasami zastanawiam się, czy w ten sposób nie chciałam stać się bardziej interesująca, niż jestem... wiesz, próbując zaistnieć w Circle.

– Hm... w takim razie chyba też będę musiał się pogodzić z tym, że sprawcą był Oliver – mówi, a ja nie potrafię ocenić, czy jest rozczarowany, czy odczuwa ulgę.

Docieramy do furtki naprzeciwko naszych domów.

– Powodzenia ze skryptem – rzucam, skręcając w stronę mojego podjazdu.

– Dzięki, Alice. I pamiętaj, gdybyś czegoś potrzebowała, jestem tuż obok.

Przenika mnie mimowolny dreszcz. Jego słowa powinny podnieść mnie na duchu, ale odbieram je jako groźbę.

TRZYDZIEŚCI SZEŚĆ

Thomas zjawia się o wpół do trzeciej, w granatowym garniturze i jasnoniebieskiej koszuli. Jest bledszy niż zwykle.

– Wracam od Helen – mówi.

– Co u niej?

– Niedobrze. Czasami to trudne, gdy się pamięta, jaka była.

– Przykro mi. – Znowu się zastanawiam, czy łączy ich coś więcej niż przyjaźń.

Idziemy usiąść w kuchni.

– Mieliśmy kilka randek na studiach. – W zadziwiający sposób odgaduje moje myśli. – Ale zrozumieliśmy, że jesteśmy lepszymi przyjaciółmi niż parą. – Wsuwa rękę do kieszeni marynarki i wyjmuje portfel. – To my w lepszych czasach. – Pokazuje mi zdjęcie. – Zabrałem je dziś ze sobą, żebyś zobaczyła Helen.

Przez chwilę przyglądam się fotografii. Thomas w młodszej wersji ma dłuższe włosy i obejmuje ładną dziewczynę o roześmianych oczach. Wglądają tak beztrosko, że zastanawiam się, jak trudne dla Helen musi być patrzenie na to zdjęcie.

– Cieszy się, że nie wiedziała, że w wieku czterdziestu trzech lat rozstanie się z życiem – kontynuuje Thomas. – Czasami zastanawiam się, czy Nina miała tę samą myśl, kiedy już wiedziała, że umrze.

Oddaję mu fotografię.

– Nie...

– Przepraszam – rzuca skruszony. – Po odwiedzinach u Helen zawsze ogarnia mnie przygnębienie, ale zabieranie go do pracy jest nieprofesjonalne.

Czuję przelotne rozczarowanie na myśl, że wizytę u mnie traktuje jako pracę.

– Poza tym nie miałem czasu na lunch, więc pewnie spadł mi cukier – dodaje. – Jestem diabetykiem.

Skaczę na równe nogi.

– Dlaczego nic nie powiedziałeś? Zauważyłam, że jesteś blady. Zrobię ci coś do jedzenia... Na co masz ochotę?

– Wystarczy herbatnik albo banan, jeśli masz.

– Mam, ale też nie jadłam lunchu i zamierzałam zrobić sobie omlet. Może być z serem i pieczarkami?

– Brzmi apetycznie, nie chcę ci jednak robić kłopotu.

– Żaden problem.

Wyjmuje komórkę i kładzie na stole.

– Niestety, nie mam żadnych wiadomości o tym zabójstwie we Francji – mówi. – Powinienem coś wiedzieć przed końcem tygodnia.

– Nie znalazłam żadnej wzmianki o tym, że kogoś aresztowano.

– Ja też nie. Dlatego myślę, że śledztwo nie zostało zamknięte. Mimo to nadal uważam, że próba doszukiwania się związku między zabójstwami, do których przecież doszło w dwóch różnych krajach, jest mocno chybiona.

Obierając pieczarki, relacjonuję mu rozmowę, którą podsłuchałam, gdy poszłam do Tamsin na kawę. Źle się czuję, mówiąc mu o tym, ale chcę, żeby wiedział.

– Czy Leo wie o lukach w ogrodzeniu między waszym domem i domami sąsiadów?

– Tak, powiedziałam mu. Uznał to za dobry pomysł.

– Mam nadzieję, że nie będziesz miała mi za złe, jeśli spytam, jak się między wami układa?

– Na razie tu nie mieszka.

– Przykro mi.

Odwracam się, nie chcąc myśleć o Leo. Wlewam roztrzepane jajka na dwie patelnie i smażę je powoli. Prosty akt zawijania usmażonych skrajów do środka i patrzenie, jak surowe jaja zapełniają wolne miejsce, ma w sobie coś dziwnie kojącego.

– Poznałaś już męża Tamsin? – pyta Thomas.

– Tak.

– Co o nim myślisz?

– Nie jest mordercą, jeśli o to ci chodzi.

– Nie powiem ci niczego, czego już byś nie wiedziała, ale czasami pozory mylą.

– Masz rację, już to wiem – mówię ze smutkiem. Wrzucam pieczarki na patelnie i posypuję omlety serem.

Thomas zdobywa się na współczujący uśmiech.

– Ale jeśli Tamsin myśli, że miał romans z Niną…

– Nie miał – przerywam mu szybko, po czym streszczam rozmowę z Tamsin w kawiarni. – Tyle tylko, że nie jestem pewna, ile z tego było szczere.

– To znaczy?

Składam omlety na pół, lekko przyciskam je łopatką, żeby stopił się ser.

– W głębi duszy zastanawiam się, czy Tamsin nie wprowadza mnie w błąd. Kiedy ludzie pytali, jak dowiedziałam się o morderstwie, wyjaśniałam, że zadzwoniła do mnie reporterka. Tamsin była przekonana, że przyciągnęłam zainteresowanie prasy dlatego, że policja wznowiła śledztwo. Zaprzeczyłam, ale z pewnością myśli, że wciąż jestem w kontakcie z reporterką. A jeśli celowo podsuwa mi błędne informacje? Te dwie następujące po sobie rozmowy... ta podsłuchana i ta nazajutrz z nią w kawiarni... Coś mi tu nie gra.

– Wygląda to tak, jakby Tamsin robiła wszystko, by cię przekonać, że jej mąż nie zabił Niny. Z drugiej strony, jak sama powiedziałaś, Connor niełatwo godzi się z odmową.

– Dokładnie wiem, jak Eve i Tamsin musiały się czuć, gdy usłyszały o romansie Niny. – Zsuwam omlety na talerze i zanoszę je do stołu. – W zeszłym tygodniu, kiedy dopuszczałam możliwość, że Leo znał Ninę, było mi naprawdę ciężko. Także Maria musiała się zastanawiać nad Timem, nawet jeśli nie trwało to zbyt długo. On jest najmniej prawdopodobnym kandydatem.

Thomas z uznaniem patrzy na omlet.

– Wygląda świetnie, dziękuję. – Bierze nóż i widelec. – Jestem ciekaw, dlaczego uważasz Tima za najmniej prawdopodobnego kandydata. Przecież mogło połączyć go z Niną wspólne zainteresowanie psychologią.

– Może, ale on i Maria naprawdę są solidną parą. Podobnie jak Eve i Will, dlatego postawiłabym na Connora.

Siadam naprzeciwko niego i obserwuję go ukradkiem spod rzęs, gdy je. Siedzenie z nim przy jednym stole wydaje się czymś naturalnym.

– Powiedziałeś, że Ninie obcięto włosy. Czy to mogło być czymś w rodzaju kary? Jeśli tak, czy nie jest bardziej prawdopodobne, że wymierzyła ją kobieta? – Natychmiast żałuję tych słów.

– Myślisz to co ja? – pyta Thomas, odczytując wyraz mojej twarzy.

– Nie wiem. Ale czuję się okropnie, że tak myślę.

– Tamsin zdecydowanie miała motyw – przyznaje. – Nie dosyć, że Nina odwróciła się do niej plecami, to jeszcze podejrzewała, że jej mąż miał z nią romans…

– Ale zawsze uważała, że Oliver nie zamordował Niny – przerywam mu. – Od początku nie wierzyła w jego winę. Dlaczego miałaby rozpowiadać, że zabił ją ktoś inny, gdyby to ona była zabójczynią?

– Przecież już doszliśmy do tego, że być może rozgrywa bardzo sprytną grę. I nie słyszałaś, jak mówiła, że każdy jest zdolny do morderstwa?

Nagle to mnie przerasta.

– Nie. Nie. Jestem na sto procent pewna, że to nie Tamsin. Nie mogę uwierzyć, że coś takiego wpadło mi do głowy. – Prostuję się na krześle, odczuwając potrzebę fizycznego zdystansowania się od Thomasa, od wszystkiego, co robimy. Wciąż jestem za blisko, więc wstaję i zbieram talerze. – Przepraszam, to nie w porządku. Czy nie możemy po prostu pogodzić się z tym, że Ninę zamordował Oliver?

– Jak wszyscy tutaj – zauważa cicho.

– Może to jednak on.

Podnosi się i bierze ode mnie talerze.

– Może tak. Ale dopóki nie będę wiedział tego na pewno, nie spocznę, dla Helen i Olivera. Wierz mi, gdybym uważał, że był winny, nie zajmowałbym się tą sprawą. Ale zbyt wiele rzeczy nie trzyma się kupy. Poza tym Oliver przysiągł siostrze, że to nie on. Helen twierdzi, że na pewno by jej nie okłamał, i ja jej wierzę. – Zanosi talerze do zlewu i obraca się twarzą do mnie. – Czuję się coraz bardziej nieprzyjemnie w związku z tym, że cię w to wciągnąłem. Nie jestem pewien... Może lepiej pójdę?

– Nie, proszę. Ale pogadajmy o czymś innym.

– Dobrze – zgadza się z ulgą. – Niezły pomysł.

Nie wiem, czy jest to skutkiem wspólnego posiłku, ale osiągamy etap, na jakim czujemy się swobodnie, wymieniając informacje o sobie. Thomas mówi mi, że rozwiódł się trzy lata temu i teraz mieszka w południowej części Londynu. Współczuję mu, gdy wyjaśnia, że chcieli dzielić się opieką nad sześcioletnim synem, ale zadecydowali, że ze względu na jego pracę na razie matka chłopca weźmie na siebie większość obowiązków.

– Wszystko się zmieni, kiedy we wrześniu Louis pójdzie do szkoły – dodaje Thomas. Zrobiłam kawę i znów siedzimy przy stole. – Jego nowa szkoła jest blisko mojego mieszkania, więc będzie u mnie co drugi tydzień. Nie mogę się doczekać. Tak bardzo mi go brakuje.

Mówi mi też, że wychował się na Sherlocku Holmesie i że po skończeniu psychologii i kryminologii zmienił plany i zamiast wstępować do policji, postanowił zostać prywatnym detektywem. Ja opowiadam o sobie i Leo, o tym, jak przeprowadzka do Londynu miała być dla nas nowym początkiem, jak czuję się winna, bo nie mogę wybaczyć mu kłamstwa, jaka jestem zdeprymowana tym, że mnie okłamał.

– Jeśli się nad tym zastanowić, to nic dziwnego, że wspólne życie wydało ci się trudne, skoro wcześniej widywaliście się tylko w weekendy – zauważa. – Dwa dni w tygodniu... przez ile czasu? Dwadzieścia miesięcy? To łącznie daje jakieś trzy do czterech miesięcy.

– Nigdy o tym nie pomyślałam – mówię z nieco mniejszym poczuciem winy.

Wspominam również o stracie moich bliskich. Wyznaję, że nie daje mi spokoju myśl, że zainteresowałam się zabójstwem Niny Maxwell z powodu siostry.

– Myślę, że gdyby nie Nina, moja siostra, nie byłoby mnie tutaj i nie rozmawiałabym z tobą, pomagając ci dociec prawdy. Mam mętlik w głowie, martwię się, że moje pobudki nie są najczystsze. Nie znałam Niny Maxwell, nie powinnam się angażować. Ale czasami ona i moja siostra nakładają się na siebie. Jest tak, jakby były jedną osobą.

Jego oczy są pełne współczucia.

– Jak sądzisz, dojdziecie z Leo do porozumienia?

– Nie. Nie ma już Leo i mnie. Ukrywanie przede mną prawdy i jego przeszłości jest nie do przyjęcia. Nie mogę z nim być.

Powoli kiwa głową.

– Co masz zamiar zrobić?

– To jego dom, więc wrócę do Harlestone. Zgodził się, żebym tu została do przyszłego weekendu. Pewnie uznał, że przynajmniej tyle może zrobić.

– Słuchaj... Helen pytała, czy może się z tobą spotkać. Nie zamierzałem o tym wspominać, bo nie wiedziałem, czy ta prośba nie będzie dla ciebie krępująca. Ale skoro masz tu być jeszcze tylko przez tydzień... – Zawiesza głos.

– Z przyjemnością się z nią zobaczę.

– Jesteś pewna?

– Tak.

Po raz pierwszy, odkąd się znamy, wygląda na lekko zdenerwowanego.

– Może w środę? Zabrałbym cię na lunch, a później odwiedzilibyśmy Helen?

Rumienię się z zadowolenia.

– To miłe.

– I może podczas lunchu wytłumaczysz mi, jak dostać się do Harlestone. Po prostu żebym mógł dać ci znać, jeśli będą jakieś postępy – dodaje z uśmiechem.

– Jasne. – Ja również się uśmiecham.

– Dobrze. – Patrzy na mnie z zaciekawieniem. – Jak Leo to przyjął, kiedy mu powiedziałaś, że to koniec?

– Z rezygnacją... tak mi się wydaje. Chodzi nie tylko o jego kłamstwa, ale również o ten głupi numer z włosami.

– Jaki numer?

– To naprawdę żenujące i dlatego nie wspomniałam ci o tym wcześniej.

– Co się stało?

Niechętnie, bo to stawia Leo w złym świetle, mówię mu o włosach rozrzucanych po całym domu i o jasnym końskim ogonie, który znalazłam w szafie.

– Pewnie próbował mnie nastraszyć, żebym myślała, że znajduję włosy Niny – dodaję. – Tylko że akurat to nie wpadło mi do głowy. Założyłam, że są moje, bo po śmierci rodziców i siostry włosy wypadały mi garściami. Myślałam, że sytuacja się powtarza, tym razem z powodu stresu związanego z wiadomością o morderstwie.

– Dlatego zawsze je podpinasz?

Unoszę rękę i z zakłopotaniem dotykam włosów.

– Tak, weszło mi to w nawyk. Poza tym myślę, że Leo w nocy skradał się po domu. To kolejna próba wypłoszenia mnie stąd. Nie mogę być z człowiekiem, który uważa, że manipulowanie drugą osobą jest w porządku.

Thomas ściąga brwi.

– O co chodzi z tym skradaniem się po domu? Przecież mówiłaś, że on tu nie mieszka.

Parskam śmiechem bez śladu wesołości.

– No właśnie.

– Nie jestem pewien, czy rozumiem.

– Były takie noce, kiedy wydawało mi się, że ktoś jest w pokoju i mnie obserwuje. Z początku byłam przerażona, ale nie działo się nic złego, więc zdołałam sobie wmówić, że nikogo nie było, że wyczuwałam ducha Niny Maxwell. – Palą mnie policzki. – Wiem, to brzmi głupio, ale po śmierci siostry wyczuwałam jej obecność, zwłaszcza w nocy, i łatwo było mi przekonać siebie, że tu doświadczam czegoś podobnego. Jak powiedziałam, nic nigdy się nie stało i nie znalazłam śladu, że ktoś był w domu w nocy, więc specjalnie się nie niepokoiłam. Ale pewnego dnia Eve powiedziała mi, że jakiś czas przed śmiercią Nina też zaczęła myśleć, że ktoś bywa w jej domu. To roztrzaskało moją teorię o duchu.

— Ale dlaczego Leo miałby to robić?

— Żeby mnie przestraszyć, żebym się wyniosła.

— Przecież dom należy do niego, więc mógł po prostu poprosić, żebyś się wyprowadziła.

— Tak… ale może chciał, żeby to wyszło ode mnie. Wtedy ludzie w Circle doszliby do wniosku, że odchodzę, bo boję się zostać w tym domu, a nie dlatego, że mnie wyrzucił. Wszyscy wiedzą, że nie powiedział mi o Ninie. Musi zrehabilitować się w ich oczach, jeśli ma zamiar tu mieszkać.

— Ale jeśli Nina też miała nocne wizyty, to musiał je składać ktoś inny. — Thomas patrzy na mnie z konsternacją. — Kto jeszcze ma klucze do twojego domu?

— Nikt, o ile mi wiadomo.

— Jesteś tego pewna? Dawanie kluczy sąsiadom na wypadek jakiegoś nieprzewidzianego zdarzenia nie jest niczym niezwykłym. Mój sąsiad ma moje klucze.

— Leo nie mówił, że dał komuś klucze, ale mogę go spytać.

— Pytałaś go o te nocne wizyty?

— Nie, pewnie dlatego, że nie wydawały się ważne w porównaniu z jego kłamstwami. Zapytałam go jednak o włosy. Napisałam mu w esemesie, że to było żałosne, a on odpisał, że nie zrobił tego po to, żeby mi się podobało. Dlatego się zastanawiam, czy w ogóle naprawdę go znałam. — Uśmiecham się ze smutkiem. — Możemy zmienić temat?

Gdy pół godziny później Thomas zbiera się do wyjścia, czuję, że w końcu zostaliśmy przyjaciółmi. Wiem, że podziela moje odczucia. I kiedy stoimy przy drzwiach, żegnając się, chyba żadne z nas nie ma ochoty zakończyć tego popołudnia.

– Na pewno chcesz dalej brać w tym udział? – pyta, wpatrując się we mnie w takim skupieniu, że nie mogę oderwać wzroku od jego oczu.

– Jeśli Oliver nie zabił Niny, chcę, żeby jej zabójca stanął przed sądem.

– Bez względu na to, kim jest? – pyta cicho.

Myślę o mieszkańcach Circle, z których kilkoro uważam za przyjaciół. Ale później myślę o Ninie, o tym, jak zmarła i jak cierpiała. I o siostrze, i o sprawcy jej śmierci, któremu nie została wymierzona sprawiedliwość.

– Bez względu na to, kim jest – oświadczam zdecydowanie.

TRZYDZIEŚCI SIEDEM

Przed powrotem do hotelu dzwonię do Leo. Wciąż jest w pracy, ale już się nie przejmuję, że mu przeszkodzę.

Przechodzę od razu do sedna.

– Czy poza tobą i mną ktoś ma klucze do domu?

– Czemu pytasz? Jest jakiś problem? Zatrzasnęłaś się i nie możesz wyjść? Mogę przyjechać.

– Nie, nie o to chodzi. – Robię głęboki wdech, żeby się uspokoić. – Chcę cię o coś spytać i zależy mi na szczerej odpowiedzi. Czy wchodziłeś do domu w nocy?

– Słucham?

– To proste pytanie, Leo. Czy przychodziłeś w nocy i skradałeś się po domu, próbując mnie przestraszyć?

– Proste i dziwaczne. Czemu miałbym to robić?

– Żeby mnie stąd wypędzić.

– Naprawdę myślisz, że zrobiłbym coś takiego? – Mówi cicho i przypominam sobie, że jest w pracy. – Tak czy owak, przez większość czasu jestem w Birmingham, nie pamiętasz?

– Ale nie przez cały czas.

– Możesz chwilę zaczekać? – Słyszę, jak mówi do kogoś, że potrzebuje paru minut, i znów się odzywa: – Słuchaj, może jestem nieuczciwy, ale nie jestem psychopatą.

– Poważnie? A co z włosami?

– Jakimi włosami?

– Z końskim ogonem w szafie.

– Nie mam pojęcia, o czym mówisz.

– Daj spokój, Leo, przyznaj się!

– Do czego?

Nie mogę powstrzymać złości. Jestem zmęczona jego kłamstwami, mam ich powyżej uszu.

– Do chowania włosów w szafie i rozsiewania ich po domu, żebym myślała, że należały do Niny!

Przez długą chwilę panuje cisza.

– Alice, zaczynam się o ciebie martwić. Naprawdę nie mam pojęcia, o czym mówisz.

Spokój w jego głosie rozwścieca mnie jeszcze bardziej.

– Napisałam do ciebie wiadomość! Napisałam, że te włosy były żałosne, a ty odpisałeś, że nie zrobiłeś tego po to, żeby mi się podobało!

– Chodziło mi o mój zarost. Nie zapuściłem brody dla ciebie, nie próbowałem w ten sposób zrobić na tobie wrażenia. Po prostu nie goliłem się przez kilka dni i spodobał mi się zarost, więc wpadłem na pomysł, że zapuszczę brodę. – Milknie. – Możemy się cofnąć? Do tego miejsca, jak mnie oskarżyłaś o skradanie się po domu?

Wciąż próbuję dojść do ładu z tym, co powiedział o włosach.

– Nie zmyślam, Leo.

– Nie powiedziałem, że zmyślasz. Sam sądziłem, że ktoś był w domu po parapetówce, pamiętasz?

– Po paru pierwszych razach myślałam, że to sobie wyobrażam – mówię. – Bo nigdy nic się nie stało. Ale Eve powiedziała, że Nina jakiś czas przed śmiercią też uważała, że ktoś pojawia się w jej domu.

– Po paru pierwszych razach? – Podnosi głos, wyraźnie zaalarmowany. – Ile razy to było?

– Nie wiem. Cztery, może pięć.

– I mogłaś tam wytrzymać?

– Tak, bo nigdy nic się nie stało – powtarzam. – Jak mówiłam, byłam przekonana, że ponosi mnie wyobraźnia. Ale wracając do mojego pierwszego pytania: czy ktoś ma klucze do domu?

– Tak, Will i Eve. Dałem Willowi komplet, kiedy się wprowadziliśmy.

Skacze mi ciśnienie.

– Rozumiem.

– Chyba nie myślisz poważnie, że któreś z nich wchodziło w nocy do domu i próbowało cię straszyć?

– Nie – odpowiadam, chociaż mój mózg wywrzaskuje imię Willa.

– A o co chodziło z tymi włosami w szafie?

Wzdrygam się wewnętrznie, znowu skołowana.

– Przepraszam, ktoś do mnie dzwoni. To Debbie. Mogę zadzwonić później?

– Jasne.

Rozłączam się. Debbie nie dzwoni, ale muszę pomyśleć. Naprawdę muszę pomyśleć.

*

Dziesięć minut później jestem przed drzwiami Eve i czekam, aż otworzy.

– Świetne wyczucie czasu! – woła.

Słyszę głosy dochodzące z kuchni. Szerzej otwiera drzwi.

– Wejdź.

– Nie, nie chcę przeszkadzać, ja tylko…

Łapie mnie za rękę.

– Nie bądź głupia, inni tu są. Dzieciaki trochę hałasują, ale zadecydowałam, że dziś pora na herbatę u mnie.

– Dzięki. – Przypominam sobie, że po środowych zajęciach jogi Eve, Tamsin i Maria odbierają dzieci ze szkoły, a potem idą do którejś z nich na podwieczorek.

Wchodzę do kuchni, która jest pełna ludzi. Ochłodziło się, ale drzwi do ogrodu są otwarte. Trzej chłopcy Marii i dwie córeczki Tamsin biegają tam i z powrotem, porywają ciastka ze stołu i niosą je na dwór. Tamsin i Maria siedzą przy stole, a Will i Tim stoją oparci o blaty z kubkami herbaty w rękach.

– Cześć, Alice – witają mnie chóralnie.

Macham do nich ręką.

– Cześć wszystkim. – Spoglądam na Willa i Tima. – Nie miałam pojęcia, że wy też bierzecie udział w środowych herbatkach.

– Dziś jesteśmy tylko członkami honorowymi, bo przypadkiem obaj jesteśmy w domu – wyjaśnia Will. – Spróbuj tego, Alice, pychota.

– Siadaj. – Eve sadowi się na blacie blisko stołu. – Will, podaj Tamsin kubek dla Alice.

Wysuwam krzesło obok Marii, która odkrawa dla mnie kawałek ciasta, podczas gdy Tamsin nalewa herbatę.

– Dzięki. – Staram się nie myśleć, że w tym czy innym czasie podejrzewałam trzy obecne tu osoby o zamordowanie Niny.

– Dobrze się bawiłaś? – pyta Eve.

– Tak, dzięki. Prawdę mówiąc, dlatego przyszłam. Debbie, przyjaciółka, u której się zatrzymałam, wpadnie do mnie na kilka dni i chciałabym dać jej klucze, żeby nie musiała być zależna ode mnie. Leo powiedział, że macie nasz komplet.

– Tak, zaczekaj chwilę. – Will podchodzi do ściany przy lodówce. – Co u niego?

– Doskonale, dzięki. Jak zwykle ciężko pracuje. – Nadal nie czuję się gotowa, żebym im powiedzieć o zerwaniu.

– Gdzieś tu są – mruczy Will, wodząc wzrokiem po rzędzie kluczy. Zdejmuje jedno kółko. – To nie te?

– Te są moje – oznajmia Tamsin.

– Tak myślałem. – Will ze ściągniętymi brwiami zwraca się do Eve: – Poza zapasowymi kluczami twojej mamy tylko klucze Tamsin nie są nasze. Masz klucze Alice?

– Nie, nawet nie wiedziałam, że u nas są.

– Leo mi je dał po tym, jak się wprowadzili. Powiesiłem je z innymi. – Odwraca się plecami do haczyków. – Chodź i rzuć okiem, Alice. Rozpoznasz je szybciej niż ja.

Zostawiam ciasto i podchodzę do niego.

– Widzisz je? – pyta.

– Nie.

– Były tu. Pamiętam breloczek z numerem sześć. Nie przypominam sobie, czy Leo je odbierał, ale może go spytasz.

– Niedawno z nim rozmawiałam, to on mi powiedział, że są u was.

Will drapie się po głowie.

– Nie mam pojęcia, gdzie mogą być. – Zwraca się do żony: – Przełożyłaś je gdzieś?

– Przecież nawet nie wiedziałam, że je mamy – odpowiada wyniośle Eve i zsuwa się z blatu. – Może są w gabinecie.

– Co miałyby tam robić?

– Nie wiem, ale to jedyne miejsce, jakie przychodzi mi na myśl. Chodź ze mną, Alice.

Idę z nią do gabinetu i przeszukujemy biurko oraz szuflady. Ani śladu kluczy.

– Dziwne – mruczy Eve. – Przepraszam, Alice, poszukam, gdy wszyscy pójdą.

Nie sprawia wrażenia przejętej i do możliwości, które już kłębią mi się w głowie, dochodzi jeszcze jedna. Żadna z nich mi się nie podoba. Czy Will kłamie? Może położył klucze gdzieś indziej, a może są w kieszeni dżinsów, które miał na sobie podczas ostatniej nocnej wizyty. Ale może to nie on; może ktoś zobaczył nasze klucze na ścianie przy lodówce i je zabrał. Spoglądam na Tamsin, później na Tima i Marię. Wszyscy są tutaj częstymi gośćmi.

– Nie ma problemu – rzucam. Ale problem jest. Teraz już wiem, że to nie Leo kręci się po domu, więc nie będę w stanie tam spać, gdy jutro wymelduję się z hotelu, nie po tym, jak zginęły klucze.

Dojadam ciasto, dziękuję za poczęstunek i wychodzę.

– Kiedy przyjeżdża twoja przyjaciółka? – pyta Will, idąc ze mną do drzwi.

– W piątek.

– Miejmy nadzieję, że do tego czasu klucze się znajdą.

*

Jestem już w pokoju hotelowym, gdy dzwoni Ginny.

– Jak się masz? – rzuca.

– Świetnie.

– Na pewno?

– Tak, a dlaczego pytasz?

– Dzwonił Leo. Martwi się o ciebie, Alice. Powiedział, że oskarżałaś go o nocne skradanie się po domu i o rozrzucanie włosów, czego zupełnie nie jestem w stanie pojąć.

– Zaszło nieporozumienie. A poza tym przesadza.

– Hm… – Nie wydaje się przekonana. – Wciąż jesteś poza domem?

– Tak.

– Wybacz, ale czegoś nie rozumiem. Prosisz Leo, żeby pozwolił ci mieszkać w domu przez dwa tygodnie, i wyprowadzasz się do hotelu?

– Wracam jutro.

Wzdycha.

– Powiesz mi, co się dzieje?

– Nic się nie dzieje. Przepraszam, naprawdę muszę kończyć. Mogę zadzwonić jutro rano?

– Pewnie, ale…

– Dzięki, Ginny, jutro pogadamy.

PRZESZŁOŚĆ

Podoba mi się moja nowa pacjentka. Już mogę powiedzieć, że będzie dla mnie wyzwaniem, ale to dobrze. Siedzi naprzeciwko mnie ze smukłymi nogami założonymi jedna na drugą, emanując pewnością siebie. Jest kobietą pogodzoną ze sobą. Ale wszyscy mamy w sobie mrok i im głębiej jest pogrzebany, tym większe budzi zainteresowanie.

Biorę notes ze stołu i wyjmuję z kieszeni długopis. Równie dobry do sporządzania notatek byłby laptop, ale pacjentki wciąż lubią widzieć staromodny notes. Problem z używaniem ekranu jest – jak się domyślam – taki, że pacjent nigdy nie wie, co za nim robimy: czy notujemy, czy może oglądamy coś na Netflixie.

Zaczynam zadawać standardowe pytania, a ona, rozbawiona, unosi brew.

– Serio?

Robię niezadowoloną minę. Skruszona, prostuje się, zdejmuje nogę z nogi, wygładza spódnicę i skupia się na udzielaniu odpowiedzi.

– *Dlaczego pani tu jest?* – *pytam, gdy docieramy do końca. Następnie wygłaszam formułkę, że wszystko, co powie, zostanie w tym pokoju.*

W tym pokoju... Rozglądam się, patrzę na bladoróżowe ściany, na wychodzące na ulicę okno bez żaluzji, które chroniłyby nas przed ciekawskimi oczami. Są tylko zasłony, ale nie mogę ich zaciągnąć o tej porze dnia. Dlatego siedzimy w głębi pokoju. Dyskrecja, jak zawsze, jest na pierwszym miejscu.

– *Nie mam żadnych poważnych problemów – mówi. – Po prostu uznałam, że terapia dobrze mi zrobi. Chciałabym się przekonać, jak to jest. I porozmawiać. Rozmowa zawsze jest dobra, prawda?*

– *Oczywiście.*

Więc rozmawiamy o jej dzieciństwie – szczęśliwe; o wieku dorastania – bez większych problemów; o pracy – uwielbia ją. Nie mówi tylko o mężu. Wiem, że jest zamężna, więc ta wstrzemięźliwość sama w sobie jest wymowna.

Odkładam notes.

– *Jak długo jest pani mężatką?* – *pytam.*

Patrzy na mnie z zaskoczeniem, więc wskazuję wąską złotą obrączkę na serdecznym palcu jej lewej ręki.

– *Może owdowiałam – rzuca.*

– *Owdowiała pani?*

– *Nie.*

Czekam.

– *Siedem lat – mówi. – Jestem mężatką od siedmiu lat.*

– *Od siedmiu szczęśliwych lat?*

– *Od siedmiu wspaniałych lat. Ani jednej zadry.*

Tłumię westchnienie. Rozczarowała mnie.

Pochylam się w jej stronę i przeszywam ją wzrokiem.

– Wie pani, co Henry David Thoreau powiedział o szczęściu?

Teraz ona wygląda na zawiedzioną. Też się pochyla, patrzy mi prosto w oczy.

– Tak. Doskonale wiem, co Thoreau powiedział o szczęściu. To stek bzdur.

TRZYDZIEŚCI OSIEM

Następnego dnia rano wymeldowuję się z hotelu i idę przez skwer do domu, słuchając szelestu suchych liści pod moimi stopami. Mogłabym zostać tam jeszcze na parę dni, ale nie lubię być terroryzowana, a dążenie do tego, żebym bała się zostać w domu, jest formą terroru. Właśnie dlatego wracam, zdecydowana zrobić to co wcześniej: nie będę spać w nocy. Jeśli coś usłyszę, cokolwiek, wezwę policję.

Jest zimno i nikt nie siedzi na ławkach. Nikt też nie idzie przez skwer do pracy, co zresztą nie jest dziwne, bo dochodzi wpół do jedenastej. To niesamowite, jak bardzo czuję się na widoku. Z tego, co wiem, wielu ludzi może mnie obserwować z okien na piętrze. Spoglądam w górę i obracam głowę, wodząc wzrokiem po domach; zaczynam od tego po lewej stronie z numerem 1, przenoszę spojrzenie na drugi, trzeci i czwarty, później na dom Eve i Willa, na nasz, Lorny i Edwarda, potem Geoffa i na końcu Marii i Tima. Na tym ostatnim zatrzymuję spojrzenie. Tim stoi w pokoju na górze i widzi, że na niego patrzę. Unoszę rękę, zadowolona, że nie może zobaczyć drżenia, które przebiega mi po kręgosłupie. Odpowiada na powitanie.

Przyśpieszam, chcąc jak najszybciej wejść do domu, ale gdy przechodzę przez furtkę, na podjazd wychodzi Edward z sekatorem w ręce.

– Dzień dobry, Alice! – woła. – Byłaś na spacerze?

– Tak, zawsze jest przyjemnie o tej porze roku. Jak się macie ty i Lorna?

– Dobrze, całkiem dobrze.

– Szczerze mówiąc, chciałam wam powiedzieć, że wyprowadzam się z Circle. Leo zostaje.

– No nie, tak mi przykro. Kiedy?

– Zamierzałam w przyszły weekend, ale może zrobię to wcześniej.

– Naprawdę? Będzie nam smutno patrzeć, jak odchodzisz.

– Powiesz Lornie?

– Tak, oczywiście.

– Przyjdę się pożegnać – obiecuję.

– Zajrzyj. Lorna się ucieszy.

Zerkam na dom Marii i Tima. Tim wciąż stoi w oknie. Edward patrzy w tę samą stronę i macha do niego ręką.

– Do zobaczenia, Edwardzie – rzucam w roztargnieniu. Ruszam, ale on podchodzi do mnie.

– Nie mów nikomu, że się wyprowadzasz – szepcze. – Do zobaczenia, Alice – dodaje już normalnym głosem.

*

Z walącym sercem wchodzę do domu. Najpierw Lorna, teraz Edward. Dwa ostrzeżenia: nie ufaj nikomu i nie mów nikomu. Przed kim mnie ostrzegają? Edward widział, że Tim nas obserwuje. Czy dlatego to powiedział?

Krążę po gabinecie, myśląc o Timie, który ani trochę nie przyprawia o gęsią skórkę, a kiedy przyszli do mnie na kolację, pomagał mi w kuchni i był przesympatyczny. Ale jest coś niesamowitego w tym, że zawsze wygląda przez okno. Choć może robi to z zupełnie niewinnego powodu. Studiował psychologię, a czy psychologia nie zajmuje się obserwowaniem ludzi, ich zachowań, reakcji i interakcji? I jeśli robi specjalizację z psychoterapii, to chyba normalne, że fascynują go ludzie. W każdym razie psycholodzy i psychoterapeuci pomagają ludziom, a nie ich zabijają.

Gdy tylko to sobie uświadamiam, coś wyłania się z jakiegoś zakamarka mojego umysłu. Przypominam sobie, że kilka lat temu czytałam artykuł o kobiecie, która uciekła ze swoim terapeutą. Sprawa trafiła na pierwsze strony gazet, bo kobieta nie dawała znaku życia i media zaczęły spekulować, że prawdopodobnie została zamordowana. Nie pamiętam, jak to się skończyło: czy sama ogłosiła swoją ucieczkę z terapeutą, czy ktoś zobaczył ich razem.

Włączam laptop, otwieram wyszukiwarkę i wpisuję „kobieta i terapeuta". Jest kilka linków do artykułów z czerwca 2016 roku. Klikam na jeden; jest mniej więcej tak, jak pamiętałam – trzydziestoletnia notariuszka, Justine Bartley, w porze lunchu wyszła z biura na spotkanie z terapeutą i już nie pojawiła się w pracy. Wieczorem nie wróciła do domu, więc rano mąż zgłosił zaginięcie. Przeglądam inne artykuły i odkrywam, dlaczego prasa straciła zainteresowanie tą sprawą. Serdeczna przyjaciółka zaginionej opowiedziała policji, że Justine zakochała się bez pamięci w swoim terapeucie i w tygodniach poprzedzających zniknięcie była bardzo podekscytowana i tajemnicza. Zwierzyła jej się, że miała problemy w małżeństwie i stąd terapia. Ponieważ terapeuta – doktor Smith – zniknął bez śladu, doszła do przekonania, że uciekli razem. Policja zgodziła się, że jest to najbardziej prawdopodobne wyjaśnienie. Szukam dalszych artykułów na ten temat, ale – podobnie jak Justine Bartley – nigdy więcej się nie pojawiły.

Czerwiec 2016 roku. Osiemnaście miesięcy przed zamordowaniem we Francji Marion Cartaux. Nie wpadam w euforię. Poza tym, że Justine Bartley miała długie jasne włosy, nic jej nie łączy z zabójstwami Marion i Niny, zwłaszcza że nikt nie uważał, żeby w jej zniknięciu było coś złowieszczego.

Mimo to dalej badam sprawę Justine Bartley, przeglądając biuletyny informacyjne i wywiady. Po raz ostatni widziano ją na ulicy w Hampstead. Niedługo później jej komórka została wyłączona.

Dzwonię do Thomasa.

– Wiedziałeś, że Nina chodziła na terapię?

– Nie, ale w przypadku terapeutów to nic niezwykłego.

– Chodzi mi o to, że kiedy Tamsin powiedziała, że Nina chodzi na terapię, założyłam, że do terapeutki. A jeśli to był mężczyzna?

– Hm… i co z tego? – Thomas nie kryje zdziwienia.

– Pamiętasz tę sprawę sprzed trzech lat, tę z zaginięciem notariuszki, Justine Bartley?

– Tak, chyba tak. Czy nie zniknęła po tym, jak wyszła na spotkanie w porze lunchu? Aha, rozumiem, do czego zmierzasz: była umówiona z terapeutą. Nie jestem pewien, czy ma to jakiś związek z Niną Maxwell, bo zdaje się, że policja doszła do wniosku, że tamci dwoje uciekli razem.

– Tak, ale jeśli nie uciekli? Właśnie czytałam o tej sprawie, policja nie znalazła żadnego śladu istnienia terapeuty, niejakiego doktora Smitha. A jeśli to nie było jego prawdziwe nazwisko? Może wcale nie uciekli, tylko ją zamordował.

Milczy, jakby się zastanawiał, jak ma mi powiedzieć, że jestem śmieszna.

– Myślisz, że ten doktor Smith mógł być terapeutą Niny... Hm... nadal uważam, że to strzał w ciemno – mówi dyplomatycznie. – Ale zawsze możesz spytać Tamsin, czy Nina podała jej nazwisko swojego terapeuty.

– Spróbuję, chociaż Tamsin nie zawsze chętnie mówi o Ninie. Nie wiem, czy to ma znaczenie, ale poprosiła Ninę, żeby dała jej namiary na swoją terapeutkę... czy terapeutę... a ta nie podała jej nazwiska.

– Może zapomniała, a może czuła się skrępowana, że Tamsin będzie się widywać z tą samą osobą co ona. Ale dobrze będzie o tym pamiętać. Zadzwonię do Helen i spytam, czy wie, że Nina chodziła na terapię. Jeśli nie poznamy nazwiska, pogadam z moim kontaktem w policji.

– Świetnie.

– Dzięki, Alice, niedługo się odezwę.

Rozłączam się, uświadamiając sobie, że mam problem. Nie mogę zadzwonić do Tamsin i zacząć dopytywać się o terapeutę – czy terapeutkę – Niny. Muszę być bardziej subtelna, spotkać się z nią twarzą w twarz i najpierw pogawędzić o innych sprawach. Pójdzie łatwiej, jeśli będzie przy tym Eve. Tylko że jest czwartek, a Eve spędza czwartki z mamą. Frustruje mnie myśl, że mogę porozmawiać z Tamsin dopiero jutro – i to pod warunkiem, że obie będą miały czas na spotkanie.

Po chwili namysłu piszę do Eve z pytaniem, czy ma jutro wolne w porze lunchu, bo mam ochotę zjeść na mieście, a w pobliżu Finsbury Park jest knajpka, w której jeszcze nie byłam. Byłam tam wcześniej z Leo, ale przecież ona nie musi o tym wiedzieć. Proponuję, żeby zapytać też Tamsin i Marię, czy do nas nie dołączą.

Dziesięć minut później dostaję odpowiedź – doskonały pomysł, już spytała Tamsin i Marię, obie przyjdą, jeśli umówimy się na pierwszą, bo wtedy Maria ma przerwę na lunch. Zadowolona, że się udało, podaję jej namiary na knajpkę i mówię, że zrobię rezerwację.

Po południu słyszę dzwonek i zbiegam otworzyć, myśląc, że to Thomas, bo zwykle zjawiał się o tej porze. Może ma wiadomości o zabójstwie we Francji. Szybko poprawiam włosy przed lustrem i otwieram drzwi.

Ale to nie Thomas, to mężczyzna o jasnorudych włosach i pewnym siebie uśmiechu.

– Pani Dawson? – pyta.

Patrzę na niego czujnie.

– Tak.

– Nie mieliśmy okazji się poznać. – Wyciąga rękę. – Ben, Ben Forbes. Z biura nieruchomości Redwoods.

TRZYDZIEŚCI DZIEWIĘĆ

Po chwili udaje mi się zdusić uczucie zawodu, że to nie Thomas.

– O, witam – mówię, potrząsając jego ręką. Jest młodszy, niż się spodziewałam, prawdopodobnie tuż po trzydziestce, i bardzo przystojny. – Miło pana poznać, Ben.

– Akurat byłem w Circle w sprawie możliwej sprzedaży i pomyślałem, że wpadnę się przedstawić, bo znamy się tylko przez telefon.

– Powinnam zadzwonić i przeprosić – mówię, zawstydzona, że tego nie zrobiłam. – Nie przyszło mi do głowy, że Leo wiedział o morderstwie.

– Nic się nie stało. Cieszę się, że to pani nie wypłoszyło.

– Nie było mi łatwo – przyznaję. – Podjęłam decyzję o wyprowadzce. W przyszłym tygodniu wracam do Harlestone. Leo zostaje – dodaję, na wypadek gdyby pomyślał, że dom będzie na sprzedaż.

– Rozumiem.

Nie wydaje się zaskoczony i zastanawiam się, czy już wie

od Marka, że Leo i ja się rozstajemy. Zagląda ponad moim ramieniem do holu.

– Ginny wspomniała, że z dwóch sypialni na górze zrobiliście jedną. Na pewno wygląda niesamowicie.

Już mam na końcu języka, że mogę pokazać mu górę, ale coś mnie powstrzymuje.

– Może zajrzy pan w przyszłym tygodniu, gdy będzie pan w okolicy? Nie wątpię, że Leo z przyjemnością oprowadzi pana po domu.

– Dobrze, dzięki. Przykro mi, że nie wyszło.

– Mnie również. – Uśmiecham się do niego. – Jak gra w golfa? Nie ma pan pojęcia, jaka wdzięczna jest Ginny za wyciąganie Marka z domu w weekendy.

Śmieje się.

– Jest coraz lepszy. Cóż, muszę lecieć. Może znowu się zobaczymy, jeśli kiedyś wpadnie pani do Ginny.

– Na pewno. Dzięki, że pan zajrzał. Miło pana poznać.

– Wzajemnie.

Macha ręką na pożegnanie i patrzę, jak przechodzi przez ulicę i znika na skwerze.

Wyjmuję komórkę i piszę do Ginny: **Przed chwilą był u mnie Ben**.

Odpisuje: **Szczęściara! Jak to się stało?**

Był w okolicy i chciał się przedstawić.

Miło z jego strony. Uroczy, prawda?

Chcę napisać, że tak, chociaż nie tak miły jak Thomas, i czuję się winna, że nie mogę tego zrobić, bo nie powiedziałam jej o nim, choć zwykle mówię jej prawie wszystko.

Wracam do gabinetu, ale nie mogę skupić się na pracy; wciąż myślę o wizycie Bena. Czy to nie dziwne, że się zjawił? Ginny tak nie uważa – powiedziała, że to miło z jego strony. Muszę przestać podejrzewać wszystkich dokoła.

Wychodzi na to, że niesłusznie podejrzewałam nawet Willa, bo o ósmej podchodzi do drzwi, obracając kółko kluczy na palcu.

– Znalazłem – oznajmia z radosnym uśmiechem.

– Super! Gdzie były?

– Na komodzie, w bałaganie Eve. Musiały spaść z haczyka i zostały czymś przykryte, zanim ktoś je zauważył.

– Zdarza się – mówię, bo taka jest prawda. – Dzięki, Will.

*

Kiedy zapada wieczór, przenoszę się do salonu, chociaż już nie muszę martwić się o zaginione klucze. Planuję spędzić noc na oglądaniu telewizji. Jeśli ogarnie mnie zmęczenie, prześpię się na kanapie.

Telewizor jest ściszony, ale około trzeciej nad ranem wyłączam dźwięk. Jestem pewna, że z kuchni dobiegł jakiś hałas. Serce podchodzi mi do gardła. Podnoszę się z kanapy i rozglądam po pokoju. Jeśli ktoś dostał się do domu, muszę coś zrobić, żeby nie wszedł tutaj. Słyszał telewizor, wie, gdzie jestem.

Po cichu podnoszę stolik i opieram go o drzwi, potem stawiam na nim dwie lampy. Jeśli ktoś otworzy drzwi, stół i lampy się przewrócą i będę miała czas na zadzwonienie pod numer alarmowy.

Czekam pięć minut, sztywna z nerwów, z telefonem w ręce, potem czekam następne pięć i kiedy nic nie słyszę, próbuję się odprężyć. Nie mogę się zmusić, żeby pójść sprawdzić, czy ktoś jest w domu. Nie wracam do oglądanego filmu. Kulę się na kanapie i zastanawiam, czy naprawdę warto zostawać tu jeszcze przez tydzień. Poprosiłam o dwa tygodnie, bo miałam nadzieję, że w tym czasie Thomas poczyni jakieś postępy. I ponieważ, jeśli mam być szczera, chciałam go jeszcze zobaczyć. Ale skoro mówił, że przyjedzie do Harlestone, już nie muszę się o to martwić. Prawdopodobnie będzie lepiej, jeśli wyjadę. Powiedziałam Thomasowi, że chcę, by zabójca Niny odpokutował za swoje winy, bez względu na to, kim jest. A jeśli okaże się, że to ktoś stąd? Jak wtedy będę się czuła?

O szóstej rozsuwam zasłony i wyglądam przez okno. Jeszcze jest ciemno, ale w niektórych domach palą się światła, ludzie szykują się do codziennego życia. Uświadamiam sobie, że tego chcę, codziennego życia, bez kłamstw i sekretów, strachu i nieufności. Dzisiaj wrócę do Harlestone.

Po podjęciu tej decyzji z moich ramion spada wielki ciężar; czuję nieopisaną ulgę. Kładę się na kanapie i śpię, aż budzik budzi mnie o dziesiątej. Stół z lampami stoi pod drzwiami, więc odstawiam je na miejsce i idę do kuchni na kawę. Postanowiłam wyjechać, więc muszę się spakować, zadzwonić do Debbie, Leo, Ginny i Thomasa. Eve mogę powiadomić, gdy spotkamy się na lunchu. Po raz pierwszy od długiego czasu czuję się szczęśliwa. Circle to nie miejsce dla mnie.

Kiedy tylko wchodzę do kuchni, wiem, że coś się zmieniło. Zatrzymuję się i przenika mnie dziwne wrażenie. Miałam rację – ktoś tu był. Czuję to przez skórę, czuję smak na języku. Wchodzę i uważnie się rozglądam. Niczego nie zauważam, ale coś zdecydowanie jest inaczej.

Zatrzymuję spojrzenie na drzwiach prowadzących na taras. Podchodzę i naciskam klamkę – zamknięte. Schylam się, żeby obejrzeć zamek. Nie wygląda, żeby ktoś przy nim majstrował, ale po zastanowieniu dochodzę do wniosku, że jeśli ktoś tu wchodzi, to właśnie tędy, bo po wewnętrznej stronie drzwi frontowych jest rygiel. Nawet mając klucze, nikt nie da rady wejść, gdy zamknę je od środka. Zdarzało się, że zapominałam to zrobić, ale nie ostatnio. Od czasu odejścia Leo mam na tym punkcie obsesję.

Idę do gabinetu po klucze, które wczoraj dał mi Will. Są tylko dwa, do drzwi frontowych. Mniejszego do drzwi na taras nie ma na kółku. Czy Will go wypiął, zanim oddał mi klucze? A może nigdy go tam nie było?

Dzwonię do Leo.

– Wszystko w porządku? – pyta, jakby wiedział, że nie jest. To budzi moją czujność. Podejrzewam każdego i niczemu nie ufam.

– A co, nie powinno?

– Wydajesz się trochę roztrzęsiona.

Powstrzymuję się od złośliwej riposty. Ma rację, jestem roztrzęsiona.

– Klucze, które dałeś Willowi... są tylko do drzwi frontowych. Był z nimi ten do tarasowych? – pytam.

– Hm... tylko do frontowych. Do tamtych są tylko dwa, jeden powinien być w szufladzie w kuchni, a zapasowy w moim gabinecie.

– Gdzie w gabinecie? – pytam, już sprawdzając kuchenną szufladę, czy jest w niej klucz. Jest.

– W biurku, górna szuflada po prawej. Jest jakiś problem?

320

– Jeśli ktoś dostaje się do domu – mówię, biegnąc po schodach – to tylko przez drzwi na taras, bo frontowe zamykam od wewnątrz. – Wpadam do gabinetu i wysuwam szufladę. Leży w niej klucz.

– Albo przez okno – sugeruje.

– Narobiłby za dużo hałasu. Jesteś pewien, że nie ma więcej kluczy do drzwi tarasowych?

– Całkowicie. Ben dał mi wszystkie, jakie miał.

– Ben?

– Z Redwoods.

– Ale zmieniłeś zamki, więc te klucze od niego nie pasują.

– Zmieniłem, ale tylko we frontowych drzwiach, nie w tych na taras. Uznałem, że nie warto.

W mojej głowie rozbrzmiewa dzwonek alarmowy.

– Więc... – zaczynam powoli – skąd wiesz, że Ben nie zatrzymał klucza do drzwi na taras?

– Czemu miałby to zrobić?

– Ktoś mógł dostać się do domu tylko przez taras, to jedyny sposób. Ktoś musi mieć klucz, bo obydwa, o których wiem, są na miejscu, właśnie sprawdziłam.

– Nie mów mi... Myślisz, że Ben zatrzymał klucz i włamuje się do domu? – Słyszę rezygnację w jego głosie.

– Nie bądź taki sceptyczny. Myślę o tym tylko dlatego, że był tu wczoraj.

– Ben?

– Tak.

– Po co?

– Powiedział, że był w okolicy i chciał się przedstawić.

– Może po prostu jest miły.

– A może miał ukryty motyw. Wydaje mi się, że chciał zobaczyć, co zrobiliśmy na górze.

– Nie wpuściłaś go, prawda?

– Nie, powiedziałam, żeby przyszedł, kiedy ty będziesz. Jego zachowanie wydało mi się trochę dziwne, a w nocy siedziałam w salonie i usłyszałam hałas w kuchni. Nie ma śladów włamania ani nic nie zginęło. Ale teraz zastanawiam się... A jeśli to był Ben?

– To daleki strzał. Jaki miałby mieć motyw, skoro nic nie zginęło?

– Może znał Ninę...

– Nie – rzuca stanowczo i przez chwilę myślę, że zaraz usłyszę, że wie, że Ben nie znał Niny.

– A jeśli to on sprzedał dom Ninie i Oliverowi?

– Alice... Musisz przestać.

– Co?

– Skończ z tą swoją obsesją na punkcie morderstwa. Wystarczy, że podejrzewałaś mnie i prawie każdego sąsiada o maczanie w tym palców. Ale kiedy zaczynasz oskarżać agenta nieruchomości, choć nawet nie wiesz, czy znał Ninę... Nie możesz w to brnąć.

– Nie przestanę, dopóki się nie dowiem, kto w nocy kręcił się po domu – oświadczam zdecydowanie. – Bo ktoś się kręcił.

– Więc znajdź dowód. Jeśli będziesz go miała, zadzwonię na policję. Potrzebujemy jednak dowodu. Jeżeli powiemy, że podejrzewamy włamanie, wyśmieją nas. Więc dopóki nie stwierdzisz, że coś zginęło albo coś jest nie tak, jak powinno, mamy związane ręce. – Milknie na chwilę. – Wracam do domu, Alice. Nie powinnaś być tam sama.

– W porządku, wyjeżdżam. Do Harlestone.

– Kiedy? – Jego ulga jest dla mnie ewidentna.

– Dzisiaj, przed wieczorem. Jestem umówiona z Eve na lunch. Jutro możesz się wprowadzić.

– Naprawdę przykro mi, że do tego doszło – mówi cicho.

Moje oczy napełniają się łzami.

– Mnie również.

CZTERDZIEŚCI

Przynoszę z garażu dwie walizki i zaczynam pakować do nich ubrania, które mam w gabinecie, a później idę na górę, bo potrzebuję dżinsów i swetrów na kilka tygodni. Swetry wciąż leżą rozrzucone na podłodze, odkąd spadłam z krzesła. Wystarczająco źle, że oskarżyłam Leo o podrzucenie do szafy sztucznych włosów; na szczęście nie oskarżyłam go o to, że się w niej ukrywał. Ktoś jednak to robił i był tutaj w dniu, kiedy widziałam twarz w oknie i czułam zapach wody po goleniu. Myślałam, że to Leo, bo ma kilka wód i nie zawsze je rozpoznaję.

Na myśl, że ktoś był w szafie i mnie obserwował, gdy szukałam Leo za drzwiami łazienki, robi mi się niedobrze ze strachu. A co z nocą po przyjęciu, kiedy Leo myślał, że ktoś był w sypialni? Następnego dnia rano znalazłam poprzewracane buty, więc czy wtedy też ktoś chował się w szafie?

– Na miłość boską, Alice, weź się w garść! – warczę, próbując przemówić sobie do rozsądku. Nikt przy zdrowych zmysłach nie ukrywa się w szafie, kiedy tuż obok śpią ludzie.

324

Jestem pewna jednego: ktoś wchodzi do domu. Co robi, gdy tu jest, poza rozrzucaniem włosów? Czy jest jeszcze coś, czego nie zauważyłam?

Siadam na łóżku i przypominam sobie rzeczy, które niezupełnie miały sens, jak wtedy, kiedy bezskutecznie szukałam białej sukienki, która parę dni później znalazła się pachnąca świeżością i czysta. Ale przecież nikt nie zakradłby się do domu, żeby zabrać kieckę, wyprać ją i odwiesić do szafy. Chyba że chciał się przekonać, na ile może sobie pozwolić, zanim ktoś coś zauważy.

Mój umysł pracuje na pełnych obrotach. Wyjmuję telefon i dzwonię do Leo. Jest w pracy, lecz to pilne.

— Wiem, że to naprawdę głupie pytanie, ale czy po przyjęciu uprałeś moją białą sukienkę?

— E... nie.

— A te kartki, które dostaliśmy od wszystkich i postawiłam w salonie na kominku. Poukładałeś je na płasko dla żartu?

— Nie.

— Okej. Zostawiłeś dla mnie różę na parapecie przy drzwiach frontowych?

— Kiedy?

— Nieważne kiedy, chcę tylko wiedzieć, czy to zrobiłeś.

— Nie.

— Nigdy nie zostawiłeś dla mnie róży?

— Nie.

— Super, dzięki.

Rozłączam się, ale po chwili namysłu znowu do niego dzwonię.

– Wybacz, już więcej nie będę zawracać ci głowy, słowo.

– W porządku. – Chwilę milczy, a potem pyta: – A miałem zostawić ci różę?

– Nie. Chcę tylko podziękować za szampana, którego zostawiłeś w lodówce. Wtedy zapomniałam.

– Jakiego szampana?

– Dom Pérignon.

– Dom Pérignon?

– Więc to nie ty?

– Nie. Mówisz, że ktoś włożył Dom Pérignon do lodówki?

– Pewnie został z parapetówki – mówię szybko. – Ktoś musiał go przynieść i włożyć do lodówki.

– Taką butelkę na pewno bym zauważył. Alice, co się dzieje?

– Właśnie próbuję to rozpracować.

Rozłączam się, nie dając mu szansy na zadanie kolejnych pytań.

*

Zostawiam ubrania i zbiegam na dół, zastanawiając się, ile innych takich znaków nie zauważyłam. Jestem pewna, że włamywacz zostawił dla mnie jeden zeszłej nocy w kuchni. Staję pośrodku pomieszczenia i powoli obracam się w miejscu, rozglądając się, wypatrując czegoś, czego nie powinno tam być.

– Gdzie jesteś?! – krzyczę z frustracją. Wracam do drzwi i staję tuż za progiem, tam gdzie stałam rano, kiedy wyczułam, że coś się zmieniło. Tym razem zastygam w idealnym bezruchu. Poruszają się tylko moje oczy, gdy prowadzę drobiazgowe poszukiwania, centymetr po centymetrze. Powoli wodzę wzrokiem po blatach, później po szafkach, tam i z powrotem po półkach, wzdłuż wieszaka na rondle, po kuchence, piekarniku, lodówce. Nie dostrzegam niczego, co odbiegałoby od normy.

*

Wysyłam do Debbie SMS-a z wiadomością, że będę wieczorem. Przez chwilę zastanawiam się, czy nie odwołać lunchu z Eve i innymi i nie wyjechać od razu, ale podczas gdy połowa mózgu ostrzega mnie, że jestem w niebezpieczeństwie, druga przekonuje, że wszystko, co sobie wyobrażam, nie musi być prawdą. Tak czy inaczej, nie chcę wyjeżdżać bez pożegnania się z Eve. Może nie znałam jej długo, ale jest mi bliska w sposób, którego nie umiem wyjaśnić.

Debbie odpowiada, że przygotuje butelkę wina. Piszę do Ginny, że postanowiłam wrócić do Harlestone i że pogadamy po weekendzie. Później dzwonię do Thomasa.

– Przeszkadzam? – pytam.

– Nie, mam kilka minut. Udało ci się poznać nazwisko terapeuty Niny?

– Nie. I nie jestem pewna, czy to w ogóle ważne. Czasami zastanawiam się, czy przypadkiem nie dostaję obłędu. Czy łączenie zaginięcia sprzed trzech lat z zamordowaniem Niny tylko dlatego, że w grę wchodzi słowo „terapeuta", nie jest trochę szalone? I to zabójstwo we Francji… Wiązanie go ze śmiercią Niny, bo obie kobiety miały obcięte włosy, to niedorzeczność. Leo powiedział, że muszę sobie odpuścić tę obsesję na punkcie śmierci Niny, i raczej nie mogę się na niego gniewać, bo ma rację: mam obsesję. Tak mnie opętało, że podejrzewam każdego, chociaż wszyscy mówią, że zabił ją Oliver.

– Wybacz mi – mówi cicho. – Nie masz pojęcia, jak żałuję, że wciągnąłem cię w moje śledztwo… które, szczerze mówiąc, prawdopodobnie będę musiał zakończyć wbrew woli Helen. – Wzdycha ciężko. – Nie tylko ty kwestionujesz swoje motywy.

– Co masz na myśli?

– Tylko to, że czasami zastanawiam się, czy nie kontynuuję śledztwa dlatego, żeby się z tobą widywać.

Przepełnia mnie szczęście.

– I tak możesz się ze mną widywać.

– Dlatego, że już nie jesteś z Leo. Dopóki nie podjęłaś tej decyzji, spotykałem się z tobą wyłącznie z powodów zawodowych.

– I co? Według ciebie to Oliver zamordował Ninę?

– Nie, wcale tak nie myślę. Uważam, że zabójcą jest ktoś inny. Ale nie sądzę, że kiedykolwiek go znajdziemy. Zbyt wielu ludzi kłamie i rozplątanie sieci kłamstw wydaje się prawie niemożliwe. A nawet jeśli nie kłamią, to coś zatajają.

– Chodzi ci o zmowę?

– Tak. Jeśli kilka osób w Circle kryje się wzajemnie, odkrycie prawdy będzie możliwe tylko wtedy, gdy ktoś wyłamie się z szeregu.

– W takim razie dobrze, że nie wtajemniczyłam cię w moją kolejną teorię.

– Jaką?

– Naprawdę chcesz usłyszeć?

– Jeszcze zupełnie się nie poddałem.

– Dobrze. Moja teoria mówi, że zamieszany jest Ben.

– Ben? Nie słyszałem o żadnym Benie. Pod jakim numerem mieszka?

– Nie, Ben z Redwoods. Agent nieruchomości, który sprzedał nam dom.

– Rany… – Milknie na chwilę. – Nie twierdzę, że się mylisz – dodaje szybko – tylko jestem ciekawy, jak na to wpadłaś.

– Wiesz, że moim zdaniem ktoś w nocy wchodzi do domu? Sądzę, że dostaje się przez drzwi na taras. Leo powiedział, że Will ma klucze do domu, więc je odebrałam i na kółku są tylko dwa, od drzwi frontowych. Zapytałam o to Leo. Twierdzi, że Will nie miał klucza do drzwi tarasowych, że są tylko dwa, w domu. I oba są na miejscu, sprawdziłam. To oznacza, że jeśli ktoś wchodzi przez taras, musi być jeszcze jeden klucz.

– I myślisz, że ma go ten Ben?

– Miał klucze do domu, żeby móc pokazywać go ludziom, a my nie zmieniliśmy zamków w drzwiach tarasowych. I wczoraj się tu zjawił.

– Co… przyszedł do domu?

– Tak.

– Powiedział dlaczego?

– Wyjaśnił, że załatwiał coś w Circle i chciał mi się przedstawić. Ale dał też do zrozumienia, że chętnie obejrzy zmiany, jakie wprowadziliśmy na piętrze.

– Wpuściłaś go? – Niezupełnie ukrywa niepokój.

– Nie.

– Chwała Bogu. Wiesz, jak się nazywa?

– Nie. Przedstawił się, ale nie pamiętam.

– Zresztą to nieważne, mogę zajrzeć na stronę. Redwoods, mówisz? Zaczekaj chwilę… Jest, Ben Forbes. Wiesz, kiedy Nina i Oliver zamieszkali w Circle?

– Nie, a dlaczego?

– Może to Ben Forbes sprzedał im dom.

Czuję przyśpieszone bicie serca; Thomas myśli to samo co ja.

– Sądzisz, że może być jakiś związek?

– Tego zamierzam się dowiedzieć. Chętnie to sprawdzę, żebym mógł powiedzieć Helen, że zrobiłem wszystko, co w ludzkiej mocy. Chcę mieć to za sobą, Alice.

– Ja też. Za bardzo się niepokoję, żeby zostać w domu. Ale nie obawiaj się, wrócę w przyszłą środę, żeby spotkać się z Helen.

– I zjeść ze mną lunch.

– To też. – Uśmiecham się. – Muszę kończyć, Thomas, jestem umówiona na lunch z Eve, Tamsin i Marią, chociaż nie mam pewności, czy jest sens w dociekaniu, kim był terapeuta Niny.

– Zrób to, co uznasz za stosowne. Jak sądzisz, o której wrócisz?

– Myślę, że przed czwartą.

– Więc może wpadnę się pożegnać? Do następnej środy jest mnóstwo czasu.

– Zajrzyj, będzie mi miło.

– Dobrze. – Ma ciepły głos. – No to do zobaczenia o czwartej.

CZTERDZIEŚCI JEDEN

Idę do knajpki, gdy dzwoni komórka. To Ginny.

– Co powiedziałaś Leo?

– O czym?

– O morderstwie.

– Hm… – Nie wiem, co odpowiedzieć. Może Leo powtórzył jej to, co mówiłam o Benie. Oboje z Markiem naprawdę go lubią.

– Pytam, bo przez całe przedpołudnie czytał artykuły w sieci.

– Nie poszedł do pracy?

– Nie. Powiedział, że wciąż jesteś przekonana, że doszło do pomyłki sądowej, a nie należysz do osób, które bez powodu zajmują się jakąś sprawą. Próbował znaleźć artykuł, po którego przeczytaniu mogłaś uznać, że mąż Niny Maxwell nie był winny. A teraz chce pogadać z Benem… nie jestem pewna dlaczego. Sądzę, że chce się dowiedzieć, czy sprzedał dom Maxwellom.

Zapala mi się czerwona lampka. Jestem wzruszona, że Leo chce mi pomóc, ale źle się czuję w związku z tym, że traci czas na szukanie nieistniejącego artykułu. Co gorsza, chce rozmawiać z Benem. A jeśli Ben jest zamieszany w zabójstwo Niny i wypytywanie Leo go spłoszy?

– Chyba chodzi mu tylko o to, kiedy Maxwellowie zamieszkali w Circle – mówię.

– No to w porządku.

– Wybacz, muszę kończyć. Mam lunch z Eve, Tamsin i Marią.

– Baw się dobrze.

– Chcę im powiedzieć, że się wyprowadzam. Nie wątpię, że Tamsin odetchnie z ulgą.

Ginny śmieje się i rozłącza.

*

Gdy się zjawiam, czekają na mnie, siedząc wokół okrągłego stolika. Zostawiły mi miejsce naprzeciwko Tamsin. Przytulam je na powitanie i siadam między Eve i Marią.

– Przepraszam za spóźnienie – mówię, gdy Maria nalewa mi kieliszek wina. – Byłam zajęta pakowaniem.

– Nie mówiłaś, że przyjeżdża do ciebie przyjaciółka?

– Tak, ale postanowiłam wybrać się do niej. Nie tylko na weekend. Wracam do Harlestone na dobre.

Eve zastyga z kieliszkiem w połowie drogi do ust.

– Poważnie?

– Tak.

Odstawia kieliszek.

– Och.

– A Leo? – pyta Maria.

– Zostaje tutaj.

Kładzie rękę na mojej dłoni.

– Tak mi przykro, Alice.

– Mnie też. – Eve ma taką minę, jakby zbierało jej się na płacz.

– Nie martw się. – Pochylam się w jej stronę. – Wpadnę cię odwiedzić.

– Ale już nie będziesz mieszkać po sąsiedzku – mówi żałośnie.

– Będę za wami tęsknić. Byłyście takie życzliwe. – Podnoszę kieliszek. – Śmiało, wypijmy za naszą przyjaźń.

Maria podaje mi menu i wybieramy posiłki. Eve pyta, czy odzyskam dom w Harlestone. Wyjaśniam, że zatrzymam się u Debbie, dopóki czegoś nie wykombinuję.

– Jest szansa, żebyś zeszła się z Leo? – pyta Tamsin.

Nie odpowiadam od razu. Najpierw sięgam po kieliszek.

– Nie sądzę.

– Bo nie powiedział ci o morderstwie?

– Nie zawsze wszystko jest czarne albo białe. Morderstwa też nie.

Tamsin jęczy.

– Nie zaczynaj od nowa, dobrze?

– Chcę wiedzieć tylko jedno – mówię szybko. – I później już o nic więcej nie zapytam.

– Co? – pyta czujnie.

– Mówiłaś, że Nina chodziła na terapię. Do mężczyzny czy kobiety?

– Do mężczyzny.

– Powiedziała ci, jak się nazywa?

Unosi brew.

– To drugie pytanie. Nie, pytałam ją, ale, jak mówiłam, nie podała mi nazwiska.

– Wiesz, gdzie miał gabinet? Tu, w okolicy?

– Nie ma znaczenia gdzie, bo przychodził do niej – wtrąca Eve, zanim Tamsin ma okazję powiedzieć, że wyczerpałam limit pytań. – Dlatego przestała chodzić z nami na jogę. Zajęcia kolidowały z jej sesjami.

– Specjalnie umówiła się na środowe popołudnia, żeby mieć wymówkę i nie spotykać się ze mną – zaznacza Tamsin.

Marszczę brwi, przypominając sobie, że Nina zaczęła jej unikać jakieś cztery miesiące przed śmiercią.

– Więc te sesje zaczęły się stosunkowo krótko przed jej śmiercią?

– Tak.

– I odbywały się u niej w domu? Czy to normalne?

– Wiem, że to nie to samo, bo jestem logopedą – odpowiada Maria – ale ja nie chodziłabym do domu pacjenta, chyba że nie mógłby przychodzić do mnie z jakiegoś powodu medycznego.

– Nie przypuszczam, żeby Tim znał nazwisko terapeuty Niny – mówię. – Wiem, że postanowił specjalizować się z psychoterapii głównie za jej namową. Może jemu powiedziała, jak się ten facet nazywa?

– Mogę go spytać. Ale dlaczego chcesz to wiedzieć? Skoro wyjeżdżasz, nie lepiej znaleźć sobie terapeutę bliżej domu?

– To nie dla mnie – odpowiadam. I urywam, bo nie wiem, jak uzasadnić to, że chcę znać nazwisko terapeuty Niny.

Ale jest już za późno.

– Nie mów, że myślisz, że zamordował ją terapeuta. – Tamsin nie kryje rozbawienia.

– Nie, ale nie wierzę, że zrobił to Oliver. Podobnie jak ty – dodaję, wściekła, że się ze mnie śmieje.

– Nigdy czegoś takiego nie powiedziałam.

– Owszem, powiedziałaś! Kiedy zaprosiłaś mnie na kawę, podsłuchałam twoją rozmowę z Eve. Twierdziłaś, że nigdy nie wierzyłaś, że to Oliver zabił Ninę.

W jej zielonych oczach błyska irytacja.

– Domyśliłam się, że tam byłaś, że podsłuchiwałaś na werandzie, ale dobrze mieć to czarno na białym. Poza wszystkim innym jesteś jeszcze podsłuchiwaczką. – Patrzy na mnie ze złością. – Cieszę się, że się wyprowadzasz. W końcu wszyscy znów będziemy mogli żyć normalnie.

– Tam… – Maria kładzie dłoń na jej ramieniu.

– Więc nie masz nic przeciwko temu, że zabójca Niny nie został złapany – mówię ze złością. – Wiesz, że to nie Oliver, ale wolisz siedzieć z założonymi rękami i nic nie mówić?

Twarz Tamsin czerwienieje.

– Tak, a ty zrobiłaś wiele dobrego, bez dwóch zdań. Wszyscy byliśmy szczęśliwi, dopóki się nie zjawiłaś i nie zaczęłaś wtykać nosa w nie swoje sprawy. Nawet nie znałaś Niny ani Olivera, więc dlaczego, do cholery, się w to zaangażowałaś? – Patrzy na mnie krytycznym wzrokiem. – Chcesz wiedzieć, co wszystkie myślimy?

– Nie, Tam – prosi Eve.

Ale Tamsin za bardzo poniosło, żeby jej posłuchać.

– Konfabulujesz, Alice. Wymyśliłaś całą furę bzdur, a później sama zaczęłaś w nie wierzyć. Zrozumiałyśmy to w chwili, kiedy zaczęłaś udawać, że na waszej parapetówce zjawił się mężczyzna, z którym nie rozmawiał nikt oprócz ciebie. Dlatego nie obchodziło nas, czy dowiedziałaś się, kto to był. Wiedziałyśmy, że go zmyśliłaś, żeby wydać się bardziej interesująca, niż jesteś. – Parska z odrazą. – Nawet przyznałaś się Willowi, że to zrobiłaś.

– Nie wymyśliłam go! – rzucam wściekle.

Patrzy na mnie z politowaniem.

– Wiemy, Alice. Wiemy, że podejrzewałaś nas albo naszych mężów o zabicie Niny, przejrzałyśmy twoje zaproszenia na lunch i kolacje, przejrzałyśmy twoje pytania, twoje kłamstwa. Jesteś niebezpieczna. Musisz zacząć żyć własnym życiem, zanim zniszczysz życie innym.

Czekam, żeby Eve albo Maria ruszyły mi na ratunek. Ale Eve, która zwykle jest najlepsza w łagodzeniu takich tarć, tym razem milczy.

Cisza staje się nie do zniesienia. Tamsin odsuwa krzesło.

– Właśnie sobie przypomniałam, że muszę gdzieś być – cedzi przez zęby.

Ja też odsuwam krzesło.

– Nie, zostań, ja wychodzę. – Sięgam pod stół po torebkę. – Jeśli chcesz wiedzieć, zaangażowałam się w to z powodu siostry Olivera. Robię to dla niej, ale skoro nikogo innego to nie obchodzi… nawet ciebie, najlepszej przyjaciółki Niny… dlaczego miałoby obchodzić mnie. – Odchodzę od stołu i rzucam przez ramię: – I nie zmyśliłam tego mężczyzny, który przyszedł na parapetówkę. Lorna przyznała się, że go wpuściła, pamiętasz?

CZTERDZIEŚCI DWA

Idę do domu. Jakaś część mnie chce zwalić winę za to, co stało się w knajpce, na Leo. Gdyby był ze mną szczery i powiedział mi o morderstwie, nigdy bym tu nie zamieszkała. Jedyną dobrą stroną mojego pobytu w Circle jest Thomas – zakładając, że nasza przyjaźń przetrwa, kiedy już przestanie nas łączyć śledztwo. Martwię się, że może nie przetrwać.

Dzwoni telefon. Wyjmuję go z torebki, mając nadzieję, że to Thomas. To on. Zatrzymuję się i przesuwam do skraju chodnika.

– Alice, przeszkadzam w lunchu?

– Nie, już idę do domu. – Zaciskam palcem drugie ucho, żeby odciąć się od hałasu ulicy i lepiej słyszeć Thomasa.

– To dobrze. Nie uwierzysz, ale jeden z twoich sąsiadów był w Paryżu w czasie, gdy zamordowano Marion Cartaux.

Serce mi zamiera.

– Nie jestem pewna, czy chcę wiedzieć kto.

– Spokojnie, jej zabójca trafił za kratki, czeka na proces. Kilka miesięcy temu oddał się w ręce policji.

– Och. To dobrze, prawda?

– Normalnie powiedziałbym, że tak. Ale nie wszyscy są zdania, że to zrobił. Jest bezdomnym, który wyszedł z więzienia rok przed zabójstwem Marion Cartaux. Niestety, to nie pierwszy taki przypadek, gdy bezdomny przyznaje się do winy tylko dlatego, żeby wrócić za kratki. Życie na ulicy jest dla nich straszniejsze niż pobyt w więzieniu.

– Ale może to zrobił.

– Będziemy mieć pewność dopiero po procesie, kiedy zostanie zweryfikowana jego wersja wydarzeń.

– No to który z moich sąsiadów był wówczas w Paryżu?

– William Jackman.

Zamykam oczy.

– Żałuję, że odkryłam tę lukę w płocie pomiędzy naszymi ogrodami.

– To jeszcze nic nie znaczy. Pomyślałem, że dam ci znać, to wszystko. Udało ci się poznać nazwisko terapeuty Niny?

– Nie, ale to był mężczyzna. I nie chodziła do niego, on przychodził do niej. Niewielki z tego pożytek, prawda?

– Prawda. Bez nazwiska nic nie możemy zrobić. – Po chwili pyta: – Dobrze się czujesz? Sprawiasz wrażenie przybitej.

– Powiedzmy, że lunch nie przebiegł zgodnie z oczekiwaniami. Cieszę się, że dzisiaj wyjeżdżam. To właściwa decyzja.

– Wolisz, żebym nie przychodził? Musisz mieć mnóstwo do zrobienia przed wyjazdem.

– Muszę wrzucić trochę ubrań do walizki, to wszystko. Resztę rzeczy zabiorę następnym razem. Więc wpadnij, proszę. Miło będzie cię zobaczyć.

– Skoro jesteś pewna.

– Jestem.

– No to do zobaczenia za jakąś godzinę.

Rozłączam się i zaraz potem komórka znów zaczyna dzwonić. To Tamsin. Parskam wściekłym śmiechem. Niech sobie dzwoni. Eve i Maria potrzebowały pół godziny, żeby ją namówić, by mnie przeprosiła – jestem pewna, że dlatego dzwoni. Nie daje za wygraną. Przeczekuję sygnał i jakąś minutę później dostaję wiadomość, że mam nagranie na poczcie głosowej. Nie jestem w nastroju, żeby odsłuchiwać ani to, ani następne.

Pięć minut później dzwoni Eve. Wciąż jest mi przykro, że nie powiedziała słowa w mojej obronie, i nie odbieram. Wiem, że jestem niesprawiedliwa; ona i Tamsin przyjaźnią się od lat, więc to normalne, że stanęła po jej stronie. Ale nie chcę z nią rozmawiać, zwłaszcza teraz, gdy wiem, że Will był w Paryżu w tym samym czasie, kiedy zamordowano Marion Cartaux. Thomas powiedział, że niczego to nie dowodzi. A jednak.

Docieram do Circle i wlokę się przez skwer. Lekcje już się skończyły, sporo osób zmierza na plac zabaw. W powietrzu wisi chłód, ale wyszło słońce i na przekór wszystkiemu uśmiecham się, widząc dzieci wspinające się na drewniane drabinki. Reszta skweru jest wyludniona. Gdy przechodzę przez furtkę naprzeciwko domu, widzę Edwarda idącego do garażu i macham do niego ręką. Moje spojrzenie przyciąga dom Tima i Marii; Tim znów stoi w oknie na piętrze. Macha do mnie ręką, a ja robię to samo. To dziwne, że nie próbuje ukrywać się z tym obserwowaniem skweru. Większość ludzi, chociaż nie robią nic złego, odsunęłaby się od okna z miną winowajcy, a przynajmniej odwróciła po wymianie powitalnych gestów. On jednak dalej obserwuje.

Zbieram rzeczy, stawiam walizkę i torbę przy drzwiach frontowych, gotowa opuścić dom, gdy tylko zobaczę się z Thomasem. Słyszę dzwonek. Gwałtownie unoszę głowę; za wcześnie, żeby to był on. A jeśli to Eve? Jeżeli tak, nie wpuszczę jej. Nie mogę, bo przecież zaraz zjawi się Thomas.

Zapinam łańcuch i dopiero wtedy otwieram.

– Cześć – mówię, zaskoczona. Za drzwiami stoi Tim. Jak zwykle ma na sobie dżinsy i koszulkę rugbysty i przez głowę przemyka mi myśl, czy kiedykolwiek grał w rugby.

– Cześć, Alice, pomyślałem, że zajrzę. – Uśmiecha się do mnie. – Maria dzwoniła z pytaniem, czy znam nazwisko terapeuty Niny, bo ją o niego pytałaś.

– Tak, ale to już nieważne.

Oddycha z ulgą.

– To dobrze, bo nie znam. Nina nigdy mi nie powiedziała. – Po chwili dodaje: – Maria wspomniała, że się wyprowadzasz.

– Zgadza się. I to niedługo. Dlatego nie mogę cię zaprosić – dodaję na wypadek, gdyby się zastanawiał, dlaczego rozmawiam z nim przez łańcuch. – Muszę dokończyć pakowanie.

Odsuwa się o krok.

– Nie szkodzi, sam jestem zajęty. Przykro mi, że nie wyszło, Alice. Mam nadzieję, że jeszcze się zobaczymy.

– Dzięki, Tim. Jestem pewna, że tak.

*

Zamykam drzwi i idę do kuchni. Oparta o blat, myślę o Ninie pomagającej Timowi w studiowaniu psychoterapii. Założyłam, że pomagała mu powtarzać materiał przed egzaminami, przeglądała jego prace, tego typu rzeczy. A jeśli pomoc miała charakter bardziej praktyczny? Jeśli polegała na odgrywaniu scenek, w których ona brała na siebie rolę pacjentki, a on terapeuty?

Odpycham się od blatu z wrażeniem, że jestem na progu jakiegoś odkrycia. Czy Nina widywała się z Timem w środowe popołudnia, gdy Maria szła na jogę z Eve i Tamsin, a później odbierała z nimi dzieci ze szkoły? Jeżeli spotykała się z nim, to by wyjaśniało, dlaczego nie chciała wyjawić Tamsin nazwiska swojego terapeuty.

Zniesmaczona, przerywam te rozmyślania. Tamsin ma rację – konfabuluję. Ale nie do końca tak jest. Wiem na sto procent, że ktoś po kryjomu wchodził do tego domu.

Wyjmuję z lodówki sok. Gdy sięgam po szklankę, moje oczy kierują się z powrotem na lodówkę, przyciągane przez coś, czego tam być nie powinno. Zatrzymują się na małym zdjęciu paszportowym, które tkwi wśród innych fotografii. Moje serce nie gubi rytmu – zupełnie się zatrzymuje. Przez chwilę nie mogę oddychać. Wiem, kto jest na zdjęciu, po prostu nie chcę w to uwierzyć.

Biegnę do holu i wyjmuję z torebki komórkę.

– Thomas, jesteś w drodze? – Staram się mówić spokojnie, lecz to niemożliwe.

– Tak, już niedaleko. Coś się stało?

– Znalazłam na lodówce zdjęcie Niny!

– Niny?

– Tak, Niny Maxwell. Dziś rano czułam, że ktoś był w kuchni, ale nie znalazłam niczego, co by to potwierdzało. Nie znalazłam dowodu, bo stałam za daleko! – Głos mam piskliwy z powodu paniki. – Ale przed chwilą stałam przy lodówce i je zobaczyłam, przyczepione wśród innych zdjęć. Nie wiem, co robić – dodaję bez tchu.

– Dotykałaś go?

– Nie.

– Nie dotykaj. Niedawno rozmawiałem z moim kontaktem w policji o Benie Forbesie. Nie uwierzysz, co odkryliśmy. Mieliśmy rację, jest zmowa.

– Co masz na myśli?

– Nie dość, że Ben Forbes sprzedał dom Maxwellom, to jest również przyjacielem Tima Conwaya.

Zamieram.

– Niedawno tu był.

– Kto? Tim Conway? Po co?

– Poprosiłam Marię, żeby zapytała Tima, czy zna nazwisko terapeuty Niny. Przyszedł mi powiedzieć, że nie. Tak się zastanawiam... A jeśli to on był terapeutą, z którym się widywała? Miała sesje po południu w środy, kiedy Maria chodzi na jogę. Wcześniej Nina też chodziła, ale przestała cztery miesiące przed śmiercią. – Ledwie mogę złapać oddech.

Głos Thomasa brzmi spokojnie i jednocześnie naglącą.

– Alice, zaraz się rozłączę. Policja może przybyć przede mną, ale postaram się być tam jak najszybciej. Nikogo nie wpuszczaj.

CZTERDZIEŚCI TRZY

Kręci mi się w głowie. Zamykam drzwi od środka, sprawdzam, czy łańcuch jest założony, i pędzę na górę, do gabinetu Leo, żeby czekać na Thomasa. Drżę, wstrząśnięta tym, że Tim zakradał się w nocy do domu. Wszystko na to wskazuje, łącznie z tym, że czuł się w mojej kuchni jak u siebie, gdy przyszedł na kolację. Na pewno dostał klucz do drzwi tarasowych od Bena i przez lukę w płocie między naszym domem i Edwarda cichaczem przechodził do naszego ogrodu – może nawet jest luka w ogrodzeniu między jego ogrodem i Geoffa, co jeszcze bardziej ułatwiłoby mu zadanie.

Pytania się mnożą. Czy Ben też jest w to zamieszany? Jeśli Tim zamordował Ninę, czy Ben był jego wspólnikiem? I ile wie Maria? Jest absolutnie niewinna, czy należy do spisku, który obejmuje Eve i Tamsin, a nawet Willa i Connora? Chyba że Ninę zamordował Ben. Może dostał obsesji na jej punkcie, gdy sprzedawał im dom, i potem mieli romans. Czy zabił Ninę, a później powiedział Timowi, co zrobił? Czy to wtedy zaczęła się próba ukrywania faktów? A może wszyscy brali w tym udział od samego początku, chcieli śmierci Niny, każde z własnego powodu, i wrobili Olivera?

Myśl, że zostałam zmanipulowana przez ludzi, których uważałam za przyjaciół, jest przygnębiająca. Lorna próbowała mnie ostrzec; szepnęła, że mam nikomu nie ufać. Ja jednak parłam naprzód, nie chcąc uwierzyć, że mnie okłamują. Powinnam posłuchać też Edwarda; zamiast nikomu nie mówić, że wyjeżdżam, rozpowiedziałam to wszem wobec i każdemu z osobna.

Przytłacza mnie wrażenie nieuchronnie zbliżającego się niebezpieczeństwa. Wpatruję się w furtkę po drugiej stronie skweru, wiedząc, że odprężę się dopiero wtedy, gdy zobaczę Thomasa. Ogarnia mnie niepokój. Maria wróci do pracy, ale co będzie, jeśli Eve i Tamsin dostrzegą Thomasa, gdy będą szły przez skwer z restauracji? Wyobrażam sobie, jak trącają się łokciami na widok wysokiego, przystojnego nieznajomego. Będą patrzeć, dokąd idzie? A jeśli zobaczą, że wchodzi do tego domu?

Uświadamiam sobie, że przecież to nie ma znaczenia. Nie muszę im się z niczego tłumaczyć, a poza tym już niedługo mnie tu nie będzie. Nie będę musiała przyznawać się, że ukrywałam znajomość z Thomasem, ponieważ pomagałam mu rozwiązać sprawę zabójstwa Niny – sprawę, która została rozwiązana. Myślę o Helen, jaka będzie podekscytowana tym, że w końcu sprawiedliwości stało się zadość.

I później je widzę: Eve i Tamsin wchodzą na skwer. Czekam, aż skręcą w stronę domu Tamsin, ale zatrzymują się na środku ścieżki. Ruszajcie! – ponaglam je bezgłośnie. No już! Stoją blisko siebie, pogrążone w rozmowie, ale to im nie przeszkodzi zobaczyć Thomasa. Nie jest człowiekiem, który nie zwraca na siebie uwagi.

A jednak jest. Nie tylko na przyjęciu, ale też za każdym razem, kiedy mnie odwiedzał. Gdy szedł do domu czy z niego wychodził, wokół musieli być ludzie, a jednak nikt się nawet nie zająknął, że widział wysokiego ciemnowłosego nieznajomego, mimo że wszyscy wiedzieli, że próbowałam wytropić mężczyznę pasującego do tego rysopisu. Bo tak naprawdę nikt nie wierzy w jego istnienie.

Tamsin szuka czegoś w torebce. Rusza w kierunku swojego domu, a Eve idzie za nią. Oddycham z ulgą, lecz w tym momencie Tamsin obraca się i patrzy ku mojemu domowi, z komórką przyciśniętą do ucha. Odsuwam się od okna, mając nadzieję, że mnie nie widziała. Podskakuję, gdy dzwoni telefon, który trzymam w ręce. To ona. Dzwonek do drzwi przyśpiesza mi bicie serca. Thomas powiedział, żebym nikomu nie otwierała. Być może to policja; mówił, że do nich zadzwoni. Może przyjechali nieoznakowanym samochodem. Chowam komórkę do kieszeni i zbiegam na dół.

– Alice, to ja – dobiega zza drzwi głos Thomasa.

Otwieram je szybko, przepędzając łzy, przez które pieką mnie oczy.

– Już dobrze – mówi, widząc moją twarz. Uspokajająco kładzie rękę na moim ramieniu. – Już tu jestem.

– Patrzyłam, czy nie idziesz przez skwer, ale cię nie widziałam.

– Szedłem naokoło, jak zawsze. Nie lubię ściągać na siebie uwagi. Dzwoni twoja komórka?

– Tak, to Tamsin.

– Jesteś pewna? To może być policja. Podałem im twój numer.

– Tak, spójrz. – Pokazuję mu telefon.

– Nie odbierzesz?

– Nie. – Przechodzimy do kuchni. – Pokłóciłyśmy się na lunchu. Mówiłam ci, nienawidzi mnie za to, że wypytuję o Ninę. – Wskazuję lodówkę. – Tam jest zdjęcie.

Spogląda na mnie.

– Ciekawe, dlaczego je tu umieścił.

– To znak dla mnie – wyjaśniam. – Zrozumiałam to dziś rano. Były też inne rzeczy, na które nie zwracałam uwagi, bo przypisywałam je Leo, jak róża na parapecie, butelka szampana w lodówce. Przewrócona fotografia. Za każdym razem coś robi. Na pewno czegoś jeszcze nie zauważyłam. To jak gra. On się ze mną bawił. – Patrzę na niego. – Co ci powiedzieli na policji, kiedy usłyszeli o zdjęciu na lodówce i o związku Tima z Niną?

– Zdałem się na mojego informatora, poszedł pogadać ze swoimi przełożonymi. Dziwię się, że jeszcze nie przyjechali.

– Wypijmy kawę, czekając. – Jęczę, gdy po raz kolejny dzwoni komórka. – Znowu Tamsin. Może powinnam odebrać, żeby mieć to z głowy?

– Możesz. Tylko nie pozwól, żeby się na ciebie wydzierała. Ja zajmę się kawą.

– Dzięki. – Odbieram. Podoba mi się to, że Thomas czuje się przy mnie dość swobodnie, żeby zrobić kawę.

– Alice, nie rozłączaj się! – Słyszę naglący głos Tamsin. Nic nie mówię, czekam na ciąg dalszy. – Powiedziałaś, że robisz to dla siostry Olivera.

346

– To prawda – mówię, mając nadzieję, że poczuje się winna.

– Oliver nie miał siostry.

Parskam śmiechem.

– Akurat!

Thomas odwraca się od zlewu i posyła mi uśmiech, zadowolony, że potrafię się obronić.

– Słuchaj, naprawdę dobrze znałam Ninę i jej męża. Oliver mówił, że jest jedynakiem – ciągnie Tamsin. – Nina też o tym wspominała, o tym, że on nie ma rodziny, bo matka zmarła, kiedy był mały, a ojciec mieszkał za granicą.

– Nie dzwoń więcej, Tamsin.

– Czekaj, jest coś jeszcze! Mężczyzna, który, jak mówiłaś, zjawił się na waszej parapetówce...

Tracę humor. Ona i Eve musiały widzieć Thomasa obchodzącego skwer.

– Jeśli to prawda, że Lorna go wpuściła, jeśli facet rzeczywiście istnieje, to dlaczego nie wpadło ci do głowy, że to on może być zabójcą Niny? Czy to nie on, a nie któreś z nas, powinien być dla ciebie pierwszym podejrzanym? No bo dlaczego miałby się zjawiać na waszej parapetówce?

Na jedną straszną chwilę świat się zatrzymuje.

– Alice? – odzywa się Tamsin. – Jesteś tam?

Thomas patrzy na mnie, uśmiecha się. To przywraca mnie do rzeczywistości.

– Jak mówiłam, nie dzwoń więcej – rzucam i kończę rozmowę.

Chowam telefon do kieszeni, żałując, że nie mogłam jej powiedzieć, że Thomas jest detektywem zajmującym się sprawą zabójstwa Niny i że odkrył, kto ją zabił.

– Zakładam, że jej przeprosiny nie były wystarczające? – odzywa się Thomas.

Kręcę głową.

– Nie, nie były.

– Nie przypuszczam, żeby udało ci się dowiedzieć czegoś o tym terapeucie.

– Tylko tyle, co ci powiedziałam. Tylko że to już nie ma znaczenia, skoro sprawcą jest Tim. – Uśmiecham się do niego, a on odpowiada tym samym, ale słowa Tamsin wciąż tłuką mi się po głowie. „Oliver nie miał siostry".

Wyjmuję komórkę.

– Muszę powiadomić Leo, o której wyjeżdżam, żeby mógł wrócić. Nalegał, żebym dała mu znać. Zamierzałam wyruszyć za jakąś godzinę, ale może powinnam zaczekać na policję.

– Może mu powiesz, że nie możesz podać konkretnej godziny, więc będzie musiał zaczekać do jutra?

– Dobra myśl – przyznaję, już pisząc SMS-a. **Możesz się dowiedzieć, czy Oliver miał siostrę? To pilne, naprawdę pilne.**

Odpisuje prawie natychmiast. **Ty mi powiedziałaś, że miał. Niby jak mam się dowiedzieć?**

– Wiedziałam, że będzie narzekać – mówię ze smutnym uśmiechem. – Nie jest zachwycony czekaniem do jutra.

– Powiedz mu, że nie ma wyboru.

– Dobrze.

Nie wiem! Po prostu się dowiedz. Błagam! – odpisuję.

Zrobię, co w mojej mocy. A właśnie, gadałem z Benem. Nie znał Maxwellów. Pracuje w Redwoods dopiero dwa lata. Nasz dom był pierwszym, który sprzedał w Circle.

Serce bije mi powoli, głucho. Patrzę na Thomasa, słysząc echo słów Tamsin.

„…dlaczego nie wpadło ci do głowy, że to on może być zabójcą Niny?"

– Co napisał? – pyta Thomas.

– Że wygrałam. – Kładę telefon na stole ekranem w dół, żeby Thomas nie zobaczył, co Leo napisze o siostrze Olivera. – Zaczeka do jutra.

– Dobrze.

Kończy robić kawę i przynosi kubki do stołu.

– Powiedziałeś Helen, że nie mogę się doczekać naszego spotkania? – pytam.

– Tak, kazała ci przekazać, że też czeka z niecierpliwością. – Wysuwa krzesło naprzeciwko mnie. – Myślałem… wiem, że to może trochę… hm… za wcześnie… ale chciałbym przedstawić cię moim rodzicom. I Louisowi.

– Z przyjemnością ich poznam. – Podnoszę kubek do ust.

Staram się uporządkować myśli kłębiące mi się w głowie, zderzające się ze sobą, wykluczające się wzajemnie. Thomas pokazał mi zdjęcie z Helen z czasów studiów. Nie, pokazał mi zdjęcie z młodą kobietą.

– Będzie wspaniale, kiedy powiesz Helen, że znalazłeś człowieka odpowiedzialnego za śmierć Niny – mówię. – Jeśli się okaże, że to Tim.

– Jestem na sto procent pewny, że to on.

– Jaki miał motyw? – Unoszę wzrok i patrzę na jego twarz, którą poznałam tak dobrze: zielone cętki w oczach, włosy w charakterystyczny sposób opadające na czoło. Wygląda zbyt sympatycznie, ma syna, rodziców, chce mnie im przedstawić. Nie mógł zamordować Niny, to niemożliwe. Skąd w ogóle miałby ją znać? Chyba że wynajęła go do śledzenia Olivera. A może zatrudnił go Oliver, bo podejrzewał Ninę o romans. Wiem jedno: Thomas Grainger jest detektywem, ponieważ sprawdziłam adres, który mi podał. Chyba że skłamał, jak Leo. Może wcale nie nazywa się Thomas Grainger. Może nie jest detektywem. Może nie ma syna ani rodziców.

– Kto wie? – mówi. – Może zakochał się w Ninie, kiedy się tu sprowadzili. Może mieli romans i gdy próbowała go zakończyć, zabił ją.

Czy tak było? – zastanawiam się. Czy to jego historia? Czy Thomas, jeśli tak ma na imię, miał romans z Niną? Jeśli miał, to kiedy i jak do tego doszło? Jak to się stało, że nikt nie zwrócił uwagi na nieznajomego, który regularnie przychodził do jej domu? Ale przecież Thomas odwiedzał mnie raz w tygodniu przez pięć tygodni i nikt go nie widział, nawet Eve, która mieszka po sąsiedzku. I nagle do mnie dociera, że go nie widziała, ponieważ, z wyjątkiem dzisiejszego dnia, Thomas zawsze przychodził w środę po południu, kiedy Eve, Tamsin i Maria są na zajęciach jogi. Nina też z nimi chodziła, ale przestała, bo w środy widywała się ze swoim terapeutą.

I wtedy już wiem.

To on jest tym terapeutą.

PRZESZŁOŚĆ

Gdy tylko wchodzę, wiem, że coś się zmieniło. Uśmiech, jakim mnie obdarza, nie jest tak szeroki jak zwykle i niezupełnie sięga do jej oczu.

— Wszystko w porządku? — pytam, kiedy już siedzimy.

— Niezbyt.

— To znaczy?

— Nasze sesje sprawiały mi przyjemność, ale niestety, nie mogę ich kontynuować.

Nie chce mi się wierzyć, że to znów się dzieje. Akurat wtedy, gdy myślę, że je mam, one się wymykają. Nie rozumiem: zawsze z taką starannością wybieram swoje ofiary, obserwuję je miesiącami, czekając na odpowiednią chwilę, żeby wkręcić się w ich życie. Z powodu okoliczności, w jakich się znalazłem, stało się to bardziej problematyczne. Ale nie mogę uwierzyć, że co do niej też się pomyliłem.

— Mogę spytać dlaczego?

— Nie jesteś terapeutą — mówi. — Może studiowałeś psychologię, ale nie jesteś psychoterapeutą.

Prostuję się w fotelu.

– Dlaczego tak uważasz?

– Zadajesz zbyt wiele pytań.

– Jeśli pytam, to dlatego, że próbuję dotrzeć do przyczyny twojego niezadowolenia z życia.

– To druga rzecz, która cię zdradziła. Twoje upieranie się przy tym, że jestem nieszczęśliwa. Z początku myślałam, że to była część naszych ćwiczeń terapeuta–pacjent, ale doszłam do wniosku, że realizujesz własne plany. To niebezpieczne. – Pochyla się i świdruje mnie wzrokiem. – Ale również intrygujące. Co więcej, powinniśmy skupić się na tym, dlaczego chcesz, bym myślała, że jestem nieszczęśliwa w małżeństwie.

– Obserwowałem cię, Nino. Miesiącami.

– Sądzę, że gdybyś poświęcał naszym sesjom należytą uwagę, pamiętałbyś, że ani razu nawet nie zasugerowałam, że nie jestem szczęśliwa.

– Wcześniej. Obserwowałem cię przed rozpoczęciem naszych sesji.

Unosi brwi.

– Co masz na myśli? Kiedy?

– Jeśli jesteś taka zadowolona z życia i męża – mówię, ignorując jej pytanie – jak wyjaśnisz to, że przez twój dom przewija się tłum mężczyzn, kiedy on wyjeżdża?

Wybucha śmiechem.

– Mam nadzieję, że zwróciłeś również uwagę na tłum kobiet, które tu przychodzą. Naprawdę nie stać cię na więcej? – Uśmiecha się do mnie z rozbawieniem. – Zdradzić ci sekret? Od trzeciej sesji wiem, że nie jesteś tym, za kogo się podajesz. Spotykałam się z tobą tylko dlatego, że jesteś niezwykle ciekawym przypadkiem. I przerywam sesje, ponieważ doszłam do wniosku, *że cierpisz na zaburzenia osobowości, których nie chcę i z powodu braku doświadczenia nie mogę dalej zgłębiać. W najlepszym wypadku jesteś manipulantem, w najgorszym... cóż, powiedziałabym, że masz skłonności psychopatyczne. Właśnie dlatego nie podałam Tamsin twojego numeru. Mógłbyś wyrządzić jej niewyobrażalną krzywdę, a ona już i tak ma dostatecznie dużo problemów. – Wstaje. – Chciałabym, żebyś wyszedł. Ale powinieneś wiedzieć, że powiadomię o tobie odpowiednie organy, żebyś miał zakaz praktykowania w zawodzie terapeuty.*

Następna, która myśli, że może mnie odrzucić, która marnuje mój czas, która mnie jawnie prowokowała, bawiąc się włosami podczas sesji.

Wstaję i bez słowa idę do drzwi.

– Nie wracaj – mówi.

– Nie wrócę.

Ale oczywiście zrobię to. Wracam wieczorem i proszę o zwrot pożyczonej książki. Wiem, że ma ją w sypialni, bo tam ją widziałem podczas moich nocnych wizyt.

Idzie po nią, a ja idę za nią bezgłośnie po schodach.

Książka to Walden *Henry'ego Davida Thoreau.*

W taki czy inny sposób Thoreau zawsze działa.

CZTERDZIEŚCI CZTERY

Thomas uśmiecha się do mnie. Odstawiam kubek i odwzajemniam uśmiech.

– Idę po sweter – mówię, odsuwając krzesło. – Zrobiło się trochę chłodno.

– Może ja ci przyniosę?

– Nie, dzięki, mam go w walizce w holu.

Wychodzę do holu i otwieram walizkę, mocno szarpiąc suwak, żeby słyszał. Kucam, znajduję w torebce klucze do domu i wsuwam je do kieszeni.

– Pomóc ci w czymś?

Unoszę głowę i widzę go w drzwiach.

– Nie, dzięki. – Sięgam do walizki i wyciągam jasnoniebieski sweter. – To wystarczy.

Podnoszę się z mocno bijącym sercem. Nie powinnam zawracać sobie głowy zabieraniem kluczy, tylko wyjść z domu, póki jeszcze mogę. Ale chciałam zamknąć za sobą drzwi, uwięzić go, żeby nie mógł pójść za mną. Za późno, skoro tu stoi. Jeśli ruszę do drzwi, będzie wiedział, że odgadłam prawdę, i dopadnie mnie, zanim je otworzę. Nie mam wyboru, muszę wrócić do kuchni.

On siada, ja stoję. Chcę zabrać telefon ze stołu, ale leży za daleko. Wciągam sweter przez głowę. Zahacza o spinkę do włosów. Rozpinam ją i obciągam sweter. Włosy są pod nim, więc uwalniam je ręką. Coś migocze w jego oczach.

– Masz piękne włosy – mruczy.

Zmuszam się, żeby podziękować za komplement.

– Aha, dostałaś wiadomość od Leo.

Zamieram. Skąd wie, że to od Leo?

– Sprawdzę później.

– Nie usiądziesz?

– Tak. – Wysuwam krzesło.

– Jeśli chcesz, mogę ci powiedzieć, co napisał.

Strach jeży mi włoski na karku, potem na ramionach. Nieruchomieję w trakcie siadania na krześle.

– Napisał – patrzy mi prosto w oczy – *Oliver nie miał siostry.*

To dzieje się tak szybko. Skacze ku mnie, ja podnoszę krzesło i rzucam w niego nad stołem. Krzyczy zaskoczony. Ale mnie już nie ma. Pędzę do drzwi, a gdy je otwieram, słyszę, jak wbiega do holu. Zatrzaskuję drzwi za sobą, wyjmuję klucze z kieszeni, niemal upuszczając je w panice, i zamykam dom. Spodziewam się, że zacznie łomotać w drzwi, ale tego nie robi, więc domyślam się, że szuka innego wyjścia. Klucz do drzwi na taras jest w kuchni, nieprędko go znajdzie.

Biegnę podjazdem, zatrzymuję się, patrząc we wszystkie strony. Nie wiem, dokąd pójść. Chciałam pobiec na skwer i wołać o pomoc, ale już nikogo tam nie ma. Nie mam czasu. Muszę znaleźć kogoś z telefonem, żeby wezwać policję. Patrzę na dom Eve i przypominam sobie, że jest u Tamsin. Biegnę do Edwarda i Lorny.

Wciskam dzwonek raz za razem.

– Lorna, Edward! – krzyczę, tłukąc pięścią w drzwi. – To ja, Alice! Możecie mnie wpuścić? To pilne!

Słyszę szuranie stóp, gdy wchodzą do holu.

– Proszę, szybciej! – ponaglam. Nie chcę ich straszyć, ale muszę dostać się do środka.

Słyszę szmer odciąganych rygli. Drzwi otwierają się i wpadam do domu, zderzając się z Edwardem. W głębi holu widzę Lornę, trupio bladą z przerażenia.

– Przepraszam, Lorno – mówię. – To pilne. – Szybko odwracam się w stronę Edwarda. – Mogę skorzystać… – Słowa zamierają mi na wargach. Za Edwardem, trzymając go za kark, stoi Thomas.

Krew odpływa mi z twarzy, kiedy Thomas wolną ręką zatrzaskuje drzwi.

– Jak się…?

– …tu dostałem? – dopowiada z rozbawieniem. – Przez twoje drzwi tarasowe i przez nasze.

Patrzę na niego z konsternacją.

– Wasze?

– Tak. – Śmieje się. – Przecież mówiłem, że chcę, żebyś poznała moich rodziców.

Jego rodziców… Zszokowana patrzę na Edwarda i szok szybko zamienia się w przerażenie. Twarz ma niebezpiecznie czerwoną, jego oczy robią się mętne. Czuję przypływ adrenaliny; muszę ściągnąć pomoc. Cofam się o krok i patrzę na drzwi. Za późno. Wciąż trzymając Edwarda, Thomas drugą ręką chwyta mnie za gardło.

Czeka, upajając się strachem w moich oczach, i zaciska dłoń.

– Boli – charczę.

Ostatnią rzeczą, jaką słyszę, jest jego śmiech.

*

Odzyskuję przytomność i stwierdzam, że jestem przywiązana do krzesła. Instynkt nakazuje mi, żebym spróbowała się uwolnić, ale czuję, że ktoś jest za mną, i wszystko mi się przypomina. Włącza się tryb przetrwania. Nie daj mu poznać, że jesteś przytomna. Zaschło mi w ustach. Ostrożnie poruszam językiem i cicho przełykam ślinę. Z trudem powstrzymuję się od krzyku, tak bardzo boli mnie gardło.

Staram się zebrać myśli, ale to trudne, bo paraliżuje mnie strach. Strach o Lornę i Edwarda... Gdzie oni są? Strach, że mogę nie wyjść stąd żywa.

Czy powiedział, że Lorna i Edward są jego rodzicami? W pewien sposób ma to sens. Jest synem, który rzekomo cztery lata temu zginął w Iraku. Co takiego zrobił, że wyparli się istnienia jedynego dziecka? Justine Bartley zniknęła trzy lata temu, po wyjściu na spotkanie z terapeutą. Jeśli Thomas był terapeutą Niny, czy był również terapeutą Justine?

Mimowolnie przełykam ślinę. Nie jestem przygotowana na ból i z moich ust wydobywa się jęk. Ręka wkręca się w moje włosy i pociąga głowę do tyłu, naprężając szyję. Mam wrażenie, że gardło mi płonie. Zamykam oczy. Nie chcę widzieć jego twarzy.

– Nie śpimy? Dobrze!

– Przestań, John, błagam! – Rozpoznaję głos Lorny, otwieram oczy i patrzę w jej stronę. Ledwie ją widzę, kucającą przy Edwardzie opartym o ścianę. – Trzeba wezwać pogotowie. Twojego ojca zawodzi serce.

– Cisza! – warczy Thomas. Przez chwilę byłam przekonana, że Lorna zwracała się do kogoś innego. Ale przecież Thomas nie jest jego prawdziwym imieniem.

Kiedy mocniej pociąga moją głowę, obrzmiałe gardło boli mnie jeszcze bardziej. Ból jest nie do zniesienia, ale nie chcę, żeby zobaczył, jak bardzo cierpię.

Pochyla się nade mną, przysuwa twarz do mojej, więc patrzę prosto w jego oczy.

– Zgadnij, co się teraz stanie?

Zabijesz mnie, myślę.

Słyszę hałas, szczęk nożyczek. Wsuwa je w moje pole widzenia i przypominam sobie, co spotkało Ninę.

– Obetniesz mi włosy – szepczę chrapliwie.

– Zgadza się. – Bierze w dłonie moją głowę i prostuje ją, więc teraz patrzę wprost przed siebie. Z początku myślę, że jest tu z nami druga kobieta, lecz w końcu uświadamiam sobie, że to moje odbicie patrzy na mnie z pocętkowanego ze starości lustra w złoconej ramie, stojącego przede mną na stole.

Szybko orientuję się, że pokój jest odpowiednikiem mojego gabinetu w sąsiednim domu. Oba okna zostały zabite dyktą; jedynym źródłem światła są dwie ozdobne lampy po obu stronach lustra. Gdy patrzę, Thomas chwyta garść moich włosów, unosi je nad głowę i opuszcza na ramiona. Patrzę na jego odbicie w lustrze i przenika mnie dreszcz. Wygląda zu-

358

pełnie inaczej niż człowiek, którego znałam – albo myślałam, że znam – i mam wrażenie, że widzę kogoś innego. W pewien sposób tak jest łatwiej.

Oddziela pasmo włosów, szerokie na jakieś trzy centymetry, i jak wcześniej unosi je wysoko nad moją głowę. Otwiera nożyczki, przesuwa ostrza w dół po włosach, jakby decydował, gdzie ciąć.

– Tu czy tu? – mamrocze. Nasze oczy spotykają się w lustrze. Czeka na reakcję, więc nie reaguję. Nagle przysuwa nożyczki na odległość trzech centymetrów od skóry i tnie. Nie ruszam się, ani drgnę, nawet kiedy rzuca mi obcięte włosy na kolana. Za bardzo martwię się o Edwarda, żeby myśleć o tym, co robi Thomas. Nie widzę starszego pana, widzę tylko czubek głowy kucającej Lorny. Wtedy sobie przypominam, że po śmierci Niny Lorna i Edward chcieli się wyprowadzić, ale Edward dostał ataku serca. Czy z powodu szoku? Bo wiedział, że mordercą jest jego syn? Czy Thomas mieszkał tu w tamtym czasie? A może przez cały czas. Może mieszkał tutaj, w tym domu, w tajemnicy. To by wyjaśniało, dlaczego wcześniej nie widziałam go na skwerze, dlaczego nikt nigdy go nie widział – i nikt nie wiedział o jego wizytach u Niny. Ponieważ przez cały czas mieszkał po sąsiedzku.

– Dlaczego zabiłeś Ninę? – pytam.

– Może ty mi powiesz? Z przyjemnością wysłucham twojej kolejnej teorii.

– Zabiłeś ją, bo miałeś z nią romans i chciała z tobą zerwać.

Milczy.

– A co z Justine i Marion? Z nimi też romansowałeś?

Szczerzy zęby w uśmiechu.

– Doceniam twój tok rozumowania, ale tu się mylisz. Nie miałem z nimi romansu. Z Niną też nie.

– Ale je zabiłeś.

– Owszem.

– Dlaczego?

– Bo same nie wiedziały, czego chcą. W przeciwieństwie do ciebie, Alice.

– Co masz na myśli?

Uśmiecha się i podnosi następne pasmo włosów.

– Gdzie mam ciąć?

– Gdzie chcesz.

Ścina włosy tuż przy skórze i rzuca na moje kolana. Nie mogę udawać, że nie porusza mnie widok sterczących na głowie krótkich kępek, ale się z tym nie zdradzam.

– Naprawdę jesteś terapeutą?

– Jak mogę być terapeutą, skoro jestem detektywem? Aha, czekaj... może nie jestem detektywem. – Macha nożyczkami. – Sztuczka polega na tym, że jestem tym, kim ludzie chcą, żebym był. Terapeuta dobrze się sprawdzał dla innych. Dla ciebie musiałem wymyślić kogoś innego. Potrzebowałaś zbawcy, odkupiciela. Kogoś, komu mogłabyś pomóc, żeby odpokutować swoje winy. – Triumfalnie spogląda na moje odbicie w lustrze. – Mam rację, Alice, prawda? To ty siedziałaś za kierownicą w noc, kiedy zginęli twoi rodzice i siostra.

Patrzę na niego niewzruszonym wzrokiem, nie pozwalając mu poznać, że ma rację. Unosi następne pasmo i skupiam się na dźwięku przecinających je nożyczek, żeby powstrzymać inny, który prześladował mnie przez prawie dwadzieścia lat, który będzie mnie prześladować do końca życia – pisk hamulców, chrzęst rozdzieranego metalu, wrzaski bólu i strachu.

– Szkoda, że tak nagle postanowiłaś wyprowadzić się z Circle. Zabawnie było słuchać twoich różnych teorii o tym, kto zabił Ninę. Skakałaś od jednej do drugiej, ledwie mogłem za tobą nadążyć. Podejrzewałaś przyjaciółki, ich mężów, mężczyznę, którego podobno kochałaś, nawet agenta nieruchomości. – Nożyczki znów tną włosy. – Nie jesteś miłą osobą, Alice. Zdajesz sobie z tego sprawę, prawda?

– W porównaniu z tobą jestem aniołem – mówię zjadliwie, żeby ukryć wstyd, jaki wzbudziły we mnie jego słowa. – Wykorzystałeś swoją wiedzę, żeby mną manipulować i przekonać mnie, że każdy ma coś do ukrycia. Domyślam się, że to ty kazałeś Lornie powiedzieć, że mam nikomu nie ufać.

– Niedorzeczny pomysł. Zrobiła to z własnej woli. Ale podsłuchałem ją i dopilnowałem, żeby za to zapłaciła.

Patrzę na niego z czystą pogardą.

– Urodziłeś się zły czy taki się stałeś?

– Może ty mi powiesz, co myślisz?

Kieruję wzrok na Lornę. Wygląda na przerażoną.

– Przypuszczam, że miałeś zwyczajne dzieciństwo, więc stawiam na odrzucenie przez kobietę albo kobiety. Z tego powodu tak bardzo nas nienawidzisz. – Namyślam się przez chwilę. – To dziewczyna ze zdjęcia, które mi pokazałeś, mówiąc, że to Helen? Miała długie włosy i chyba była blondynką. – Krzywię usta w uśmiechu politowania. – Więc tak to było, odtrąciła cię i nie mogłeś się z tym pogodzić? Naprawdę jesteś taki żałosny?

Parska chrapliwym, obojętnym śmiechem. Czemu nigdy nie słyszałam u niego takiego śmiechu?

Trafiłam w czułe miejsce. Wsuwa nożyczki w moje włosy i wściekle ciacha blisko głowy, kalecząc mi skórę, tak że nie mogę powstrzymać drgnienia.

– Skąd wziąłeś klucz do drzwi na taras? – pytam.

– Był w komplecie, który Nina i Oliver dali moim rodzicom. Zatrzymałem go, mając nadzieję, że się przyda. – Wzdycha z udawaną rozpaczą. – Leo naprawdę powinien zmienić wszystkie zamki, nie tylko te w drzwiach frontowych. – Szczerzy zęby w obłąkańczym uśmiechu. – Spodobało mi się, że pomyślałaś, że to Nina, gdy odwiedzałem cię w nocy.

Skręca mnie na myśl, że słyszał, jak do niej mówię, że widział mnie w chwilach słabości.

– Ukrywanie się w szafie było dziecinnie żałosne – rzucam drwiąco.

– John, on nie żyje! – Drżący głos Lorny przebija się przez rozbawienie Thomasa. Nożyczki przestają się ruszać. – Twój ojciec nie żyje.

Patrzę w lustrze, jak idzie do Lorny. Spuszcza głowę, zaraz potem unosi ją ze zdezorientowaną miną, lecz szybko to ukrywa.

– Chyba masz rację – mówi, siląc się na nonszalancję.

Lorna wybucha płaczem.

– Potrzebna karetka. John, proszę…

– Po co, skoro on nie żyje? – rzuca szorstko jej syn.

Wraca do mnie, bezsilnej w obliczu jego tłumionego gniewu, wywołanego śmiercią ojca. Chcę pocieszyć Lornę, zabrać ją od Thomasa. Przywiązana do krzesła, nie mogę zrobić ani jednego, ani drugiego. Nie mogę zrobić nic. Dopiero teraz to do mnie dociera: umrę tu.

– Przeprowadzili się tutaj, żeby być z dala ode mnie. – Ścina moje włosy, ale jakby stracił do tego serce. Może był przygotowany na moją śmierć, lecz nie na zgon ojca. – Nie powiedzieli mi, że wyjeżdżają z Bournemouth. Kiedy wróciłem z Paryża, po zabiciu Marion, musiałem wynająć detektywa, żeby ich wytropił... i stąd mój pomysł postaci dla ciebie. – Rzuca następne pasmo na moje kolana. – Zjawiłaś się w odpowiednim czasie. Miałem widoki na Tamsin, już miałem wszystko ustawione. Od Niny wiedziałem, że szuka terapeuty, ale Nina nie chciała się mną z nikim dzielić. – Znowu się śmieje. – Byłem jej małą tajemnicą, tak jak twoją. Wiedziałem, że po jej śmierci Tamsin będzie jeszcze bardziej potrzebować terapii, więc wszystko układało się po mojej myśli. Niestety, ścięła włosy.

– Zjawiłeś się w Circle po zabiciu Marion? – pytam, wracając do jego wcześniejszych słów. Muszę podtrzymywać rozmowę, bo dopóki będziemy rozmawiać, dopóty będę żyła.

– Tak. Ironia losu, naprawdę. Moi rodzice zdecydowali się na Londyn, przekonani, że tutaj znikną jak igła w stogu siana. Wybrali sobie nawet zamknięte osiedle. Myśleli, że to mnie powstrzyma. Ale to miejsce okazało się dla mnie idealną kryjówką.

– Nie pozwalał nam nigdzie wychodzić, trzymał nas tu jak więźniów – odzywa się Lorna, teraz silniejszym głosem. Przysuwa się w moje pole widzenia. – Trzymał nas pod kluczem przez cały dzień, a w nocy zamykał w naszej sypialni. Nic nie mogliśmy zrobić, był dla nas za silny. Pozwalał nam tylko wystawiać kosze na śmieci albo pracować w ogródku przed domem, żeby ludzie widzieli nas od czasu do czasu i nie mieli powodów do zmartwienia. Ale nigdy razem, zawsze jedno z nas było zakładnikiem. Kiedy Edward trafił do szpitala z atakiem serca, John mu zagroził, że mnie zabije, jeśli powie coś lekarzom. Nie pozwalał mi go odwiedzać, musiałam udawać, że jestem za słaba, żeby jechać do szpitala.

– Ale nie jesteś słaba, Lorno, prawda? – mówię z lekkim naciskiem, próbując pochwycić jej spojrzenie w lustrze. Chcę, by rozumiała, że jeśli mamy wyjść z tego cało, musi być silna. Jest jednak zbyt głęboko pogrążona w swojej opowieści.

– Kazał mi skłamać na policji. Musiałam udawać, że słyszałam kłótnię Olivera i Niny, i powiedzieć, że przyznała mi się do romansu. Musiałam zeznać, że widziałam, jak Oliver idzie prosto do domu w wieczór jej śmierci. – Ściska perły, koło ratunkowe w morzu emocji. – Musiał zobaczyć Olivera idącego na skwer i skorzystał z okazji, żeby wemknąć się do domu i zabić Ninę. Nie wiedziałam… nie miałam pojęcia, co zrobił, dopóki nie wrócił i nie wyłożył szczegółowo, co mam powiedzieć policjantom, gdy zapukają do naszych drzwi. Groził, że jeśli nie posłucham, zabije ojca… Zawsze groził nam śmiercią. – Łzy płyną z jej oczu. – Oliver i Nina nigdy się nie kłócili. Kochali się.

Thomas ze złością kręci głową.

– Nie. Nina go nie kochała. Kochała mnie. Po prostu nie zdawała sobie z tego sprawy. Tak jak tamte dwie dziwki. Ale ty jesteś inna, Alice. Gdybyś tylko dała mi trochę więcej czasu. Byliśmy sobie tacy bliscy.

– Co masz na myśli?

Garbi się, przysuwa twarz do mojej.

– Przyznaj to, Alice – mówi cicho. – Zaczynałaś się we mnie zakochiwać.

Spoglądam na nasze odbicie w lustrze, ujęte w ozdobną ramę. To mogłaby być fotografia.

– Lorno – odzywam się stanowczym tonem.

Patrzy na mnie. Przenoszę spojrzenie na nożyczki, wciąż w ręce Thomasa, ale w jej zasięgu. Mam nadzieję, że rozumie wiadomość. Ale Thomas też to widzi i z niemal dziecięcym śmiechem unosi nożyczki wysoko nad głowę.

– Ona ci nie pomoże, Alice. Jestem jej synem.

Ma rację, wiem. Poza tym Lorna nie może równać się z nim pod względem siły. Nie da rady wyrwać mu nożyczek z ręki, a tym bardziej użyć ich przeciwko niemu.

– Czy powiedziała o mnie policji po tym, jak zabiłem Justine, jak zabiłem Marion? – mówi Thomas. – Nie, nie powiedziała. Czy kryła mnie po tym, jak zabiłem Ninę? Tak, kryła. Więzy krwi, Alice. A kim dla niej były Justine, Marion czy Nina? Nikim.

– Ale nie Edward. A ty go zabiłeś.

Uderzyłam w czułą strunę.

– Nie zabiłem go! – krzyczy.

– Tak naprawdę zabiłeś.

Lorna krzyczy, nie ze strachu albo bólu – to niemilknący wrzask rozgrzanego do białości gniewu. Płynie z głębi niej, zagłuszając wrodzone matczyne pragnienie chronienia dziecka bez względu na to, co zrobiło. Thomas, wyczuwając, że coś się zmieniło, zastyga na kilka cennych dla mnie sekund, zapewniając mi czas. Wciąż przywiązana do krzesła, podrywam się i rzucam do tyłu, uderzając w niego. Z hukiem upada na podłogę, a ja ciężko ląduję na nim. Nożyczki wypadają mu z ręki.

– Lorna! – krzyczę. – Sprowadź pomoc!

Thomas z rykiem łapie krzesło i spycha je z siebie. Staczam się na podłogę. Powietrze ucieka mi z płuc. Leżę bezradnie, gdy rzuca się na mnie i naciska na moją klatkę piersiową. Sięga rękami do mojej szyi, krzywiąc się z furii. Dusi mnie i wiem, że jeśli nawet Lorna ściągnie pomoc, dla mnie będzie za późno.

Słyszę jego chrząknięcie i ciężar na mojej piersi się zwiększa. Ale ręce się rozluźniają. Przekręcam głowę, desperacko łapiąc powietrze. Jego ręce wiotczeją, osuwają się z mojej szyi. Głowa Thomasa uderza w moją twarz. Jednocześnie słyszę głuche rytmiczne łupnięcia, powtarzające się bez końca.

PÓŁ ROKU PÓŹNIEJ

Ktoś puka do drzwi tak nieśmiało, że ledwie to słyszę. Kładę książkę na blacie sosnowego stołu i wycieram o dżinsy nagle lepkie dłonie. Spodziewałam się Eve, ale jestem strasznie zdenerwowana. A jeśli ona wie?

W porządku, uspokajam się, idąc otworzyć. Nie wie. Dzięki Lornie nigdy się nie dowie.

*

Tamtego dnia myślałam, że umrę, przyciśnięta przez ciało Thomasa. Udało mi się przekręcić głowę, ale nie mogłam zaczerpnąć powietrza. Lorna przeżyła szok, sparaliżowana świadomością tego, co zrobiła. Opamiętała się, słysząc moje zduszone sapnięcia. Próbowała zepchnąć ze mnie Thomasa, ale był dla niej za ciężki.

– Wyciągnij mnie! – zawołałam.

Zrozumiała, chwyciła mnie pod pachy i ciągnęła, aż w końcu nacisk na klatkę piersiową zelżał. Reszta jest zatarta: przyjazd policji, zadawane łagodnym tonem pytania, droga do karetki, zszokowane twarze ludzi zwabionych przez przyjazd karetki i policji do Circle. Eve i Tamsin, patrzące na mnie w osłupieniu, gdy zrozumiały, że w grę wchodzi coś więcej niż śmierć Edwarda.

Wtedy zaświtało mi w głowie, że wszyscy – nie tylko policja, ale również Leo, Ginny, Debbie i mieszkańcy Circle – dowiedzą się, jak zostałam nabrana przez nieznajomego, który sześć tygodni wcześniej przyszedł do naszego domu.

– Wszyscy się dowiedzą – powiedziałam do Lorny, zapłakana, gdy siedziałyśmy w karetce, czekając na odjazd. – Będą wiedzieć, jaka byłam głupia. Nie mogę tego znieść.

Lorna złapała mnie za rękę pod kocami, którymi byłyśmy okryte.

– Muszą wiedzieć tylko tyle, że przyszłaś pożegnać się ze mną i Edwardem i że wpadłaś w ręce mężczyzny, którego wcześniej widziałaś na waszym przyjęciu – szepnęła. – Kiedy policja spyta, tak im powiedz. Nie muszą wiedzieć nic więcej, nikt nie musi.

Patrzyłam na nią, nie mając odwagi uwierzyć, że to takie proste.

– Będzie dobrze – zapewniła mnie, mocno ściskając moją rękę.

Chwyciłam koło ratunkowe, które mi rzuciła, i kurczowo się go trzymałam. Dzięki Lornie koniec mojej historii stał się początkiem i ani razu nie wymieniłam nazwiska Thomasa Graingera. Istniał tylko dla mnie; nikt nie musiał wiedzieć, jaka byłam głupia i naiwna. Jeśli chodzi o policję i wszystkich innych, było tak, jak powiedziała Lorna: wpadłam się pożegnać i zastałam mężczyznę, którego rozpoznałam jako nieproszonego gościa z parapetówki. Trzymał Edwarda za szyję i zaatakował mnie, zanim miałam szansę zareagować. Kiedy odzyskałam przytomność, siedziałam przywiązana do krzesła, a on ścinał mi włosy. Powiedział, że jest synem Edwarda i Lorny, że zabił Ninę Maxwell i że mnie czeka ten sam los. Myślałam, że umrę, dopóki Lorna mnie nie ocaliła.

Ta mała część prawdy jest wszystkim, co wiedzą inni.

*

Eve wygląda inaczej. Różowe końcówki zniknęły z jej włosów i ma pełniejszą twarz.

– Dzięki, że zgodziłaś się ze mną zobaczyć – wita się kulawo.

Patrzymy na siebie przez chwilę. Emocje biorą górę i zamykam ją w ramionach.

– Tak dobrze cię widzieć – mówię, a ona wtula się we mnie.

– Naprawdę? – pyta urywanym głosem.

– Tak. Tęskniłam za tobą.

– Ja za tobą też. – Odsuwa się i uważnie mi się przygląda. – Jak się masz?

– Dobrze. Będzie dobrze.

Kiwa głową i bierze moją dłoń.

– Za tyle rzeczy muszę przeprosić – mówi z bólem w głosie.

Marszczę brwi.

– Przeprosić?

– Tak. Czuję się okropnie w związku z tą całą sytuacją. Wszystkie tak się czujemy. – Uśmiecha się niepewnie. – Mogę usiąść? Jestem w ciąży i mam za sobą długą jazdę.

– Och, Eve, to cudownie! Gratuluję! – Zmobilizowana do działania przez radosną wiadomość, prowadzę ją do kuchni i wysuwam krzesło. – Proszę, odpocznij, a ja zrobię herbatę.

Rozgląda się zauroczona.

– Pięknie tu. Podoba mi się ta półka na talerze i ta staroświecka kuchenka... Czy to piec chlebowy?

Nic na to nie poradzę, śmieję się z jej entuzjazmu.

– Tak – mówię, odwracając się, żeby nalać wody do czajnika.

– Masz cudowny dom. Wcale się nie dziwię, że wyjazd stąd był trudny. Kiedy się wprowadziłaś?

– Dwa miesiące temu. Z początku mieszkałam u Debbie.

– Pewnie jesteś szczęśliwa, że wróciłaś.

– Jestem. Tu czuję się bezpiecznie.

Przechyla głowę, znów przypatruje mi się uważnie.

– Pasuje ci ta fryzura.

– Dzięki. – Unoszę rękę do głowy. – Zawsze chciałam wiedzieć, jak to jest mieć krótkie włosy. Teraz już wiem. – Nie mówię jej, że ich nie cierpię, że za każdym razem, gdy spoglądam w lustro, widzę stojącego za mną Thomasa Graingera z twarzą wykrzywioną z wściekłości. Ale jestem coraz lepsza w przepędzaniu tego widoku. Nie chcę pozwolić, żeby wywierał wpływ na moje życie.

Zerkam na jej lekko zarysowany brzuch.

– Kiedy masz termin?

– Na początku sierpnia.

– Jejku! Za cztery miesiące. Tak się cieszę, Eve. Will pewnie wariuje z radości.

Śmieje się.

– Zgadza się. Zachowuje się tak, jakby był pierwszym mężczyzną, który zostanie ojcem.

Wyjmuję kubki z szafki i mleko z lodówki.

– Co tam u wszystkich?

– Borykamy się – odpowiada, a ja kiwam głową, bo już to wiem od Leo. – Maria i Tim się wyprowadzili, prawie od razu wystawili dom na sprzedaż. Pozbyli się go względnie szybko. Tamsin i Connor będą następni. Później Will i ja. Próbujemy rozłożyć to w czasie, żeby cena nie spadła. Ale i tak sprzedamy ze stratą.

– Przykro mi.

Uśmiecha się lekko.

– To nie twoja wina.

Myli się, to moja wina. Gdybym nie była tak łatwowierna, nie doszłoby do tego. Czerwienię się ze wstydu i zajmuję herbatą, żeby nie zauważyła rumieńców.

– Wszystkim jest przykro, Alice, i nie tylko dlatego, że nie wierzyliśmy, że jakiś nieznajomy zjawił się na waszej parapetówce. Czujemy się strasznie z powodu Olivera. Zbyt łatwo pogodziliśmy się z tym, że uznano go za winnego. Chcieliśmy wierzyć, że zabójca Niny został schwytany. Potrzebowaliśmy tego, żeby normalnie żyć. Wybraliśmy łatwy sposób i teraz trudno przejść nad tym do porządku.

Zanoszę kubki do stołu i siadam naprzeciwko niej. Chcę coś powiedzieć, żeby ją pocieszyć, ale nic nie przychodzi mi na myśl.

– Leo wspomniał, że widziałaś się z Lorną – mówi, przerywając milczenie, które zaczęło ciążyć.

– Tak, kilka miesięcy temu.

– Co u niej?

Uśmiecham się lekko.

– Boryka się. Mieszka u siostry w Dorset, czekając na proces.

– Potraktują ją wyrozumiale, nie sądzisz?

– Mam nadzieję.

*

Podczas gdy Eve sączy herbatę, wracam myślą do dnia, kiedy leżałam z Lorną w karetce. Była taka silna. Wpadła w euforię; zdołała się uwolnić, ocaliła mnie. Jeszcze nie w pełni do niej dotarło, że Edward odszedł na zawsze i że zabiła rodzonego syna. I że choć jeden koszmar się skończył, niedługo zacznie się następny.

Kiedy widziałam ją dwa miesiące później w Dorset, było zupełnie inaczej. Siedziała skulona w fotelu, z siostrą krążącą za jej plecami. Wydawała się skurczona, dwa razy mniejsza i starsza o dziesięć lat. Przykro było oglądać ją w takim stanie.

– Oliver się zabił, bo go zdradziłam – szepnęła ze łzami w oczach. – Mówił, że jestem dla niego jak matka, której nigdy nie miał, a ja go zdradziłam. Zdradziłam też ciebie. John kazał mi napisać tamten list.

Dopiero po chwili przypomniałam sobie o liście rzekomo od Helen, tym, który natchnął mnie nową energią akurat wtedy, kiedy zaczynałam mieć wątpliwości co do pomagania w rozwiązaniu sprawy zabójstwa Niny.

Ujęłam dłoń Lorny.

– To nieważne.

Wtedy mi opowiedziała, jak to wszystko się zaczęło. John już w dzieciństwie obsesyjnie interesował się niektórymi osobami; najpierw dziewczynką, która mieszkała po sąsiedzku, później koleżankami w szkole, do tego stopnia, że zmartwione matki i nauczycielki rozmawiały z Lorną, a później izolowały jej syna od innych dzieci. W wieku piętnastu lat dostał niebezpiecznej obsesji na punkcie swojej nauczycielki. Gdy kobieta zgłosiła stalking, na przesłuchaniu przez policję wyszło, że jej niewinne zachowania interpretował jako znak, że odwzajemnia jego miłość. Jako przykład podał to, że nauczycielka czasami rozpuszczała włosy, przez chwilę nimi potrząsała, aż spadały jej na ramiona, po czym znów wiązała je w kucyk, w ten sposób potajemnie przesyłając mu intymną wiadomość. Lorna i Edward szukali pomocy u lekarzy i terapeutów i u ich syna zdiagnozowano zaburzenie miłości obsesyjnej. John inteligentnie stwarzał pozory, aż wszyscy doszli do przekonania, że zapanował nad swoją obsesyjną osobowością.

Kiedy był na studiach, Lorna i Edward rzadko go widywali, a po ukończeniu szkoły wyższej w 2003 roku zupełnie zniknął z ich życia. Był to początek wojny w Zatoce Perskiej i nie mając żadnych wiadomości od syna, wmówili sobie, że zaciągnął się do wojska. Pewnej nocy, trzynaście lat temu, zjawił się w ich domu w Bournemouth. Powiedział, że chce u nich zostać na parę tygodni, a kiedy zapytali, czy był w wojsku, odparł, że tak, walczył w Iraku. Był czarujący dla sąsiadów, mówił im, że jest na urlopie i wykorzysta ten czas, żeby zrobić rodzicom taras, o którym zawsze marzyli. Przez trzy tygodnie pracował do późnego wieczora, a potem zniknął równie nagle, jak się pojawił, zabierając ich samochód i zostawiając swój.

– Domyślałaś się, dlaczego Thom... – urwałam i poprawiłam się – dlaczego John budował taras? – zapytałam Lornę. Po przesłuchaniu jej przez policję taras został rozkopany i znaleziono pod nim szczątki kobiety, która później została zidentyfikowana jako Justine Bartley.

Gwałtownie pokręciła głową.

– Wiedzieliśmy, że coś jest nie w porządku, ale nie coś takiego... nigdy w życiu! Przez cały czas, kiedy mieszkał z nami, nie czuliśmy się bezpiecznie. Był agresywny, groził nam, baliśmy się go. Powtarzaliśmy sobie, że to przez traumatyczne przeżycia w Iraku, ale w głębi serca wiedzieliśmy, że wcale nie służył w wojsku i że ten jego mrok bierze się z czegoś innego. Odetchnęliśmy z ulgą, gdy odszedł, baliśmy się jednak, że wróci. Właśnie dlatego postanowiliśmy przeprowadzić się gdzieś, gdzie nas nie znajdzie. – Dotknęła pereł. Ucieszyłam się, widząc ten stary gest; dobrze, że coś zostało z dawnej Lorny. – Powiedzieliśmy sąsiadom, że przenosimy się do Devonu, i zamieszkaliśmy w Londynie. A w Circle powiedzieliśmy wszystkim, że nasz syn zginął w Iraku. Wiem, to brzmi strasznie, wyrzekliśmy się go, ale... – Zawiesiła głos. – A pewnego dnia rano zobaczyliśmy, że czeka w ogrodzie za domem.

– Wtedy zostaliście jego więźniami?

Kiwnęła głową i powtórzyła to, co już mi powiedziała, gdy siedziałam przywiązana do krzesła.

– Zajął pokoje na tyłach domu i w nocy słyszeliśmy, jak chodzi. Zdawało się, że nigdy nie śpi. Ale często o szóstej rano budził nas, zamykał w pokoju na dole i wypuszczał tylko w porze lunchu, więc myśleliśmy, że prawdopodobnie wtedy sypia. – Przerwała, żeby zebrać myśli. – Nie było mi wolno opuszczać domu, tylko Edward wychodził, żeby wystawiać kosze i popracować w ogródku od frontu, dla zachowania pozorów. John łapał mnie za szyję i ściskał, aż ledwie mogłam oddychać, i mówił ojcu, że mnie udusi, jeśli spróbuje komuś powiedzieć, co się u nas dzieje. Wolno nam było odpowiadać na pukanie do drzwi, ale wtedy stawał za nami i słuchał, co mówimy. – Opuściła ręce na różowy patchworkowy koc, który okrywał jej kolana, i zaczęła go skubać. – Tego dnia, kiedy przyszłaś, żeby zapytać o Ninę, wszystko słyszał. Starałam się cię ostrzec, próbowałam ci powiedzieć, żebyś mu nie ufała, ale nie mogłam podać ci imienia, bo zdawałam sobie sprawę, że nie przedstawił się jako John. Wiedziałam, że poszedł na waszą parapetówkę... widział zaproszenie na grupie na WhatsAppie... Po tym, co zrobił biednej Ninie, bałam się o ciebie. – Po jej policzkach spływały łzy, więc wyciągnęła chusteczkę z rękawa.

– Wydawało mi się, że powiedziałaś, że mam nikomu nie ufać.

Otarła oczy.

– Nie, powiedziałam „Nie ufaj mu". Ale wiedział, że coś ci szepnęłam, i był strasznie zły. Przysięgałam, że nic nie mówiłam, ale dowiedział się, że to zrobiłam, i wtedy mnie uderzył.

– To przeze mnie – jęknęłam, przerażona, że byłam przyczyną takiej przemocy. – Powtórzyłam mu, że szepnęłaś, że mam nikomu nie ufać. Ale czegoś nie rozumiem. – Przysuwam się do niej. – Kiedy w rozmowie z tobą i Edwardem wspomniałam, że na naszej parapetówce pojawił się jakiś mężczyzna, dlaczego powiedziałaś, że wpuściłaś go do Circle? Nie lepiej było nic nie mówić?

– Chciałam, ale wspomniałaś, że Leo chce zawiadomić policję, i spanikowałam. John tam był, słuchał. Bałam się, że zabije nas ze strachu, że wydamy go policji.

Intrygowało mnie coś jeszcze, chociaż nie byłam pewna, czy Lorna da mi odpowiedź.

– Nie rozumiem, dlaczego udawał detektywa zajmującego się zabójstwem, które sam popełnił. To wydaje się bardzo ryzykowne.

– Przypuszczam, że wymyślił taki sposób, żeby cię usidlić. Powołując się na pomyłkę sądową, zwrócił się do ciebie o pomoc. Na pewno się nie spodziewał, że dotrzesz do prawdy. Dlatego był skłonny zaryzykować.

– Ale gdybym powiedziała o nim wszystkim innym?

– Musiał wiedzieć, że tego nie zrobisz.

Zarumieniłam się, zdając sobie sprawę, że przejrzał mnie na wylot.

– Gdyby nawet, nie miałoby to znaczenia – kontynuowała. – Prywaty detektyw zniknąłby z dnia na dzień. Ale z pewnością wymyśliłby coś innego, żeby do ciebie dotrzeć.

Zastanawiałam się, jak dotarł do Niny; może wsunął przez drzwi wizytówkę, na której polecał się jako terapeuta.

– Dla niego to była gra – ciągnęła Lorna. – Wszystko sprowadzało się do manipulowania ludźmi w taki sposób, żeby mieli go za kogoś, kim nie był. Tak było w Bournemouth, gdzie udawał przed sąsiadami, że jest idealnym synem, że nie wracał do domu przez lata, bo wykorzystywał urlopy na pomaganie sierotom wojennym. Potrafił tak czarować, że wszyscy dali się nabrać. Na początku również ja i Edward. – Zamilkła na chwilę. – Może dlatego, że chcieliśmy wierzyć, że nasz syn ma w sobie dobro. Baliśmy się go, ale nigdy nie dopuszczaliśmy do siebie myśli, że jest zdolny do wyrządzenia komuś krzywdy... dopóki nam nie powiedział, że zabił Ninę. Nienawidzę się za to, że dla niego kłamałam. Powiedziałam policji, że słyszałam kłótnię Niny i Olivera, że Nina zwierzyła mi się z romansu. Ale zagroził, że zabije ojca, jeśli tego nie zrobię... i mimo wszystko wciąż był moim synem. – Trzęsły jej się ręce. – Nie mogę uwierzyć, co zrobiłam... nie mogę uwierzyć, że go zabiłam.

Ujęłam jej dłonie, żeby uspokoić ich drżenie.

– Ocaliłaś mi życie. To zrobiłaś. Ocaliłaś mi życie. – Pochyliłam się, żeby ją pocałować. – Dziękuję.

To nie wystarczyło. Ale co można powiedzieć matce, która zabiła syna, która tak gwałtownie i z taką determinacją przecięła wiążącą ich pępowinę, żeby uratować życie prawie nieznajomej osobie?

Zebrała się w sobie i nagle przybyło jej sił.

– Skoro ocaliłam ci życie, zrobisz coś dla mnie? – zapytała. – I dla Edwarda, bo on też by tego chciał.

– Oczywiście. Wszystko.

– Przeżyj je.

Spojrzałam na nią, nie rozumiejąc, o co jej chodzi.

– Przeżyj życie, które masz – wyjaśniła. – Przez ostatnie dwadzieścia lat żyłaś przeszłością. Teraz masz całe życie przed sobą. Nie pozwól, żeby zżerało cię poczucie winy. Wszyscy popełniamy błędy.

Niektórzy popełniają ich więcej niż inni. Mogę wymyślić mnóstwo usprawiedliwień dla siebie. Mimo terapii nigdy nie pozbierałam się po zabiciu rodziców i siostry. Sędzia nie skazał mnie na więzienie, chociaż o to błagałam. Nie wymierzył mi kary, jakiej potrzebowałam, i od tamtej pory karałam się sama. W Harlestone wszyscy wiedzieli o mojej tragedii i robili, co mogli, żebym nie pogrążyła się w rozpaczy. Wyjeżdżając stamtąd, zostałam bez mojej grupy wsparcia. Ale miałam Leo, jedyną osobę, której się zwierzyłam, ponieważ ustaliliśmy, że nie będziemy mieć przed sobą tajemnic. Wiedział o wszystkim, także o mojej udręce wywołanej tym, że nie zostałam odpowiednio ukarana. Gdy odkryłam, że siedział w więzieniu, nie byłam w stanie mu wybaczyć – nie dlatego, że popełnił przestępstwo. Przyczyną była zazdrość. Zazdrościłam mu, że mógł odpokutować swoje winy i żyć dalej, podczas gdy ja tkwiłam w przeszłości. I tak byłam zagubiona, ale po tym, jak zataił przede mną informację o śmierci Niny Maxwell, stałam się jeszcze bardziej zdezorientowana i zwróciłam się do jedynej osoby, której – tak mi się wtedy wydawało – mogłam zaufać, do jedynego człowieka, który dawał mi jakąś stabilność wtedy, gdy nieufność i podejrzliwość wzbudzona przez wyszeptane ostrzeżenie Lorny zaczęła rzutować na relacje z otaczającymi mnie ludźmi. Tymczasem Thomas Grainger robił wszystko, żeby zaszczepić we mnie strach. A moje zachowanie było wodą na jego młyn.

*

Rozmawiam z Eve jeszcze chwilę. Jest prawie tak samo jak kiedyś, choć nie do końca. I dobrze, bo wiem, że być może nigdy nie będzie tak samo, ponieważ nie powiedziałam jej całej prawdy. Podobnie jest z Leo; spotykamy się, jesteśmy przyjaciółmi. Co więcej, dał mi do zrozumienia, że chciałby, żebyśmy znów byli razem. Ale jak mogę, skoro wciąż mam przed nim tajemnice, a przecież wcześniej nie mogłam mu wybaczyć, że coś przede mną ukrywał?

Czasami myślę, że wie, że wersja, którą mu podałam, nie do końca pokrywa się z prawdą. Ostatnio, gdy tu był, złapał mnie za ręce i przyciągnął do siebie.

– Nigdy nie będę cię osądzać – powiedział cicho. – Jak mógłbym po tym, co sam przed tobą ukrywałem?

*

Eve ściska mnie na pożegnanie i obiecuje, że da mi znać, kiedy urodzi dziecko.

– Tamsin chciałaby się z tobą zobaczyć – mówi.

Żałuję, że nie mogę jej powiedzieć, że mam u Tamsin ogromny dług. Gdyby mnie nie powiadomiła, że Oliver nie miał siostry, wątpię, czy byłabym tu teraz. Jestem pewna, że tamtego dnia Thomas zamierzał mnie zabić, żebym nie opuściła Circle. Pod jakimś pretekstem zabrałby mnie na górę i tam podzieliłabym los Niny, Marion i Justine.

– Ja też – mówię zgodnie z prawdą, chociaż nie wiem, czy kiedyś dojdzie do spotkania. – Pozdrów ją ode mnie.

Powoli idę do kuchni. Nie zawsze jest mi łatwo robić to, o co prosiła Lorna, ale cieszę się, że wyraziłam zgodę na przyjazd Eve. Siadam przy stole, zadowolona, że mogę wrócić do lektury – i nie wracam. Leo zadzwoni z pytaniem, jak poszło. Dziś już zrobiłam jeden wielki krok; może czas zrobić drugi i w końcu wyznać mu prawdę o mężczyźnie, który zjawił się na naszej parapetówce.

Prawda i tylko prawda.

PODZIĘKOWANIA

Dziękuję przede wszystkim mojej nadzwyczajnej agentce Camilli Bolton. Po pięciu książkach stałaś się dla mnie kimś więcej niż agentką. Jestem dumna i czuję się zaszczycona, nazywając cię moją przyjaciółką.

Dziękuję Kate Mills z HQ i Catherine Richards z St Martin's Press za cenny wkład i niezachwiane wsparcie. Dziękuję też moim innym wydawcom za granicą: jest już was ponad czterdziestu! Wasza nieustająca wiara w moje powieści uczy mnie pokory.

Dziękuję:

Zespołom, które pracują z moimi wydawcami, zajmując się redakcją, projektowaniem okładek, reklamą i sprzedażą moich książek. Żałuję, że nie mogę wymienić każdego z was z nazwiska, ale wiem, kim jesteście. Mam również nadzieję, że wiecie, jaka jestem wdzięczna za waszą ciężką pracę i entuzjazm.

Kolegom autorom, którzy uprzejmie nie szczędzą cennego czasu na czytanie moich książek, a w szczególności Louise Candlish, Jane Corry i Timowi Loganowi za ich pochwały dla *Terapeutki*.

Blogerom i czytelnikom, którzy poświęcają czas na lekturę i recenzowanie moich powieści.

Moim przyjaciołom we Francji i w Wielkiej Brytanii za to, że zawsze są zainteresowani tym, co piszę, i za kupowanie moich książek, gdy w końcu się ukażą. I oczywiście dziękuję cudownym członkom rodziny Curranów i MacDougallów, a nade wszystko mojemu mężowi Calumowi i córkom: Sophie, Chloë, Céline, Eloïse i Margaux. Dodajecie mi skrzydeł.

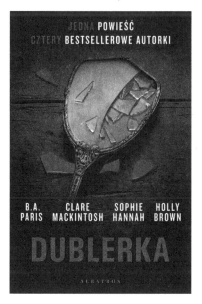
WIEM, CO ZROBIŁAŚ

WIEM, KIM JESTEŚ

ZNAM CIĘ

Najbardziej prestiżowa akademia sztuk scenicznych w Londynie.

Główna rola w szkolnym przedstawieniu może otworzyć drogę do kariery.

Cztery dziewczyny, dotąd tworzące zgraną paczkę, stają się konkurentkami.

I piąta, która wydaje się najgroźniejsza, nie tylko jeśli chodzi o wynik rywalizacji.

Ale tak naprawdę to ich matki startują w wyścigu szczurów i nie cofną się przed niczym.

A każda ma swoje tajemnice – mniej lub bardziej niewinne…
Niektóre nawet mordercze.

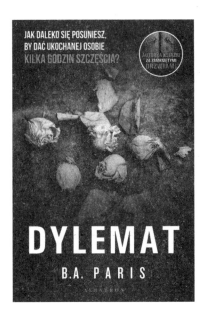

JAK DALEKO SIĘ POSUNIESZ,
BY DAĆ UKOCHANEJ OSOBIE
KILKA GODZIN SZCZĘŚCIA?

AUTORKA KSIĄŻKI
ZA ZAMKNIĘTYMI
DRZWIAMI

DYLEMAT

B.A. PARIS

**W *Na skraju załamania* i *Pozwól mi wrócić* B.A. Paris udowadniała,
że potrafi pisać sensację.**

W *Dylemacie* wraca do tego, co jest jej najbliższe – powieści psychologicznej.

**Jeśli podobało ci się ZA ZAMKNIĘTYMI DRZWIAMI,
DYLEMAT jest dla ciebie.**

LIVIA

Na ten dzień czekała od lat. Na przyjęcie, o jakim marzyła. Będą wszyscy jej bliscy i przyjaciele… poza córką, Marnie. Lecz choć Livia przed nikim się do tego nie przyznaje, nieobecność dziewczyny wcale jej nie martwi. Niestety, pojawi się ktoś, kogo wolałaby nigdy więcej nie widzieć, co przyćmiewa jej radość. Podobnie jak to, że po przyjęciu będzie musiała zdradzić mężowi sekret, który wywróci jego życie do góry nogami.

ADAM

Jest gotowy zrobić wszystko, by impreza urodzinowa żony była idealna. Pojawienie się Marnie ma być największą niespodzianką wieczoru. Lecz przed przyjęciem Adam dowiaduje się o katastrofie samolotu, którym mogła lecieć. Wierzy, że nie było w nim córki. Ale pewności nie ma. Adam pozostaje sam z potwornym, ciążącym mu coraz bardziej dylematem. Jeśli powie Livii, zniszczy dzień, na który czekała od lat. A może to być ostatni dzień ich szczęśliwego życia…

Ulubiona autorka Polaków!

**Każda jej książka wydana w Polsce była nominowana do Bestsellera Empiku
za najlepszą sprzedaż w danym roku!**